C0-ARE-126

Ø S 1 Lun

mai 1997

LA RIVIÈRE ESPÉRANCE

CHRISTIAN
SIGNOL

La Rivière Espérance

ROMAN

LE GRAND LIVRE DU MOIS

ISBN 2-221-08089-0

A Claude Jean.

« ... Cette visite à la Dordogne fut pour moi, je le répète, d'une importance capitale : il m'en reste un espoir pour l'avenir de l'espèce, et même de notre planète. Il se peut qu'un jour la France cesse d'exister, mais la Dordogne survivra, tout comme les rêves dont se nourrit l'âme humaine... »

Henry MILLER,
Le Colosse de Maroussi

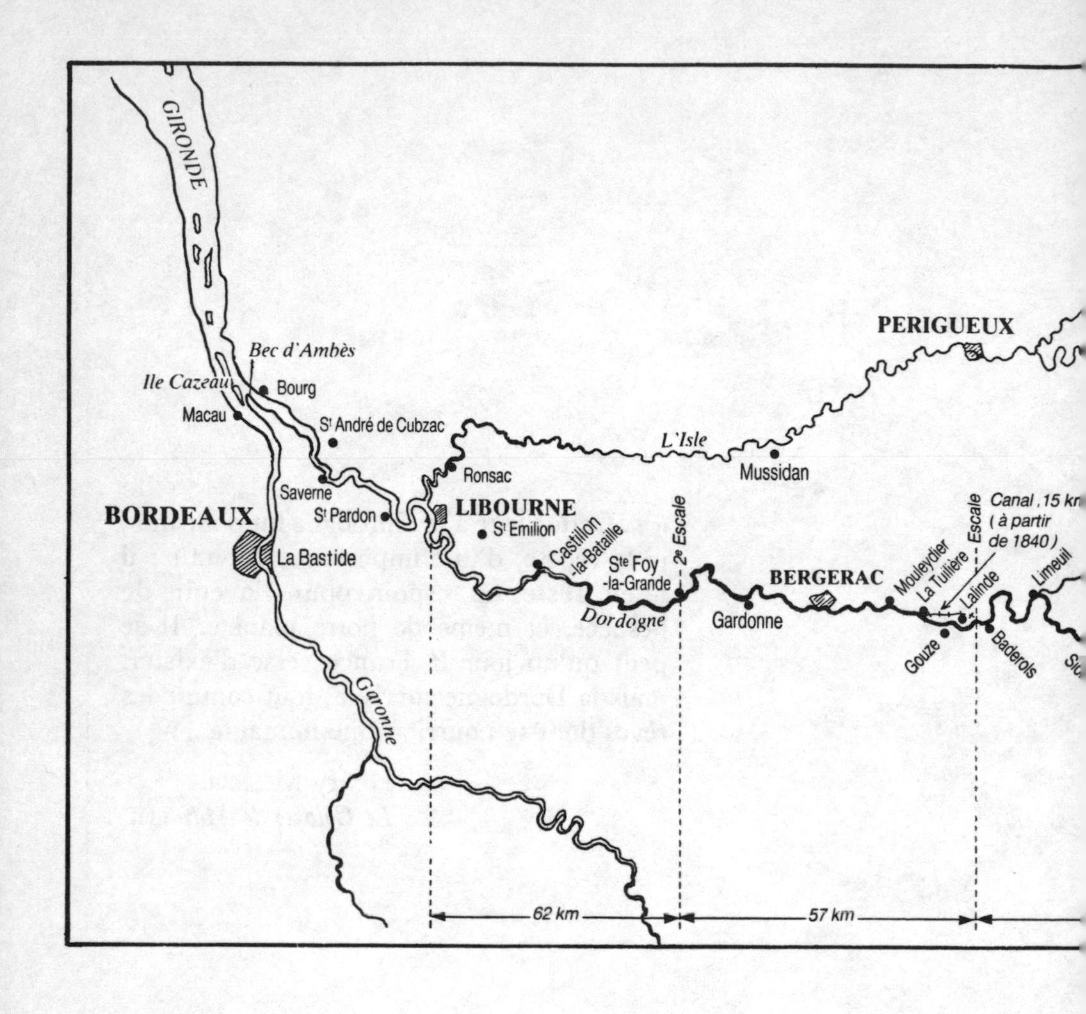
GIRONDE
Bec d'Ambès
Ile Cazeau
Bourg
Macau
St André de Cubzac
Ronsac
Saverne
St Pardon
BORDEAUX
La Bastide
LIBOURNE
St Emilion
Castillon
-la-Bataille
Ste Foy
-la-Grande
2e Escale
Dordogne
Gardonne
BERGERAC
Mouleydier
La Tuilière
Escale
Canal ,15
(à partir
de 1840)
Lalinde
Limeuil
Gouze
Baderols
PERIGUEUX
L'Isle
Mussidan
Garonne
62 km
57 km

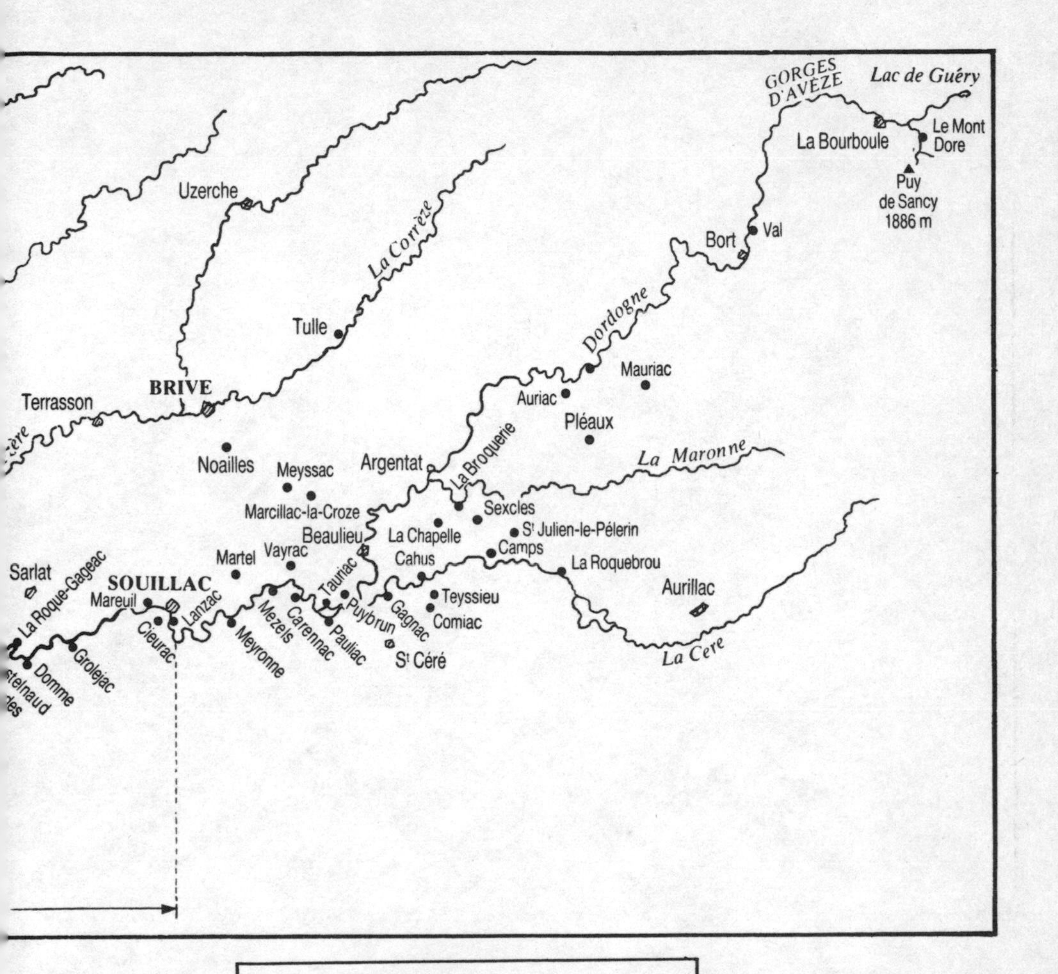
GORGES
D'AVÈZE
Lac de Guéry
La Bourboule
Le Mont
Dore
Puy
de Sancy
1886 m
Uzerche
La Corrèze
Bort
Val
Tulle
Dordogne
Mauriac
BRIVE
Terrasson
Auriac
Pléaux
Noailles
Meyssac
Argentat
La Broquerie
La Maronne
Marcillac-la-Croze
Sexcles
Beaulieu
La Chapelle
St Julien-le-Pélerin
Martel
Vayrac
Cahus
Camps
La Roquebrou
Sarlat
SOUILLAC
Tauriac
Aurillac
Mareuil
La Roque-Gageac
Lanzac
Mezels
Carennac
Puybrun
Gagnac
Teyssieu
Comiac
Cieurac
Meyronne
Pauliac
St Céré
La Cere
Grolejac
Domme

SOMMAIRE

Première partie

L'EAU DE VOYAGE

1

L'aube était loin et pourtant la rivière étincelait. Au-dessus de la frise des bois pâlissait une frange de ciel où s'étaient diluées les étoiles. Plus bas, sous un torrent de lune, de fins îlots de brume scintillaient en dormant. Plus bas encore, assoupies au flanc des collines, de lourdes flaques de nuit croupissaient sur les chênes dont les masses touffues se projetaient sur le miroir des eaux.

« De belles eaux », songea Benjamin Donadieu debout derrière sa fenêtre. Et il les connaissait bien, les eaux de la Dordogne, même si ses treize ans ne lui en avaient pas encore enseigné tous les dangers. D'ailleurs, il aurait pu naître sur l'eau, comme son père, Victorien Donadieu, venu au monde sur le port de La Roque-Gageac, un jour où, bloquée par les glaces, la gabare capitane[1] des Donadieu n'avait pu joindre son port d'attache. Pourtant, si Benjamin n'était pas né sur la rivière, il ne vivait que pour elle. Par elle. Depuis toujours. Et s'il était debout cette nuit-là, c'était parce qu'un bruit était venu l'alerter au plus profond du sommeil. Il avait cru alors que son père, trahissant sa promesse, allait partir sans lui. « Pour tes treize ans, je t'emmènerai », avait-il dit. Quelle promesse ! Comment Benjamin eût-il pu l'oublier ? C'était l'été, l'époque

1. La gabare de tête, celle qui menait les convois.

des basses eaux, des éperviers jetés dans les gravières, des coulis de lune sur les rives, des siestes dans les prairies chaudes, des aubes perlées dans la rosée, des jours sans fin passés à la pêche sur le velours des eaux. Il s'en souvenait comme on se souvient de ses rêves, au matin, quand la nuit vous dépose sur le rivage de l'éveil avec la douceur d'une vague.

Depuis, il n'avait cessé de surveiller le ciel, d'espérer les nuages, d'implorer la venue de l'automne par des prières aussi vaines que naïves, dans lesquelles brûlait le feu de son impatience. Cependant, les orages avaient tardé. Deux ou trois seulement avaient éclaté vers la fin août, promenant sur la vallée miellée par le soleil des parfums de soufre et de sable mouillé. La vraie pluie, elle, s'était fait attendre jusqu'à la fin de septembre, puis était arrivée sur les ailes tièdes du vent du sud, celui dont on disait, dans la vallée, qu'il rendait fou. Ç'avait été une pluie fine mais appliquée, caressante mais obstinée, décidée à durer, à donner à la terre tout ce qu'elle réclamait dans ses soupirs depuis de longs mois. Dix jours plus tard, la merveilleuse nouvelle avait parcouru en quelques minutes toute la vallée : l'eau était « de voyage ».

Benjamin effaça du doigt la buée de sa respiration sur la vitre, approcha son visage pour mieux voir. Sur le port, les bateaux oscillaient lourdement sous le poids du merrain [1] et de la carassonne [2] chargés la veille. Il chercha parmi eux la gabare capitane de son père, la reconnut, sentit des frissons courir sur son dos. Comme chaque fois que son regard se posait sur elle, en effet, la fierté l'embrasait. Car ce n'était pas une vulgaire gabare du haut-pays destinée à être vendue à Libourne, mais un vrai bateau construit en chêne avec des membrures renforcées, sur les chantiers de Sainte-Capraise, là-bas, dans la basse vallée : 25 mètres de long, 5 de large, d'une hauteur de bord de 1 mètre 30, elle ressemblait aux chalands et aux

1. Bois de cœur de chêne destiné aux tonneliers du Bordelais.
2. Bois de châtaignier taillé en piquet pour les ceps de vigne

coureaux du Libournais qui, comme elle, servaient au commerce du bois, du sel, du vin, des épices, de l'huile et du poisson séché. Attachés à elle, la gabare seconde et le gabarot que l'on utilisait comme bateau d'allège[1] lors de la remonte étaient eux aussi chargés de pièces de bois qui, sous la bâche grise, semblaient des ossements monstrueux. D'autres bateaux étaient amarrés sur le port : ceux des bateliers de Souillac prêts, eux aussi, à appareiller dès l'aube. Il y avait quelques années de cela, ils étaient plus nombreux encore, mais beaucoup travaillaient maintenant au déchargement du sel venu de Libourne et à celui du bois descendu du haut-pays. Pas Victorien Donadieu. Il était, lui, resté fidèle à la rivière, au voyage, et Benjamin se disait qu'il le resterait aussi ; il en était sûr, il le savait depuis son plus jeune âge.

Il vérifia que nulle silhouette ne rôdait aux alentours, s'attarda encore un moment derrière les carreaux. Les mâts des bateaux semblaient se dresser contre cette lumière qui coulait comme une cascade jaillie d'une faille du ciel. Sur la rive opposée, l'ombre des trembles griffait l'eau qui creusait près des berges des remous d'huile lourde. Benjamin eut envie de s'y baigner, de se laisser couler dans les grands fonds, car il savait qu'elle était tiède de cette tiédeur automnale des rivières qui délivre la terre de la chaleur accumulée en elle pendant de longs jours. Il soupira, rêva les yeux ouverts au merveilleux voyage qui l'attendait à l'aube, repoussa le sommeil qui coulait sur lui. Il ne devait surtout pas s'endormir s'il voulait ne pas manquer le départ.

C'est qu'ils n'avaient pas été trop de deux, son père et lui, pour convaincre la mère de le laisser partir. « Mon Dieu, avait-elle soupiré, à treize ans sur la rivière ! » Il distinguait dans l'ombre son délicat visage, ses cheveux châtains, ses yeux dorés dont il avait hérité, lui, Benjamin, et ce sourire qui le berçait

1. Bateau qui servait à décharger une partie de la cargaison dans les passes dangereuses.

depuis l'enfance. Quel contraste avec le père, l'homme qui incarnait la force et le pouvoir, ses cheveux noirs frisés, ses yeux gris-bleu, son profil anguleux où chaque trait, creusé par les voyages, révélait un caractère fier et farouche ! Ce père-là était un maître de bateau respecté de tous et n'avait perdu qu'un seul gabarot, en 1825, pendant les eaux marchandes de printemps, la seule fois de sa vie où il avait accepté de charger du charbon. Depuis, il ne chargeait que du bois, du sel, des baies de genièvre que se disputaient les Hollandais à Libourne, quelques marmites de fer fabriquées aux fonderies, parfois des cuirs, des fromages de brebis ou des sacs de chataignes.

Comme tous les bateliers de la Dordogne, comme son fils Benjamin, il rêvait du grand voyage de Bordeaux, de l'estuaire de la Gironde et de la mer. Ah ! dépasser Libourne avec la marée descendante, atteindre le bec d'Ambès, s'abriter entre les bancs de sable de l'île Cazeau et, enfin, profiter du courant remontant pour revenir vers Macau et se laisser glisser sur la Garonne jusqu'aux quais de Bordeaux, voilà quelle était la véritable aventure ! Pourtant, peu de maîtres de bateau s'y risquaient. Ils déchargeaient leur cargaison à Libourne, et ce n'était pas rien, déjà, que d'éviter les nombreux écueils de la descente et les pièges de la remonte, surtout pendant les grandes crues d'automne ou de printemps.

Benjamin regagna son lit, se recoucha sous le vieux drap de chanvre, songea que lui aussi, une fois grand, naviguerait jusqu'à la mer. Il deviendrait le plus fort, et tous les maîtres de bateau lui céderaient le passage. Dans l'ombre de sa petite chambre, il imaginait le visage émerveillé de sa mère et, d'avance, s'en réjouissait. Puis il pensa que, certains jours, elle priait longuement, remuant ses lèvres sans se départir de son sourire. Le danger sur la rivière était-il plus important qu'il ne le croyait ? Quelle était cette légère angoisse qui, soudain, coulait sur lui, tandis qu'il se remémorait les mots prononcés à l'occasion de chaque départ ? « A la garde de Dieu », murmurait son père. « Dieu vous sauve », répondait sa mère. Pourquoi le monde, tout à coup, lui semblait-il porteur des pires menaces ? C'était absurde. Toute son enfance avait baigné dans la confiance et le bonheur. Un bonheur sauvage, libre, vécu dans l'immensité verte de la vallée et dans l'eau vivifiante de la Dordogne d'où il émergeait ébloui dans la beauté bleue des étés, comme ces plantes qui sortent brusquement de terre et s'épanouissent en un instant sous le soleil.

D'ailleurs qu'aurait-il pu redouter ? Il pouvait compter sur son père qui avait toujours veillé sur lui et volerait à son secours au moindre danger. Et il n'était pas fragile, son père. Au contraire, tout le monde disait que c'était un véritable roc. A tel point que Benjamin, parfois, en avait peur. Comme pendant ces soirées où de sombres colères l'emportaient contre les marchands qui décomptaient les jours de retard sur les lettres de voiture [1]. Ces soirs-là, à la maison, tout le monde tremblait. A l'entendre, les marchands étaient toujours pressés, et notamment Arsène Lombard, celui auquel Victorien était lié par un marché, le seul à pouvoir ravitailler en sel les grossistes du Limousin, de l'Auvergne et du Quercy. Pour lui faire plaisir, il eût fallu voler sur l'eau, ne jamais se soucier du mauvais temps, aller toujours plus vite.

— Moi aussi, je deviendrai marchand ! criait Victorien, farouche et ivre de colère ; je ne suis pas plus sot que lui. Je trouverai des merrandiers [2] dans le haut-pays et je concluerai des marchés avec eux !

— Allons, murmurait la mère, ne criez pas ; vous savez bien que cela ne sert à rien.

— Nous verrons qui est le plus fort, reprenait le père en criant toujours, j'irai bientôt !

Le haut-pays ! En avait-il souvent entendu parler, Benjamin ! Et il imaginait des montagnes couvertes de forêts, des crêtes

---

1. Lettres de commande remises par les marchands aux maîtres de bateau à destination d'autres marchands.

2. Fabricants de merrains et de carassonnes.

perdues dans les nuages, des bûcherons obligés de se battre contre les loups avant de pouvoir couper leurs arbres. Ce n'étaient que vallons et ravins, gorges et plateaux où le vent fouettait les bruyères, torrents pleins d'écume et rochers de granit. Un autre monde. Plus sauvage encore que celui de la rivière, sans doute plus dangereux. Benjamin en rêvait de ce haut-pays, comme il rêvait de Bordeaux et de la mer. Tous deux étaient devenus les lieux de ses exploits, les rivages de légende d'où, à l'occasion de ses rêves les plus secrets, il revenait vainqueur pour rejoindre Emeline, la fille d'Arsène Lombard, qu'il rencontrait de temps en temps sur le port. A la fois proche et lointaine, avec ses grands yeux noirs, ses longs cheveux bouclés, elle ressemblait à ces petites gitanes, qui parfois, sur les places, agitent le tambourin pour faire danser l'ours. Souvent les yeux d'Emeline s'attachaient aux siens, et, aussitôt, s'illuminaient. Ils ne se parlaient pas, se contentaient de s'observer. Emeline ne cillait pas. Jamais. Et c'était pour Benjamin comme un sortilège que de plonger dans ces yeux grands ouverts pour lui communiquer il ne savait quel message, tout en maintenant une sorte de distance qu'il ne franchissait jamais sans malaise. Emeline n'était pour lui que dans ses rêves d'enfant, il le savait. Un fils de matelot, fût-il maître de bateau, ne se mariait pas avec une fille de marchand. Le fleuve avait ses lois. Benjamin, malgré son âge, pour les avoir souvent entendues dans la bouche de ses parents, ne les ignorait pas.

Repoussant l'image d'Emeline, il appela celle de Marie Paradou, sa compagne de jeux, celle près de qui il vivait depuis sa plus lointaine enfance. Elle était la fille de Vincent Paradou, le matelot de son père, celui qui tenait le gouvernail de la gabare seconde et vivait à cent mètres du port, dans les prairies, près de sa femme, Amélie, et de leurs cinq enfants. Ces immenses prairies s'étendaient du fleuve jusqu'à Souillac et servaient de terrain de jeux à tous les enfants de la batellerie qui ne fréquentaient pas l'école. C'était là que, souvent, tout ruisselant des eaux de la rivière où il pêchait à la fouëne dans les grands fonds, Benjamin retrouvait Marie à l'ombre des saules cendrés. A la différence d'Emeline, elle n'était pas brune, mais d'un châtain tirant sur le roux, avec des taches de rousseur et des yeux verts. Un même éclat dans le regard, pourtant, faisait que parfois elles se ressemblaient. A qui était-il destiné ? Benjamin s'interrogeait souvent, comme cette nuit, sans trouver de réponse. Mais pourquoi fallait-il penser aux femmes et aux filles alors qu'au matin l'aventure l'attendait ? Il s'en voulut, repoussa l'image de sa mère, d'Emeline, de Marie, se refusa à cette faiblesse qu'il mit sur le compte de son âge, se dit que, dès le lever du jour, il serait un homme et non plus un enfant, puis, rassuré par cette mutation imminente, dans un soupir, il s'endormit.

Grise et froide, l'aube de ce 19 octobre 1832 venait de naître. Dans un demi-sommeil, Benjamin la devinait aux murmures humides des trembles, aux fanfares des verdiers dans des bouquets de saules, aux aboiements des chiens qui révélaient des départs sur les chemins. Dans la maison, en bas, c'était des bruits d'assiettes et de feu qu'on attise. Benjamin s'assit dans son lit, frappé par l'évidence que son père était déjà levé. L'aurait-il oublié ? A peine eut-il le temps de repousser les couvertures que grinçaient les marches de l'escalier sous les pas familiers. Il se recoucha, feignit de dormir. Il avait toujours aimé être réveillé par son père aux aurores.

La porte gémit, s'ouvrit. Un corps s'assit au bord du lit dont les fanes de maïs craquèrent délicieusement. Unc main rude et chaude passa dans les cheveux de Benjamin.

— Dors-tu, mon garçon ? C'est l'hcure.

Benjamin s'étira, fit semblant de ne pouvoir s'extraire du sommeil, heureux que le père n'eût pas trahi sa promesse.

— L'eau est belle, chuchota celui-ci. Elle a pris du muscle et des épaules dans la nuit. Lève-toi vite, fils, on part dans une heure.

Benjamin s'assit dans son lit, se frotta les yeux d'un revers de main, demanda :

— Et le temps, père ?

— Il ne pleut plus, mais la lune est fleurie. Ne t'inquiète pas, nous aurons suffisamment d'eau.

— Elle a monté encore ?

— Oui, de deux pieds au moins.

— Et le vent ?

— Il s'est levé avec le jour. Allons, dépêche-toi.

De nouveau la main passa dans les cheveux, puis le père se leva et les fanes du matelas se déplissèrent doucement. Parvenu près de la porte, Victorien Donadieu se retourna et dit :

— Surtout, habille-toi bien, petit.

— Oui, père, fit Benjamin.

Tandis que les pas descendaient l'escalier, il fit une rapide toilette avec l'eau de la bassine posée sur la table branlante de sa chambre, puis il passa son pantalon de grosse toile rapiécé aux fesses et aux genoux, son tricot de laine, sa veste, sa casquette, et il descendit rapidement l'escalier. En bas, dans la grande cuisine éclairée par la cheminée, la mère servait la soupe aux matelots réunis autour de la longue table rectangulaire au bois lustré par les ans. Il y avait là Victorien Donadieu, bien sûr, Vincent Paradou, Louis Lafaurie, le responsable du gabarot, et une quinzaine d'hommes habitués à naviguer avec Victorien Donadieu, que Benjamin connaissait tous par leur nom.

Vincent Paradou l'attira près de lui, le fit asseoir, demanda :

— Alors, c'est le grand jour ?

Benjamin hocha la tête, se mit à manger la soupe de pain de seigle, puis, imitant les matelots, il versa du vin dans le bouillon et le but. Personne ne parlait. La mère allait de l'un à l'autre, prévenante, resservait ceux qui le souhaitaient. Benjamin sentait que tous étaient heureux et avaient hâte d'embarquer. Le voyage ! Ce mot magique occupait les esprits, leur faisait oublier tout ce qui était étranger à lui, à la rivière, à cette sorte d'aventure dont, après l'avoir connue une fois, ils ne pouvaient plus se passer.

Quand tous eurent fini de manger, Victorien versa dans les

verres de l'eau-de-vie de prune et, pour la première fois de sa vie, Benjamin eut droit à un doigt. Victorien but deux ou trois gorgées, fit claquer sa langue de satisfaction, puis il se leva et donna ses instructions de cette voix impérieuse que Benjamin connaissait bien :

— Vincent ! tu garderas soixante pas de distance avec la capitane et tu te méfieras ! J'ai bien regardé l'eau : elle porte plus qu'hier ; il doit y avoir de la terre dans les fonds. N'oublie pas de prendre assez de « travers » au départ, sinon tu te retrouveras contre les rochers du Raysse. Méfie-toi aussi du vent : il soufflera de trois quarts tribord.

Victorien but une dernière gorgée d'eau-de-vie, reprit :

— Louis ! aujourd'hui on n'attache pas le gabarot ; tu descendras tout seul ; on verra demain dans les meilhes[1] si le courant est suffisant ou pas. Prends garde à ne pas trop t'appuyer sur bâbord, tu sais qu'il n'aime pas ça. Et surtout, garde bien la distance avec la seconde, on ne sait jamais ce qui peut se passer.

Victorien fit un signe de la main et tous les hommes se levèrent. Il les laissa passer devant lui, s'attarda quelques instants en compagnie de la mère et de Benjamin. Comme à son habitude, celle-ci murmura :

— Dieu vous sauve !

— Ne vous inquiétez pas, dit Benjamin ; vous savez bien que je nage comme une truite.

— Oui, mon garçon, fit-elle avec un sourire.

Elle le serra contre elle, le libéra enfin, et il put rejoindre son père qui s'impatientait. Benjamin savait fort bien qu'il avait horreur de ces adieux qu'il considérait comme des moments de faiblesse. « Heureusement que mes sœurs ne sont pas levées, songea-t-il, sans quoi elles auraient versé quelques larmes. » Angéline, à seize ans, et Fantille, à quatorze, ne cessaient en effet de manifester à son égard une affection dont il se serait

1. Eaux mortes sur des grands fonds.

passé volontiers. C'était tout juste si elles ne le considéraient pas encore comme un enfant, et leurs attentions permanentes l'agaçaient.

Il sortit dans l'aube chétive qu'emplissait l'odeur de l'eau. C'était une odeur familière, mais, ce matin, elle semblait plus lourde et portait à suffoquer. On eût dit une exhalaison de vase, de galets, de sable, de graviers, de mousse, de racines, de feuilles, de poissons, un flux douceâtre mais puissant qui se posait sur les lèvres et que l'on avait envie de goûter. L'odeur vraie de la Dordogne, celle de son corps à la fois svelte et musculeux, de ses jambes souples, de ses bras caressants, de ses cheveux d'algues vertes.

Du seuil des maisons, on entendait l'eau respirer avec de brefs halètements, sucer les rives avec un bruit de bouche, aspirer la terre comme pour s'en nourrir, puis s'en aller d'un élan vif, et, passé les remous, se mêler au grand courant qui galopait, là-bas, en plein milieu, comme un troupeau. Il pleuvait doucement. Des vagues de vent tiède s'attardaient sur les trembles et les frênes où elles exacerbaient la douceur sapide des feuilles mouillées. Des lanternes allaient et venaient dans le matin frileux, tenues par les femmes des matelots qui s'affairaient dans une agitation fébrile, repartaient dans les maisons chercher des vêtements oubliés, revenaient, appelaient, ne savaient que faire pour se rendre utiles. Des matelots graissaient une dernière fois les anneaux des rames, vérifiaient les chevilles et les cordages, l'arrimage du bois, mettaient au sec la nourriture du voyage.

Le clocher du bourg tinta doucement, là-bas, par-delà les prairies, puis le curé arriva, suivi par ses deux enfants de chœur. Il y eut un long moment de recueillement durant lequel, après la bénédiction des bateaux, les répons devinrent les seuls bruits du matin, puis l'agitation reprit, plus fébrile encore, tandis que la pluie, tombant maintenant en averse, faisait grésiller les arbres sur les rives. Benjamin suivait son père qui allait d'une gabare à l'autre, donnait des ordres, criait, conseillait, vérifiait lui aussi une dernière fois le bon état des mâts et des gouvernails. A l'instant où l'on allait embarquer, Angéline et Fantille surgirent sur le port, et Benjamin dut supporter les effusions qu'il redoutait. Après ses sœurs, ce fut sa mère qui, de nouveau, s'approcha. Heureusement, Victorien le prit par le bras et, d'un élan, lui fit franchir la passerelle.

Il y avait longtemps que Marie Paradou était réveillée ce matin-là, et longtemps aussi que, cachée derrière un mur, elle guettait Benjamin pour lui donner la veste de laine qu'elle avait tricotée en secret. A plusieurs reprises, elle avait failli s'approcher, mais la peur de son père, Vincent Paradou, la peur aussi de Benjamin l'en avaient empêchée. C'était stupide, elle le savait, mais il lui semblait que tous les regards convergeaient vers elle, la désignaient comme coupable d'une action dont elle était pourtant heureuse. Maintenant, c'était trop tard. Benjamin se trouvait sur le pont de la capitane et quelque chose se nouait en elle, lui donnant la sensation qu'elle connaissait bien de la proximité d'un danger. En fait, il s'agissait de la même sensation éprouvée les jours où Benjamin plongeait dans les remous et qu'il tardait à remonter. Assise dans l'herbe des prairies, elle priait pour lui, demandait à Dieu de lui faire perdre cette habitude qu'il avait prise de plonger dans les grands fonds pour pêcher. Il prétendait ainsi prendre davantage de poissons. C'était vrai, bien sûr, mais tellement dangereux ! Marie redoutait ces longues minutes d'attente, essayait de le dissuader de plonger de la sorte, lui reprochait de la faire mourir de peur, mais elle ne pouvait pas renoncer à le suivre.

— Si tu me dénonces, disait-il, tu ne me verras plus jamais.

Une telle détermination brillait dans ses yeux, une telle folie, parfois, qu'elle ne le reconnaissait plus. Il devenait un étranger qu'elle redoutait. Mais plus il devenait redoutable, plus elle avait besoin d'être proche de lui.

Au printemps dernier, un soir, comme il tardait vraiment à remonter du remous dont les contours s'étendaient sur plus de huit mètres, malgré son appréhension, elle avait plongé à sa rencontre. Elle l'avait aperçu cinq mètres plus bas, le pied droit coincé dans les racines d'un arbre immergé. Sans penser au danger, elle était remontée d'un coup de talon, avait avalé une grande goulée d'air, puis, sans hésiter, elle était descendue jusqu'à lui. Mais elle n'avait pas l'habitude de rester si longtemps dans les fonds et il leur avait fallu, en unissant leurs efforts, près de trente secondes pour réussir à dégager le pied emprisonné. Ils étaient remontés au bord de l'asphyxie et ils étaient longtemps restés allongés dans l'herbe, peinant pour retrouver leur souffle, anéantis.

Depuis ce jour, il avait considéré Marie d'une manière différente, cessé de lui imposer ses caprices, accepté d'elle des reproches qu'auparavant il n'écoutait même pas. Ne lui avait-elle pas sauvé la vie ? Pourtant elle n'aimait pas cette idée d'une probable reconnaissance. Elle désirait autre chose, mieux encore. Des années durant, Elina Donadieu, la mère de Benjamin, émue par les difficultés de la famille Paradou, avait souvent accueilli Marie chez elle, si bien que les deux enfants avaient grandi ensemble, mangé dans la même assiette, parfois dormi dans le même lit. A huit ans, Marie avait regagné sa maison, mais elle n'avait jamais oublié les jours vécus près de Benjamin. Aujourd'hui, à l'orée de l'adolescence, elle souhaitait follement que leurs rapports devinssent différents. Il lui semblait d'ailleurs qu'ils étaient sur la bonne voie. Il y avait peu de temps de cela, un soir, ils s'étaient couchés côte à côte sur un lit de fougères et elle avait senti chez lui une sorte de gravité attentive qui l'avait émue. A ce souvenir, Marie se troubla et constata avec soulagement que personne ne regardait dans sa direction.

Dissimulée derrière la maison de l'octroi, ne se décidant toujours pas à s'approcher du port, elle observait Benjamin à son aise sans qu'il pût la voir. A la peur se mêlait maintenant la fierté, celle qu'il éprouvait sûrement sur le bateau, là-bas, et qu'elle devait partager avec lui. Il lui en avait tellement parlé de ce premier voyage ! Comment aurait-elle pu lui en vouloir, même s'il ne s'était jamais rendu compte combien elle souffrait, sachant que la rivière allait le lui prendre alors que déjà, malgré son âge, elle avait tant besoin de sa présence. Elle soupira, ne put s'empêcher de penser à tous les drames, qui, chaque année, éprouvaient les hommes et les femmes de la rivière.

L'an passé, c'était Martial, le fils de Grégoire Angibeau, le batelier, qui s'était noyé dans les remous du Raysse en pêchant, lui aussi, comme Benjamin et tant d'autres garçons, pour aider leurs parents grâce à la vente du poisson dans les auberges. Par endroits, la Dordogne creusait des trous de sept ou huit mètres et c'était là que se cachaient les grosses truites, les grands saumons dont on pouvait tirer le meilleur prix. Les parents interdisaient ce genre de pêche à leurs enfants, mais ceux-ci portaient le goût du risque dans leur sang et vivaient depuis leur plus jeune âge dans la traque folle des poissons. Benjamin le premier. Benjamin qui ne pêchait pas seulement le jour, mais aussi la nuit, au flambeau, avec Vincent, le père de Marie, ou alors à la coque du Levant [1], ce qui était encore plus dangereux. Pendant ces nuits-là, Marie ne parvenait pas à trouver le sommeil en songeant aux pièges tendus par la rivière et à ceux des gendarmes et des gardes payés par les propriétaires des pêcheries. Et voilà que maintenant Benjamin embarquait. Les accidents et les naufrages le guettaient, comme celui de Pierre Bramel, un batelier de Lanzac, qui avait perdu ses bateaux en février, lors des grandes eaux, après un bris de cordelle pendant la remonte en amont de Limeuil. Deux de ses matelots étaient morts noyés et toute la cargaison avait été perdue. C'était ainsi : il ne se passait pas une année sans que la rivière ne réclamât son dû en hommes et en bateaux.

Marie frissonna. Pourquoi nourrissait-elle de telles pensées, ce matin ? Ne vivait-on pas aussi des moments de bonheur à l'occasion des retours, quand les bateaux apparaissaient sous le rocher du Raysse, que de toutes les maisons sortaient les femmes et les enfants mystérieusement prévenus, qu'ils cou-

1. Fruit d'un arbuste des Moluques utilisé pour empoisonner le poisson.

raient vers le port en agitant les bras, pressés de serrer contre eux des pères ou des maris ? Et ces fêtes de retrouvailles donc ! Et ces bals sur le port, ces veillées où les contes faisaient rêver les femmes, ces réjouissances de la Saint-Jean, de la Saint-Roch, de Carnaval, de la Saint-Martin, de la Noël ! N'était-on pas heureux dans cette vallée verte où il semblait parfois, l'été ou au printemps, que l'on vivait en paradis ? Où donc ailleurs aurait-on pu trouver une telle palpitation de la terre et de l'eau, de pareils bleus d'encens dans les matins, cet ensauvagement des herbes sur les rives, cette lumière veloutée de l'automne et ces nuits de juin corsetées de rosée qui halètent doucement dans le parfum des foins et des lilas sauvages ? A quoi donc eût servi de se désoler ? Il fallait que les hommes partent pour pouvoir revenir, et c'était bien ainsi.

Marie prit une profonde inspiration, sortit de son abri, s'approcha de la gabare seconde où son père était assis près du gouvernail. Benjamin, sur la capitane, lui tournait le dos. Vincent, en revanche, l'aperçut, vint près du quai, remarqua la veste qu'elle tenait contre elle.

— C'est pour moi ? fit-il, étonné.

Elle recula d'un pas et, ne sachant comment lui dire que la veste était destinée à Benjamin, murmura :

— Oui, père, c'est pour vous.

Vincent la remercia, prit la veste, essaya d'en passer les manches mais n'y parvint pas. Il dévisagea sa fille qui se troubla puis, après un instant, il sourit en disant :

— J'ai compris ; je la lui donnerai.

Confuse d'avoir été devinée, elle s'éloigna jusqu'à la première maison, s'appuya au mur, près d'Elina, la mère de Benjamin. Celle-ci lui prit le bras et, comme elle avait assisté à la scène, souffla :

— Tu es trop bête, tiens.

Là-bas, sur la capitane, Benjamin, debout près de son père, regardait droit devant lui. Le départ était imminent.

— Voilà, dit Elina dans un soupir, c'est encore un enfant et déjà il s'en va.

Après un dernier regard d'inspection, Victorien Donadieu se saisit du gouvernail et cria :

— Poussez sur les bergades !

Les matelots s'emparèrent de deux longues perches et pesèrent de tout leur poids sur elles. La gabare, lourdement chargée, vibra, bougea légèrement, et les hommes appuyèrent davantage sur les perches. Le buste bien droit, Benjamin s'efforçait de ne pas se tourner vers le port d'où montaient des adieux dans l'aube blême. Le vent tiède accompagnait maintenant une petite pluie au goût de mousse. Là-haut, contre les nuages, des vols d'étourneaux changeaient de rive avec des bruits de vagues qui se brisent. Plus la gabare capitane s'éloignait de l'appontement et plus Benjamin avait envie de se retourner. Il avala un grand bol d'air, chercha des yeux, sur la rive opposée, le château de Cieurac dont les murs ocre et le toit gris émergeaient des feuillages. Après avoir « pris du travers », la capitane commençait à descendre vivement le courant, et Benjamin s'étonnait de cette impression de glisser sur du velours qu'il n'avait jamais ressentie avec sa barque de pêche, même sur les grands fonds. Il sentait sous ses pieds la pression du gouvernail dans l'eau qui semblait lutter contre elle à la manière d'un gros poisson. Ses yeux s'arrêtèrent sur les mains de son père, qui incarnaient la force et la souplesse. Il observa un moment ses manœuvres puis se laissa aller à regarder sur tribord : l'appontement avait disparu.

— C'est bien, garçon ! fit Victorien ; moi aussi, la première fois, j'ai eu envie de me retourner vers ceux qui restent. Et il ne faut pas. Jamais.

Décidément, son père le devinait toujours. Combien de fois n'avait-il pas senti son regard de plomb posé sur lui, du bout de la table, mais c'était un regard sans aucune agressivité, un regard qui comprenait, qui savait tout, qui rassurait. Benjamin essaya de trouver des mots capables de traduire tout ce qu'il ressentait, mais ils lui parurent vains et il garda le silence.

— Tiens-toi bien maintenant, fit Victorien.

La capitane filait droit vers le rocher du Raysse. C'était un malpas [1] au bout duquel le courant se jetait violemment contre une sorte de petite falaise à pic, creusant à ses pieds un gouffre tourmenté de remous. Dès que le courant s'empara de la capitane, Victorien la maintint le plus possible sur bâbord et, cependant, après une sorte de cavalcade désordonnée, elle frôla le rocher sur tribord, avant de ralentir sa course dans un calme tout de suite après l'obstacle. Victorien n'avait pas sourcillé. A peine si ses traits s'étaient durcis pendant la manœuvre et si ses paupières s'étaient plissées sous l'effet de la concentration. Là-bas, droit devant, la rivière bouillonnait en son centre, tandis que le long des berges une sorte de houle semblait labourer la terre sous les trembles. Pourtant la vallée s'élargissait entre des champs de maïs et des prairies qui fumaient doucement. Les collines s'éloignaient comme pour manifester leur respect de l'eau vagabonde.

— Profites-en pour apprendre ! fit Victorien. Regarde comment il faut tenir le gouvernail !

Benjamin observa comment la longue barre de bois, placée sous l'épaule droite de son père qui s'était assis, était maintenue d'abord par la main droite, ensuite, à son extrémité, par la main gauche, et comment, en balançant le corps, Victorien pesait sur elle quand l'eau se refusait à s'ouvrir sous le soc immergé.

— Nous sommes dans la plaine de Cazoulès, fit-il, ici ça va tout seul. Retourne-toi et dis-moi si tu vois le gabarot de Lafaurie.

— Je le vois, fit Benjamin.

— A combien de la seconde ?

— Trente pas, je crois.

— C'est trop près, dit Victorien ; Lafaurie ne veut rien entendre, et un jour ça nous coûtera cher

---

1. Passage dangereux.

Il y eut un moment de silence. La gabare glissait doucement au beau milieu de la rivière dont les rives vernies paraissaient s'assoupir sous la pluie.

— Moi, j'ai dû apprendre seul, reprit Victorien ; mon père s'est noyé quand j'avais dix ans et les vieux matelots, alors, étaient avares de leur savoir. Toi, petit, tu as de la chance et il faut que tu en profites ; ouvre grands tes yeux et tes oreilles.

De lourds corbeaux traversaient la rivière avec des cris qui portaient loin dans le matin brumeux. L'eau, dans cette large plaine, était agitée de grands remous sombres que zébraient par instants des éclairs argentés comme des robes de truites. On entendait des appels sur les berges sans distinguer l'endroit de leur provenance.

— On arrive au port de Mareuil, dit Victorien.

Benjamin distingua sur l'avant de grandes barques noires amarrées à des appontements de bois, sous un village dominé par une vieille église. Le prouvier[1] lança un cri pour annoncer la capitane, auquel répondirent aussitôt les pêcheurs. Le convoi de Donadieu se fraya un chemin entre les barques qui relevaient les filets à gauche et à droite du chenal réservé au trafic. Des saluts retentirent, joyeux, certains même chaleureux, et Benjamin en conçut la conviction que tout le monde se connaissait. Sur la demande de son père, il se retourna pour vérifier que la seconde et le gabarot étaient bien passés, puis la descente continua dans une sorte de silence ouaté. Le convoi dépassa Cazoulès, Peyrillac, parcourut un méandre le long duquel poussaient des aubiers. laissa à gauche le village de Saint-Julien-de-Lampon avec son clocher carré, à droite Rouffillac et son château émergeant de sa colline boisée, puis se dirigea vers Sainte-Mondane et les falaises d'Aillac. Victorien, chaque fois, nommait les lieux, les villages, les châteaux, car ils étaient autant de repères à connaître pour bien se situer sur la rivière et situer en même temps les rapides, les calmes, les

1. Le matelot qui se tenait à la proue pour annoncer les obstacles.

dormants, les gravières que devaient franchir les bateaux. Benjamin écoutait tout en observant comment son père maintenait la capitane dans le profil de l'eau, évitait les remous, corrigeait la trajectoire en souplesse, sans le moindre à-coup. A un moment, son esprit s'évada vers Marie qu'il n'avait pas vue sur le port, et il en eut du regret.

— Ne rêve pas, petit, dit Victorien à qui rien n'échappait, tu auras tout le temps cette nuit. Ecoute bien tout ce que je te dis.

Furieux de s'être laissé prendre en faute, Benjamin reporta son attention sur la rivière qui léchait des villages enfouis dans les chênes verts, éclaboussait les berges piquetées de touffes de saules, accélérait sa course ou se pavanait selon son humeur, traçait dans la plaine fertile un sillon lumineux dans lequel se reflétaient les nuages.

Marie Paradou ne cessait de penser au départ des bateaux. Pourtant il y avait tant à faire dans la maison ! Etre l'aînée, à treize ans, de quatre frères n'était pas de tout repos. Sa mère, Amélie, parvenait difficilement à assumer seule les charges du ménage et exigeait beaucoup de sa fille. Marie l'aidait de toutes ses forces, mais elles n'étaient pas trop de deux pour s'occuper d'une aussi grande couvée en l'absence du père. Debout devant la grande table de la cuisine, Marie soupira, acheva de ranger ses truites dans un panier d'osier. Ce matin, elle était heureuse de quitter la maison. Au moins, en se rendant à Souillac, même s'il pleuvait sur les prairies, même si c'était loin, elle pourrait songer à loisir à Benjamin, puiser dans une solitude momentanée les forces qui lui permettraient de se remettre au travail à son retour.

— Emmène donc François ! dit soudain Amélie à l'instant où Marie partait.

François était l'aîné des garçons. Après Marie, d'ailleurs, les Paradou n'avaient que des garçons : François, Vivien, Joseph et Jean. Mais François était le plus intrépide et la mère ne parvenait pas à s'en faire obéir. Au reste, depuis quelque temps, elle avait l'air épuisée et les traits de son visage changeaient. Attendait-elle un autre enfant ? A cette idée, Marie sentit une vague de désespoir déferler en elle ; son regard s'attarda sur les cernes noirs fleuris sous des yeux trop grands, sur cet air de profonde lassitude qui errait des lèvres pâles au front sur lequel les rides révélaient une sorte de vieillesse précoce.

— Je ne veux pas la suivre, décréta François, un garçon brun et robuste, aux traits ingrats. Il pleut trop. Et puis j'aime pas les gens du bourg.

— Allons ! viens donc ! dit Marie en le prenant par les épaules.

Elle savait se faire entendre de lui, car elle s'en était occupée plus que des autres. Deux ans les séparaient mais elle avait souvent usé à son égard de gestes maternels qu'il n'avait pas oubliés.

— Viens donc ! répéta-t-elle ; une bonne pluie n'a jamais fait de mal à personne.

François hésita, se balança d'un pied sur l'autre, puis, après un soupir, décida :

— Je viens si je porte pas le panier.

Marie haussa les épaules, refusant d'entamer une dispute à l'issue de laquelle sa mère, comme toujours, finirait par crier. Elle saisit ostensiblement l'anse du panier et, suivie par François triomphant, elle sortit.

Ils s'éloignèrent sur le chemin de rive qui, depuis le port, longeait la Dordogne sous le couvert des trembles et des frênes, franchirent le pont de bois sur la Borrèze, un petit affluent de la rivière qui séparait le port du bois de celui du sel. Marie ne se retournait pas, sachant très bien que François la suivait. De temps en temps, elle jetait un regard vers l'eau et songeait à Benjamin. A grands coups d'épaule, la rivière charriait des eaux limoneuses où flottaient des branches et des troncs d'arbres. Des vols de grives crépitaient dans les prairies qui, assoupies sous une buée verte, s'étendaient vers le sud à perte de vue, jusqu'au port de Lanzac où le pont, terminé en 1824, supportait la grand-route de Paris à Toulouse.

— Pourquoi tu passes par là ? demanda brusquement François.

Elle s'arrêta, se rendit compte qu'à force de rêver à Benjamin, elle avait dépassé le sentier qui, sur la gauche, se frayait un passage entre les halliers en direction du bourg. Elle fit demi-tour et, sans un mot, s'y engagea. Cependant, dès qu'elle eut parcouru une dizaine de mètres, la pensée de Benjamin, de nouveau, se substitua à toute autre. La rivière l'avait pris comme elle prenait tous les hommes de la vallée, les emportait loin de leur famille, parfois même ne les rendait pas, ou alors avec des idées tellement folles que nul ne les reconnaissait. Elle emportait Vincent, son père, depuis plus de vingt ans ; ce matin, elle avait enlevé Benjamin et bientôt ce serait le tour de François, Vivien, Joseph et Jean.

Souvent, le soir, les hommes, attablés, parlaient avec des lueurs étranges dans les yeux de Sainte-Foy-la-Grande, Castillon-la-Bataille, Libourne, Bordeaux, et certains même de la mer. Ceux-là, un jour, ne reviendraient pas. Marie sentait déjà avec appréhension arriver le temps où, comme sa mère, comme tant d'autres femmes de la vallée, elle passerait sa vie à attendre en redoutant les crues, les glaces, les abordages, les naufrages. D'ailleurs, ne commençait-elle pas ce matin à attendre le retour de Benjamin ? Benjamin et ses boucles noires, ses yeux noisette à l'éclat doré, son air farouche et fier qu'il tenait de son père, sa folle passion de l'eau et de la pêche... Benjamin qui, lui aussi, parlait de Bordeaux, de la mer. Comment parviendrait-elle à le garder ? Il le fallait pourtant. Elle sentait qu'il lui était aussi indispensable que l'air qu'elle respirait. Elle savait aussi qu'à treize ans c'était de la folie de penser ainsi, mais qu'y pouvait-elle ? Depuis des années, elle s'efforçait de l'apprivoiser, l'empêchait d'aller retrouver les garçons de son âge près desquels il devenait différent, hostile, vaguement méprisant. C'était un combat qui exigeait beaucoup d'elle, mais elle avait l'impression de l'avoir gagné le jour où elle avait plongé à son secours. Ce jour-là, elle avait jeté entre elle et lui un pont si robuste qu'aucune rivière, aucune crue ne pourrait jamais l'emporter. La veille au soir, alors qu'il lui disait au revoir, il avait tardé à s'éloigner, tandis qu'elle murmurait, trouvant d'instinct des mots de femme habituée aux départs :

— Prends bien garde à toi.

— Mais oui, ne t'inquiète pas, avait-il répondu.

Et pourtant il était resté encore un instant près d'elle, comme s'il avait eu conscience, en la quittant, de quitter aussi son enfance et de perdre à jamais une part de sa vie...

— A qui souris-tu ? demanda brusquement François venu à sa hauteur.

Elle sursauta, haussa les épaules.

— Qu'est-ce que ça peut te faire ?

— C'est bête, les filles, dit François.

Elle haussa de nouveau les épaules et ne répondit pas. Ils arrivaient à proximité des jardins potagers d'où montait une odeur capiteuse de terre et d'humus. La pluie s'était un peu atténuée. Le sac posé en forme de capuchon sur la tête des enfants fumait légèrement. Ils franchirent la route de Sarlat, prirent la ruelle qui grimpait en direction de la place de la Halle. C'était là le quartier des artisans et des commerçants. Les grosses maisons bourgeoises des marchands se trouvaient, elles, davantage sur la droite, autour de la place de la Nau où, disait-on, des bateaux avaient été amarrés lors de la plus forte crue de la Dordogne que l'on ait vue.

Il y avait beaucoup de monde sur la place malgré la pluie. Des femmes en blouse noire se pressaient entre les étals et les charrettes, houspillant les enfants qui poursuivaient des volailles ou des chiens. Les hommes discutaient avec animation de la dernière grêle, de la prochaine foire, heureux d'avoir échappé pour une matinée aux durs travaux des champs. On vendait de tout : des légumes, des œufs, des poulets, des lapins, des pigeons, du poisson. François et Marie posèrent leur panier à leurs pieds et attendirent les clients, pas fâchés de se trouver enfin à l'abri. Au bout d'un moment, pourtant, François, impatient, s'éloigna sans que Marie y prît garde. Elle demeura donc seule, mais pas très longtemps, car une fille s'approcha et la dévisagea sans parler. Brune, bouclée, les yeux d'un noir profond, elle s'adressa abruptement à Marie dont le sang se glaça :

— Est-ce que Benjamin est parti ce matin ?

— Qu'est-ce que ça peut te faire ? rétorqua Marie qui venait de reconnaître la fille d'Arsène Lombard.

Une lueur provocante s'alluma dans les yeux noirs qui défièrent Marie :

— Je sais qu'il est parti ; il me l'avait dit.

— Moi aussi, je le sais, répliqua Marie. On nous a élevés ensemble, ça aussi il te l'a dit ? Nous avons mangé dans la même assiette, dormi dans le même lit ; toi aussi ?

Emeline ne répondit pas tout de suite. Elle prit le temps de sourire avant de lancer, très calme et sûre d'elle :

— Benjamin, il me dit tout.

Puis elle fit demi-tour et disparut au coin de la rue aussi soudainement qu'elle était arrivée. Marie dut s'asseoir sur une caisse tellement elle se sentait mal. Etait-ce possible ? Benjamin avait-il été capable de la trahir ainsi ? Certes, elle savait qu'il la rencontrait souvent sur le port, mais de là à supposer qu'il lui faisait des confidences... Au reste, c'était la première fois qu'elle se trouvait ainsi ouvertement défiée par une fille de son âge chez laquelle, en outre, elle avait deviné un profond mépris. Elle suffoquait sous l'effet d'une colère impuissante qui, sans qu'elle s'en rendît compte, la faisait trembler. Elle n'avait plus qu'une hâte, maintenant, c'était de regagner le domaine de la rivière où elle n'était pas menacée, où elle vivait sans crainte. D'ailleurs, elle avait toujours détesté le bourg et ses habitants. Ils étaient trop différents des gens de la vallée, trop sûrs d'eux, trop...

Une femme s'arrêta devant elle pour lui acheter ses truites. Elle ne discuta même pas le prix et, quand elle fut payée, elle glissa les trois pièces dans sa poche, courut acheter du fil et des aiguilles pour sa mère, chercha François et le trouva, comme à son habitude, en train de se battre avec des garçons du bourg.

Elle l'aida à s'échapper, l'entraîna derrière elle, et ils s'élancèrent vers les prairies dont le vert, tout là-bas, soulignait celui des arbres vernis par la pluie.

La gabare capitane des Donadieu approchait à vive allure du confluent avec la Vézère, entre des champs fripés de maïs et de tabac. En cette fin d'après-midi d'automne, de grandes bouffées au parfum d'herbe erraient sur la rivière. Les hommes, sur le bateau, étaient transpercés par la pluie qui ne cessait de tomber, noyant la vallée dans une brume légère qui prenait la couleur indéfinissable de l'eau. Benjamin, à l'abri du pralin [1], ne cessait de revivre le parcours et frissonnait encore au souvenir du passage du « lac del moussur », un étroit chenal au-dessus des gravières et entre des rochers aux contours acérés. La gabare seconde avait légèrement « touché » sur bâbord, mais les matelots avaient pu colmater sans difficulté avec de l'étoupe de chanvre. Franchi ce malpas, le convoi était passé au pied du château de Montfort dressé au-dessus du cingle [2] où les saules disputaient les rives aux peupliers. Ensuite, après une autre courbe, on avait longé la barre de Domme en profitant d'un courant fort et régulier, puis le convoi avait dépassé le village de Cénac, La Roque-Gageac et ses maisons à étages plaquées contre la falaise, les châteaux de Castelnau, Beynac et Fayrac. Benjamin avait tellement entendu parler de ces villages, de ces châteaux, que le seul fait de les apercevoir l'emplissait d'une joie qu'il avait du mal à cacher. A treize ans ! Quelle chance avait-il ! Et quel privilège de voir manœuvrer son père entre les îlots et les bancs de gravier du Constaty où il fallait choisir le bon chenal pour ne pas s'échouer ! Il était conscient de vivre des instants dont il se souviendrait toute sa vie.

---

1. Bâche pour protéger le bois (pralin ou prélart).
2. Grand méandre.

Un peu après Allas-les-Mines, la Dordogne s'était assagie et élargie, creusant sa route entre des plaines riches où la terre était grasse et rapiécée de champs et de prés aux couleurs chaudes. Les matelots avaient dû prendre les rames dans les calmes, et Victorien avait permis à son fils de tenir un moment le gouvernail. On avait alors passé Saint-Cyprien, le confluent de la Nauze, Siorac, Le Buisson, et maintenant, après un dernier méandre, la capitane filait à vive allure vers Limeuil, escortée par des flottilles de brume qui s'enroulaient autour des mâts comme des mouchoirs de soie. Sur les rives, des bergers abrités sous des houppelandes saluaient les matelots avec de grands gestes du bras ; des chars à banc bringuebalaient sur des chemins creusés d'ornières ; des vaches paisibles cherchaient l'abri des yeuses dans les prés.

— On arrive au confluent, dit Victorien ; attention aux gabarots limousins ! Retourne-toi et dis-moi où se trouve la seconde !

Benjamin s'exécuta en se protégeant de son mieux de la pluie. Les matelots de Vincent lui firent des signes d'amitié. Leur bateau se trouvait à moins de cinquante pas.

— Ça ira, dit Victorien.

Et il ajouta, la voix soudain tendue :

— Regarde bien sur tribord.

La capitane longeait des bouquets de saules et de frênes marbrés par la pluie. A la pointe d'une étroite presqu'île, Benjamin distinguait des courants parallèles de couleur différente. Celui de droite, plus foncé, comme rouillé, était celui de la Vézère qui avait traversé les schistes et les gneiss du Bas-Limousin. Les deux lits que Benjamin put observer dès que la capitane eut dépassé la pointe de la presqu'île ne se mêlaient pas tout de suite, mais se côtoyaient en donnant l'impression de se jauger avant de s'accepter.

Poussés par les Limousins qui débouchaient de la Vézère, des cris stridents retentirent, auxquels répondirent aussitôt les matelots de Donadieu. Il fallait laisser le passage sur tribord, la plupart d'entre eux accostant au port de Limeuil. Du village,

Benjamin aperçut, dans sa partie haute, une église, des remparts, des ruelles en pente, des terrasses, et, dans sa partie basse imprudemment étirée le long de la rivière, une place où des oies déambulaient sous de grands arbres dégoulinant de pluie. Là, malgré le mauvais temps, circulaient des femmes pressées, des hommes qui menaient des bœufs ou portaient des outils, des enfants aux jambes maculées de boue qui couraient derrière des cerceaux, un morceau de bois à la main.

A peine Benjamin eut-il le temps de voir accoster le premier gabarot limousin que, déjà, profitant de la force neuve des deux courants, la capitane approchait des falaises de Sors.

— Abrite-toi derrière moi, dit Victorien, comme la pluie redoublait.

Benjamin obéit, perdit un moment de vue les rives crayeuses, mais il ne put se résoudre à rester à l'abri : il voulait tout voir, tout sentir, tout connaître dès sa première descente.

— Regarde ! fit brusquement Victorien.

Un héron traversait le fleuve avec nonchalance, laissant traîner derrière lui ses longues pattes maigres. Un coup de fusil claqua là-bas, dans la plaine, sur bâbord, et vint se répercuter sur les collines tourmentées par le vent. La gabare ralentit à l'entrée d'un grand demi-cercle où, entre les arbustes des rives, de larges plaques calcaires étamaient la falaise.

— On est dans le cingle de Trémolat, dit Victorien, il mesure trois kilomètres de long.

La falaise et la boucle de la rivière paraissaient en effet interminables. Le soir tombait rapidement sur la plaine assoupie et Benjamin se demandait si le convoi atteindrait le prochain port avant la nuit. Dans ce site sauvage, les nuages semblaient cimenter le ciel pour y interdire à jamais la lumière.

— On va arriver dans un quart d'heure, dit Victorien qui avait deviné les questions que se posait son fils.

Après le cingle, la Dordogne retrouva de la vigueur en émergeant dans une plaine à la verdure huilée qui renouvelait la clarté du jour. Le convoi ne tarda guère à atteindre un petit bourg assis au bord de la vallée : le port de Mauzac, où, au terme de quatre-vingt-trois kilomètres, les bateliers de Souillac faisaient toujours halte pour la nuit.

Après une délicate manœuvre pour sortir du courant, les bateaux vinrent accoster au port où ils furent aussitôt solidement amarrés. Victorien Donadieu désigna les trois hommes qui veilleraient sur eux, puis l'équipage, conduit par le maître de bateau, se dirigea vers l'auberge, de l'autre côté d'une route bordée de frênes géants. Dès que la porte s'ouvrit, Benjamin, qui marchait près de son père, entendit de grands rires et des éclats de voix. Il entra, se cacha derrière Victorien, intimidé qu'il était par la présence d'une soixantaine de bateliers. Les matelots s'approchèrent de la grande cheminée aux landiers de fonte pour se sécher, et répondirent à des saluts en criant pour se faire entendre. Benjamin resta près de son père au-devant duquel se précipita l'aubergiste, un gros homme chauve aux yeux clairs. Ils se connaissaient depuis longtemps, Donadieu s'arrêtant chaque fois à la descente, et ils entretenaient manifestement des rapports d'amitié. L'aubergiste trouva de la place au bout de la salle éclairée par des chandelles et un chaleil de cuivre pendu au plafond.

Victorien fit asseoir Benjamin à côté de lui. Celui-ci tournait la tête de tous côtés, assourdi par le vacarme, cherchant à comprendre ce que criaient les hommes d'une table à l'autre. Des servantes échevelées se pressaient dans les allées où les matelots les apostrophaient, les retenaient même, parfois, d'une caresse hardie. Elles devaient avoir l'habitude, car elles n'en semblaient pas fâchées. Des chiens se glissaient entre les jambes des hommes qui les flattaient négligemment de la mair en leur donnant des os ou du pain. Partout fusaient des « Tonnerre de Dordogne ! » et des « Nom de Dieu ! », des railleries et des défis lancés par les différents équipages. Il y avait là des « Argentats » qui descendaient eux-mêmes leur bois à Libourne et remontaient à pied après avoir vendu leurs gabarots comme bois de chauffage. Ceux-là étaient les rivaux naturels des Souillagais, car ils étaient concurrents pour l'achat du bois auprès des merrandiers du haut-pays. Cette concurrence était telle que les « Argentats » accusaient leurs rivaux d'intervenir auprès de l'administration maritime pour que les chemins de halage ne fussent pas prolongés au-delà de leur ville. Ainsi Souillac demeurait-elle le point extrême de la remonte, et donc la plaque tournante du commerce du bois et du sel que des rouliers emportaient sur leurs charrettes vers le Massif central. Les affrontements étaient donc fréquents entre les « Argentats », les Souillagais et même les Sarladais qui réglaient sur le terrain des comptes que tenaient les marchands bien à l'abri de leurs maisons cossues.

A côté des hommes de Donadieu mangeaient des bateliers de Domme et de Groléjac. L'aubergiste, qui connaissait bien son monde, avait placé les « Argentats » à l'autre bout de la salle. Une servante brune, aux mèches de cheveux tombant sur son front mat, apporta de la soupe et des pichets de vin. Assis entre son père et Vincent, Benjamin commença à manger avec appétit. Les conversations roulaient sur le projet de creusement d'un canal pour éviter les rapides de la Gratusse en amont de Lalinde. En supprimant le danger, on supprimerait aussi les abus des pilotes qui montaient sur les bateaux à l'entrée des rapides et se faisaient payer de plus en plus cher. Chacun porta un jugement sévère sur ces hommes dont Benjamin apprit qu'il ferait leur connaissance le lendemain à l'aube.

Après la soupe, la servante brune apporta un ragoût de pommes de terre et du fromage. Au passage, elle esquissa du doigt une caresse sur la joue de Benjamin qui, malgré les plaisanteries des matelots, feignit de ne pas l'avoir remarquée. Le repas de midi ayant été bref sur les bateaux, les hommes mangeaient et buvaient beaucoup. Le ton des conversations montait et les propos devenaient de plus en plus acides. Deux ou trois allusions à Louis-Philippe, le roi au parapluie, provoquèrent même un début d'altercation. Une voix s'éleva pour affirmer qu'il valait mieux ce roi-là que Charles X et ses ultras chassés lors des journées de Juillet, deux ans auparavant. Dans leur majorité, les matelots étaient de cet avis, même si certains regrettaient l'empereur qui avait permis aux hommes venus du peuple de s'élever en quelques années. Les idées républicaines n'avaient pas encore pénétré les campagnes. Elles se répandaient davantage chez les ouvriers des villes où les conditions de vie, dans les fabriques et dans les ateliers, étaient autrement plus difficiles. Les bateliers, eux, se sentaient libres et mangeaient à leur faim. En outre, les marchands qui les payaient ne s'aventuraient pas sur les bateaux. La distance et le voyage détendaient donc des liens que l'on renouait seulement sur les ports.

Pour toutes ces raisons, beaucoup de bordiers, de métayers, de fermiers préféraient la rivière à la terre. Au moins, dans la vallée, on vivait libre et on mangeait du poisson. Quant à Victorien Donadieu, lui, il était bonapartiste, mais il évitait soigneusement de montrer ses idées. Les gendarmes et les agents des préfets aimaient particulièrement les auberges et il le savait. Aussi se souciait-il de ne pas se créer des problèmes qui reviendraient un jour aux oreilles des marchands avec lesquels il entretenait des relations déjà bien délicates.

Benjamin remarqua qu'au fur et à mesure que le souper s'achevait les verres se vidaient plus vite, les esprits s'échauffaient et les défis se multipliaient.

— Payez donc nos pichets ! lança l'un des « Argentats » à l'adresse des Souillagais ; sans le bois de chez nous, vous ne mangeriez pas !

Ce fut Vincent Paradou qui releva l'insulte en répliquant :

— Hé ! les matelots de ruisseau, c'est à partir de Brivezac ou de Beaulieu que vous avez le mal de mer ?

— Ils ont si peur sur leur coquille de noix qu'ils les vendent à l'arrivée comme de vulgaires bestiaux ! renchérit Louis Lafaurie.

L'affrontement était inévitable. D'un même élan, les matelots se levèrent et s'empoignèrent entre les tables avec une violence décuplée par le vin. Victorien Donadieu, lui, continua de manger comme si de rien n'était, ce qui rassura Benjamin. Les maîtres de bateau, en effet, ne se battaient pas. Ils laissaient à leur équipage le soin de défendre leur honneur, n'intervenant que si l'un de leurs hommes était vraiment menacé. Ce faillit être le cas ce soir-là, car le sang coula des crânes venus heurter l'arête des tables. On vit même apparaître un couteau qu'un pied fit heureusement voler près de la porte. Au bout de dix minutes de violence farouche, plusieurs matelots demeurèrent assommés, couverts de sang. Cependant, l'aubergiste et ses aides, qui avaient l'habitude, eurent tôt fait de les réveiller, une fois que les combattants, saoulés de coups et de fatigue, se furent séparés. L'honneur sauf, chacun regagna sa place en palpant ses bosses et ses égratignures, non sans lancer d'ultimes injures qui demeurèrent sans effet. Benjamin se sentit mieux. Il avait eu peur de voir son père se battre, même s'il ne doutait ni de sa force ni de son courage.

Le repas se termina sans autre incident. Les hommes étaient levés depuis l'aube et il leur tardait maintenant d'aller dormir. Pourtant il fallut revenir sur les bateaux pour vérifier les amarres et arrêter les tours de garde de la nuit. Ceux qui veilleraient devraient repousser les troncs charriés par la crue, allonger ou raccourcir les cordelles d'amarrage en fonction du niveau de l'eau, s'opposer par la force aux éventuels voleurs. Il pleuvait toujours, mais faiblement, comme à la fin de ces orages qui achèvent d'essorer le ciel que désertent déjà les nuages. Le vent d'ouest courait à perdre haleine sur la vallée, apportant avec lui des odeurs de bois humide et de poisson. Les matelots avaient hâte de se déshabiller pour faire sécher leurs pantalons, leurs houppelandes ou leurs manteaux de pluie.

Benjamin suivit Vincent et les hommes d'équipage dans la grange, tandis que Victorien et Louis s'en allaient dormir à l'auberge. Victorien n'avait pas voulu que son fils bénéficiât du moindre privilège : il devait apprendre le métier comme un simple matelot. Benjamin n'en était pas fâché. Il aimait beaucoup Vincent parce qu'il était le père de Marie, mais aussi parce qu'on le considérait comme le meilleur pêcheur de toute la vallée. Il le suivit donc dans la grange et se débarrassa de ses vêtements mouillés. Un homme les porta à l'auberge près de la cheminée. Quand la porte fut refermée, Vincent fit à Benjamin un peu de place à ses côtés. Celui-ci s'enfonça dans la paille avec un gémissement d'aise et n'entendit même pas les souhaits de bonne nuit des matelots. Ivre de vent, d'eau et de voyage, il s'était endormi comme ces enfants éblouis qui plongent dans le sommeil au milieu d'une phrase.

2

L'eau froide d'un seau lancée à la volée le réveilla brusquement. Il s'assit en suffoquant, battit l'air de ses deux mains, incapable de prononcer le moindre mot.

— Le mousse est baptisé ! Le mousse est baptisé !

Les matelots riaient, criaient en gesticulant devant lui, et Benjamin, furieux, ne savait quelle contenance prendre. Heureusement, Vincent, secourable, le fit sortir, aida Benjamin à se lever en disant :

— Ne leur en veux pas, c'est la coutume, et ils te montrent ainsi qu'ils t'ont accepté. Tiens ! tes vêtements sont secs ou à peu près. Allez ! habille-toi ! Tout le monde est déjà debout.

Benjamin, qui frissonnait, enfila rapidement son tricot de laine et son pantalon. Ils étaient encore légèrement mouillés, mais chauds, et c'était bon, cette chaleur, soudain, après la douche du réveil, aussi bon que le contact d'un drap passé à la bassinoire. Il sortit dans la nuit qui ruisselait de toute part, fit une rapide toilette à l'abreuvoir, puis il entra dans l'auberge où il retrouva son père qui discutait avec Lafaurie. Devant les hommes attablés, la soupe fumait. Ils la mangèrent rapidement sans prononcer le moindre mot, versèrent comme à leur habitude du vin dans le bouillon restant, le burent avec recueillement, les yeux mi-clos, à la manière de ceux qui connaissent le prix du pain et du vin partagés. Ensuite, Victorien distribua un peau d'eau-de-vie que chacun avala d'un coup, puis les hommes, ragaillardis, sortirent en discutant.

Dehors, le jour se levait dans une lumière équivoque où charbonnaient les cendres de la nuit. La pluie avait cessé, mais des nuages au ventre d'ardoise couraient sur la vallée. Du seuil de l'auberge, on entendait le clapotis de l'eau contre les rives et le murmure sourd du courant qui, un peu plus loin, portait la crue en soufflant une haleine marine. Sur les boqueteaux de la rive opposée, le vent d'ouest accrochait des flocons de brume qui s'étoilaient sur les plus hautes branches. Six canards sauvages grifferent le ciel et s'abattirent de l'autre côté de l'eau, dans une oseraie. Des odeurs de terre et d'herbe giclèrent dans l'air lourd. Debout sur la capitane, Benjamin les accueillit avec des frissons qui lui rappelèrent des matins de pêche en automne, près de son père. Mais déjà Victorien lançait la gabare sur le courant crêté d'écume, et Benjamin retrouvait des sensations semblables à celles de la veille avec le même plaisir.

Le convoi ne mit pas une heure pour atteindre le petit port d'Aiguillon où se trouvaient les pilotes chargés de faire franchir aux bateliers les rapides de Lalinde. On attendit à peine cinq minutes, puis l'un des pilotes vint se ranger contre la capitane sur son bateau d'allège et monta à bord. C'était un homme grand et fort, aux traits durs, vaguement moqueurs, auquel un long nez et un visage osseux donnaient l'air d'un seigneur espagnol. Très impressionné, Benjamin se tint à l'écart pendant que Victorien, glacé, prononçait les salutations d'usage. Le pilote y répondit du bout des lèvres, mesura la hauteur de l'eau avec une bergade, puis lâcha d'une voix rogue :

— Déchargez d'un pied !

Victorien, sans discuter, fit un signe aux matelots qui, après avoir détaché le pralin, commencèrent à transporter des piles de merrain sur le bateau d'allège. En les aidant, Benjamin apprit de la bouche d'un matelot que les rapides de Lalinde étaient trois : le grand Thoret, la Gratusse et le Gratussou. Il s'agissait de trois malpas terriblement dangereux du fait des rochers qui pointaient leurs lames effilées sous les coques. La Gratusse était tellement redoutée qu'une légende attribuait à saint Front, un apôtre du Christ en Périgord, le mérite d'avoir exorcisé les forces infernales qui éventraient les bateaux. Pour le remercier, les riverains avaient édifié sur la rive gauche une chapelle romane d'où il était censé veiller sur les gabares qui s'aventuraient là. Benjamin fut très inquiet, une fois que le transbordement fut achevé et qu'il fallut se lancer dans les rapides. Pourtant il s'efforça de ne pas le montrer à son père qui, sans un mot, abandonna son gouvernail au pilote et entraîna son fils vers la proue de la capitane.

— N'aie pas peur, fit-il en entourant ses épaules du bras, et tiens-toi bien !

Après avoir effleuré le courant qui charriait des branches et des mottes de terre, la gabare y entra brusquement et se mit à tanguer sur les eaux folles du rapide en donnant l'impression de s'ouvrir tous les cinq mètres. A peine Benjamin eut-il le temps de se demander si elle n'allait pas sombrer avant la meilhe qu'il apercevait là-bas, à une centaine de mètres, que la capitane dépassait les premières maisons de Lalinde. Sa course folle ralentit, mais Benjamin n'eut pas la force de saluer saint Front car il connut la plus grande frayeur de sa vie quand la gabare s'engagea dans le chenal aux eaux écumantes qui léchaient les hauts fonds. Elle sauta, vibra, pencha sur tribord puis sur bâbord, gémit, s'enfonça de toute sa hauteur, se releva, repartit dans les embruns tandis que Benjamin, aveuglé, faisait appel à toute sa fierté pour ne pas s'enfuir à l'arrière. Ce fut pis à l'arrivée, quand la gabare franchit une sorte de chute qui la déporta dangereusement vers les rochers et la déséquilibra. Elle faillit s'y fracasser, verser sur tribord, mais elle se releva grâce au coup de gouvernail donné par le pilote. Aussitôt après, avant même que Benjamin eût compris qu'un nouveau rapide se présentait, elle repartit avec la même vitesse folle, sembla s'envoler sur l'eau en furie, se disloquer en retombant, tourner sur elle-même dans un remous, pour venir enfin s'échouer dans une meilhe abritée.

Pendant tout ce temps, la main de son père était restée sur l'épaule de Benjamin. Sur cette portion de Dordogne tellement redoutée, face aux eaux torrentueuses, aux chutes et aux embruns, Benjamin n'avait pas bougé.

— C'est bien, mon garçon, fit Victorien, tu seras un vrai batelier.

Et, sans plus de commentaires, il regagna la poupe pour reprendre son gouvernail que lui rendit le pilote un peu avant le confluent de la Couze. On attendit là, dans une anse à l'abri du vent, la gabare seconde et le bateau d'allège qui ne tardèrent pas à apparaître.

— Ils n'ont pas allégé le gabarot, cria Vincent en se rangeant contre la capitane ; il y avait assez de tirant d'eau, il va passer comme ça.

— Encore heureux, grommela Victorien, il aurait plus manqué que ça !

Puis il descendit sur la berge avec les pilotes et les paya. Benjamin vit qu'ils empochaient les pièces en remerciant à peine et quelque chose en lui se noua. Ce fut comme une humiliation, et il comprit pourquoi Victorien parlait si souvent de la construction du canal entre Mauzac et La Tuilière. Il se jura que, plus tard, si le projet de percement du canal n'aboutissait pas, il saurait, lui, se passer des pilotes de Lalinde, et il s'éloigna de la passerelle pour ne pas avoir à croiser le regard de son père à l'instant où celui-ci remonta sur la capitane.

Il ne fallut pas plus d'un quart d'heure aux matelots pour transborder le bois du bateau d'allège sur les gabares de Donadieu. Puis le gabarot arriva lui aussi sans encombre, conduit par un troisième pilote. On put alors repartir en convoi, car les conditions de navigation, passé Lalinde, devenaient meilleures. Les trois bateaux de Donadieu furent reliés par une cordelle, le gabarot en dernière position, puis le convoi reprit du travers pour bénéficier du courant plus lent qu'en amont des rapides, mais d'une puissance et d'une régularité de fleuve.

Entre les collines couvertes de vignes du Bergeracois, le trafic se fit progressivement plus intense. Dans cette grande plaine peuplée de châteaux, le fleuve creusait une route bien droite aux éclats de cuirasse. La pluie avait cessé. Des buées bleuâtres dormaient au-dessus des vignes qui escaladaient des coteaux aux lignes douces effleurés par le vent. Quelques terres brunes tranchaient sur la verdure, perdues comme des îles au milieu d'un océan. Des combes violettes séparaient des collines avec la délicatesse d'un sillon de prune.

Après être passé entre Mouleydier et Saint-Germain, Creysse et Cours-de-Pile, le convoi ne tarda guère à arriver à Bergerac. Il franchit la deuxième arche du pont de pierre et de brique qui reliait le port au faubourg de la Madeleine, et Benjamin découvrit des toits rouges sagement groupés autour d'un fin clocher, des quais encombrés de bateaux, de barriques, de bois, de charrettes, d'hommes au travail. Des cris montaient des rives, des chevaux hennissaient, des pêcheurs déchargeaient du poisson, des portefaix transportaient des sacs sur leur dos, des hommes en blouse et des marchands en costume s'apostrophaient avec de grands gestes et des éclats de voix. Benjamin, fasciné, regardait la première grande ville qu'il traversait avec un sentiment d'attirance et de crainte. C'était si grand, si animé, si beau qu'il se demandait s'il aurait bientôt l'opportunité de s'y arrêter.

— On fera une escale, un jour, à la remonte, dit Victorien qui avait surpris le regard de son fils.

Benjamin hocha la tête en guise de remerciement, regarda au loin, sur les coteaux, les vignes géométriques et le profil d'un château aux lignes massives.

— Monbazillac ! dit Victorien en levant à peine la tête.

Le fleuve, maintenant, était d'une largeur impressionnante Il semblait même qu'il ne cessait de s'élargir là-bas, entre les collines. La capitane ne tarda pas à croiser des coureaux et des chalands de plus de quatre-vingt-dix tonneaux, de vrais bateaux capables d'affronter la mer bordelaise. Dès lors, celle-ci parut toute proche à Benjamin dont l'esprit s'exalta : il s'imagina déjà dans l'estuaire aux portes du bec d'Ambès, face au vent du grand large, mais la pluie, en tombant de nouveau, le ramena brusquement à la réalité. Quant au vent, il se mit à souffler de l'ouest en rafales, gênant considérablement le convoi dans sa descente. Benjamin eut l'impression que les vimières[1] des rives et les eaux agitées de vaguelettes se liguaient elles aussi contre la capitane pour l'empêcher de poursuivre sa route. Victorien donna l'ordre de prendre les rames. Le convoi dépassa lentement les bourgs de Lamonzie et de La Force, entre des rives à la terre grasse plantées d'arbres fruitiers, puis le fleuve obliqua vers la gauche et, après les confluents de la Gardonnette et de l'Eyraud, lécha des îles couvertes d'aulnes avant de se heurter à la colline du Fleix.

Victorien décida d'une courte halte sur un peyrat[2] pour laisser à ses hommes le temps de manger, puis il fallut repartir dans la pluie et le vent contraire, et l'après-midi coula lentement sous les averses qui dissimulèrent les rives et les coteaux. Elle parut interminable à Benjamin qui dut se mettre aux rames pendant une heure, un matelot s'étant blessé à la main au cours d'une manœuvre. Vers cinq heures, des embruns et des vagues passaient par-dessus bord, aveuglant Benjamin qui grelottait dans ses vêtements trempés. Victorien distribua à ses matelots un peu d'eau-de-vie, ce qui leur redonna des forces. La nuit enveloppait déjà les collines quand on aperçut enfin les toits de Sainte-Foy-la-Grande alignés sur le tracé orthogonal des rues rectilignes comme des sillons de plaine. Dix minutes plus tard, le convoi accostait, sur la rive droite, au quai de la Brèche éclairé faiblement par les maisons voisines. On avait parcouru cinquante-sept kilomètres depuis Mauzac, dont une quinzaine à la rame. Les matelots, fatigués, se hâtèrent de gagner l'auberge afin de se sécher et de se réchauffer en buvant du vin chaud. La soupe, le vin et la chaleur de la cuisine eurent tôt fait de leur rendre le sourire, mais, contrairement à ce qui

1. Plantations d'osier.
2. Petit port sommairement aménagé.

s'était passé la veille, ils ne s'attardèrent pas dans la salle enfumée où ils avaient trouvé place parmi des bateliers inconnus. Epuisés par le travail à la rame dans le vent contraire, ils partirent bien avant minuit dans la grange, où Benjamin, après avoir avalé une soupe brûlante, les avait précédés depuis une heure.

Réveillée par la lueur du jour filtrant sous les volets, Marie s'étonna que sa mère ne l'eût pas encore appelée. Elle retint sa respiration, prêta l'oreille mais n'entendit rien, en bas, qui pût la rassurer. Elle se leva d'un bond, franchit le couloir et entra dans la chambre de ses parents. Amélie était allongée sur le dos, pâle, comme morte, et, sur son côté gauche, du sang coulait vers le plancher. Marie poussa un cri, s'approcha, la secoua. Amélie tressaillit, ouvrit les yeux, murmura :

— N'aie pas peur, petite, va chercher Elina.

— Qu'avez-vous ? Que se passe-t-il ? fit Marie.

— Va vite chercher Elina, répéta Amélie d'une voix épuisée.

Marie hésita, soutint le regard implorant de sa mère, ne sachant si elle pouvait la laisser seule, fût-ce pour quelques minutes. Amélie puisa dans ses dernières forces pour faire un signe du bras en direction de la porte. Hébétée, Marie sortit de la pièce en reculant, descendit, enfila un vieux manteau et partit en courant. De l'autre côté des peupliers, là-bas, le port s'animait. Un jour blême coulait des crêtes, lourd de brumes et de pluie. L'air frais portait par moments des pointes vives qui surprirent Marie et la réveillèrent tout à fait. Elle couvrit rapidement la distance qui séparait les deux maisons, entra sans frapper chez les Donadieu où tout le monde était déjà levé. Elina s'affairait devant la crémaillère, tandis que Fantille et Angéline épluchaient des pommes de terre. Dès qu'elles aperçurent Marie hagarde sur le seuil, elles se précipitèrent.

— Ma mère est malade, balbutia Marie ; elle saigne beaucoup.

Les trois femmes abandonnèrent aussitôt leur ouvrage et la

suivirent. Une fois dans la chambre de la malade, Elina comprit tout de suite de quoi elle souffrait en apercevant le sang sur les draps et sur le plancher.

— Va vite faire chauffer de l'eau, dit-elle à Marie ; et vous, les filles, allez me chercher ma trousse à remèdes !

Marie demeurait immobile, et les mots ne parvenaient pas à faire leur chemin dans sa tête.

— Marie ! de l'eau ! répéta Elina.

Celle-ci réagit enfin, et, précédée par Fantille et Angéline, descendit dans la cuisine. Là, elle s'occupa devant la cheminée sans réellement penser à ce qu'elle devait faire. Plus que la peur, une sorte de colère, surtout, la faisait trembler. Les hommes étaient loin et elle était seule à se battre, seule contre la maladie, le danger, seule comme l'étaient depuis toujours les femmes de la rivière. Aurait-elle la force d'accepter cette vie après avoir tellement vu lutter sa mère seule ? Mon Dieu, ce sang sur le plancher ! D'où venait-il ? Etait-il celui de sa mère ou de l'enfant qu'elle portait ? Et si Amélie mourait ? Que deviendrait-elle toute seule ?

Marie attise le feu sous la casserole, pense à toutes ces femmes rivées à leur maison, à leur travail, à leurs enfants. Qui saura jamais le poids qu'elles portent depuis leur plus jeune âge et la force d'âme dont elles font preuve au long des jours où l'attente est leur seule compagne ? Elle en veut ce matin à la terre entière, à tous les hommes qui ne pensent qu'à la rivière, au voyage et à la liberté. Elle a treize ans et elle a peur. Elle se console en se disant qu'un jour elle partira loin de cette vallée et qu'elle oubliera les bateaux, sa famille, les départs dans les aubes blêmes...

Fantille et Angéline, en revenant, la firent sursauter.

— L'eau est chaude ? demanda Angéline.

— Oui, je crois.

— Donne vite.

Elles montèrent toutes les trois, Marie la dernière.

— Merci, dit Elina ; laissez-moi seule maintenant.

Elles redescendirent, s'assirent sans un mot. Un peu plus

tard, les garçons dévalèrent l'escalier en criant. Fantille et Angéline les emmenèrent dans leur maison pour qu'ils n'empêchent pas leur mère de se reposer. Marie se retrouva de nouveau seule avec son angoisse, s'imaginant que sa mère allait mourir. Etait-ce possible ? Non, bien sûr. Amélie ne pouvait pas mourir ; personne chez les Paradou ne méritait de mourir, et heureusement !

Elle frissonna, se leva du banc où elle était assise et elle essaya de se remettre au travail en pensant à des souvenirs gais, des images de bonheur à tout ce qui, d'ordinaire, lui faisait oublier ses chagrins. Elle n'y parvint guère, mais s'occupa néanmoins suffisamment pour patienter jusqu'à ce qu'Elina redescende. Posant ses ustensiles sur la table, elle rassura tout de suite Marie en disant :

— Je lui ai fait un pansement. Elle ne saigne plus ; elle se repose.

Souriante comme à son habitude, elle s'assit à table et ajouta :

— Tiens ! fais-nous donc une tisane, ça nous fera du bien.

Marie remit de l'eau à bouillir, demanda :

— Je peux monter la voir ?

— C'est pas la peine, va, laisse-la se reposer.

Marie revint vers la table, murmura :

— Tout ce sang, c'était... c'était...

Elle ne parvenait pas à exprimer ce qu'elle redoutait et souhaitait en même temps. Amélie avait perdu l'enfant qu'elle attendait, elle en était sûre. Elle se précipita vers la porte et, appuyée contre le mur, laissa passer la nausée qui montait à ses lèvres. Elina vint l'aider, la soutint jusqu'à une chaise.

— Oui, dit-elle, c'est une fausse couche, mais elle s'en remettra, ne t'inquiète pas.

— J'ai mal, gémit Marie.

— Allons, ma fille, c'est fini, je te dis

Marie releva la tête, demanda :

— C'est bien sûr ? Elle ne risque plus rien ?

— Mais oui ne t'en fais pas. Je vais rester pour la surveiller et je monterai la voir tous les quarts d'heure.

Elles burent leur tisane en silence, écoutant la pluie s'acharner contre les carreaux. Marie poussa un long soupir, remarqua :

— Avec toute cette eau, la remonte sera bien difficile.

Elina, de nouveau, sourit et se montra rassurante :

— Victorien a l'habitude du mauvais temps depuis qu'il voyage. Et de toute façon, comme le vent a tourné, ce sont les dernières averses.

Marie enviait à Elina son optimisme et sa confiance. Lorsqu'elle avait vécu dans la maison des Donadieu, la chaleur de son sourire l'avait réchauffée chaque jour. C'était comme une force qui émanait d'elle et rassurait tous ceux qui la côtoyaient. Marie aurait aimé savoir comme elle transformer la peine en espoir, croire en l'avenir quand le présent portait seulement à désespérer, prêter aux êtres des qualités qu'ils n'avaient pas. Elle se doutait bien qu'Elina souffrait elle aussi quelquefois de l'absence des hommes, mais rien ne trahissait jamais ces moments-là. Comme si elle avait deviné les pensées de Marie, Elina demanda :

— Tu penses à Benjamin ? Moi aussi, figure-toi.

Marie hocha la tête, répondit :

— Je pense surtout à la rivière et je me demande si je pourrai passer ma vie ici.

Elina eut un sourire indulgent, murmura :

— Moi aussi, j'ai réagi comme toi, au début, quand je me suis mariée, et puis je me suis très bien habituée.

Comme Marie demeurait silencieuse, elle reprit :

— Tu sais, il y a dans nos campagnes beaucoup de fermiers et de bordiers qui nous envient, et leurs enfants ne rêvent que de venir vers l'eau.

— Pour voyager, fit Marie.

— Non, pas seulement, ne crois pas ça.

Elina soupira, reprit :

— Moi, je viens de la terre et je sais de quoi je parle : je n'ai pas mangé tous les jours à ma faim quand j'étais enfant, et je n'étais pas la seule. Vois-tu, ma fille, pour beaucoup, la Dordogne, c'est l'espérance, alors il ne faut pas lui en vouloir, même si elle emporte nos hommes et nos enfants et même si nous sommes souvent seules. N'oublie jamais qu'ici, au moins, personne n'est jamais mort de faim ; il suffit de pêcher pour manger.

Elina sourit, ajouta :

— Il y a les départs, mais il y a aussi les retours.

— Et dans l'intervalle on attend, fit Marie avec dans la voix une sorte d'amertume glacée.

Elina lui prit les mains par-dessus la table, les serra.

— Mais non, ma fille, dit-elle, il ne faut pas voir les choses ainsi : on n'attend pas, on espère, et c'est tellement plus beau.

Puis, feignant un début de colère vite remplacé par un sourire :

— Enfin que diable ! Ne vois-tu pas comme il faut les supporter, les hommes, pendant les basses eaux ? Toujours dans nos jambes à vouloir se mêler de ce qui ne les regarde pas, à errer dans les maisons comme des âmes en peine, à ne savoir parler que de ports et de bateaux !

Marie, à son tour, ne put s'empêcher de sourire. Elle reconnaissait bien Elina à cette faculté qu'elle avait de ne considérer que le meilleur des choses, de se satisfaire du plus menu plaisir, d'incliner naturellement vers le bonheur à la manière de ces fleurs qui se tournent continuellement vers la lumière. Par son énergie, son rayonnement, elle influait sur la vie de toutes les familles de matelots, conseillait, aidait, soignait, organisait les fêtes et les veillées, au cours desquelles, dès le mois d'octobre, les femmes se réunissaient le soir, pour se sentir moins seules, travailler ensemble et chanter. Car Elina, aussi, aimait chanter, et sa voix haute et claire était connue dans toute la vallée. C'était d'ailleurs elle qui marchait en tête de la procession, chaque après-midi de Pâques, lorsque les gens du port allaient prier, à Lanzac, Notre-Dame de la Compassion, la vierge des bateliers, en chantant le *Regina Caeli*. C'était également elle qui avait pris l'initiative de la veillée qui devait se tenir le soir même, dans la maison des Donadieu.

— Quel dommage ! murmura Marie qui venait justement d'y penser ; je m'en faisais une telle joie !

— Tu viendras quand même, dit Elina, ça te fera du bien.

— Non ! fit Marie, je ne veux pas laisser ma mère seule.

— D'ici ce soir, elle ira mieux, ne t'en fais pas. Du reste, on peut très bien se relayer pour venir la voir.

Marie hésitait. Abandonner sa mère en ces circonstances lui paraissait sacrilège, mais, en même temps, elle avait terriblement envie de se rendre à cette première veillée.

— Nous verrons cet après-midi, trancha Elina qui, ayant fini sa tisane, se leva pour monter dans la chambre de la malade.

Elle y resta seulement trois minutes, redescendit et, de nouveau, rassura Marie. Elles s'occupèrent alors de la cuisine jusqu'aux alentours de midi puis, après une dernière visite auprès d'Amélie, Elina partit et renvoya les enfants chez eux. Quand ils eurent fini de manger, Marie resta seule avec les trois derniers, François ayant décidé, malgré la pluie, d'aller pêcher. Elina vint lui tenir compagnie à plusieurs reprises au cours de l'après-midi, malgré le travail que lui imposaient les préparatifs de la soirée. Marie monta voir sa mère avec elle, la trouva étrangement pâle, ce qui l'inquiéta beaucoup. Elle renonça alors à la veillée, mais ce fut Amélie qui insista, au contraire, pour qu'elle s'y rende.

— Comme ça, demain, tu pourras me raconter, dit-elle en s'efforçant de sourire.

— Et si vous vous sentez mal, mère ?

— J'enverrai François te chercher. Allez ! ma fille, va t'amuser un peu, tu l'as bien mérité.

Marie finit par céder et, une fois qu'Elina fut repartie, elle se dépêcha de préparer le repas du soir. Ensuite, elle s'en alla après avoir bien recommandé à François de prévenir si quelque chose n'allait pas.

Quand elle arriva chez les Donadieu, il y avait déjà une dizaine de femmes qui travaillaient en discutant, chacune donnant des nouvelles des gens de sa connaissance, annonçant des mariages, des baptêmes, des naissances, apportant des précisions sur des faits, des paroles, des querelles concernant des femmes ou des hommes de la vallée. Marie salua, prit sa place en essayant de ne pas interrompre la conversation qui se déroulait sans que les têtes se lèvent de l'ouvrage. Tout le monde cousait, brodait dans la bonne humeur, les femmes le linge de leur ménage, les filles les pièces de leur trousseau : chemises fines, mouchoirs, jupons, taies d'oreillers, vêtements de nuit. Quand la conversation s'épuisait, Elina racontait des légendes comme celle de cette jeune fille qui, au temps de la guerre de Cent Ans, s'était jetée de la fenêtre de son château, à Pinsac, pour échapper aux Anglais et avait gagné à la nage le port de Lanzac où, par reconnaissance, elle avait fait bâtir, à l'endroit où elle avait repris pied, une chapelle dédiée à Notre-Dame de la Compassion.

Après une heure, on fit une petite pause, le temps de manger des crêpes et de boire du vin chaud. Puis chacune se remit à l'ouvrage et les langues, de nouveau, se délièrent. Alors on demanda à Elina de chanter. Celle-ci laissa passer quelques minutes afin d'être sûre que ses invitées avaient bien dit tout ce qu'elles avaient à dire, puis elle se mit à chanter de sa voix qui semblait couler d'une voûte d'église :

« *Ah ! que tu me plais, nid de mes aïeux,*
Pays adoré, au ciel lumineux,
Séjour de mes rêves ! »

Et toutes les femmes, l'ayant laissée chanter seule le couplet, reprirent en chœur le refrain sans quitter leur ouvrage des yeux.

Marie, comme chaque fois, oubliait tout et se sentait bien. Elle reconnaissait là sa véritable famille, celle des femmes de la rivière. Elle aurait beau faire, elle leur ressemblerait toujours. Car elle aussi aimait la vie, le bonheur partagé autour d'une table, le chant, le bel ouvrage, la solidarité joyeuse. Où était le danger, ce soir ? Il n'existait pas. Elle observa Elina qui chantait avec, sur le visage, une sorte de sérénité, et elle comprit que chanter était leur réponse commune à la solitude, leur force, peut-être même leur destin, et qu'aucune d'entre elles, en cet instant, n'eût souhaité d'autre vie que celle-là.

Benjamin n'en revenait pas d'avoir pu dormir si longtemps. Il était neuf heures et le convoi n'avait pas encore quitté Sainte-Foy. Comme il en demandait les raisons à Vincent, celui-ci lui répondit qu'il fallait calculer l'heure au plus juste pour atteindre Castillon-la-Bataille au moment où le courant de marée commençait à descendre. Il était impossible en effet de passer cette ville à la marée montante. L'équipage eut donc tout loisir de déjeuner à l'auberge après une toilette plus longue que la veille, de vérifier les anneaux des rames et le bon état des cordelles, d'écouter les ultimes instructions du maître de bateau.

On embarqua sur le coup de dix heures, et l'on prit les rames aussitôt pour regagner le temps perdu. La plaine s'évasait entre des escarpements boisés et des bocages. Après un grand cingle surmonté d'une tour, le convoi passa au pied de nombreux villages et de multiples églises que Victorien, chaque fois, nommait en les montrant à Benjamin : Saint-Aulaye, Saint-Seurin-de-Prats, Lamothe-Montravel, et, enfin, là-bas, à moitié dissimulé par les frondaisons, Castillon-la-Bataille qui avait été le théâtre de la victoire définitive des Français sur les Anglais lors de la guerre de Cent Ans. Avec ses belles demeures et ses terrasses, ses jardins et ses fleurs, son bâtiment de l'Inscription maritime qui lui conférait un statut privilégié, la ville plut tout de suite à Benjamin. Le convoi y fit halte un long moment, car la loi imposait aux bateliers de laisser monter à bord un pilote « inscrit maritime ». Pour faire passer le temps, Benjamin admira le fleuve, qui, sous l'influence de la marée montante et descendante, prenait là une couleur jaunâtre. La mer lui paraissant proche, il était très impatient de repartir. Cependant, il dut attendre près d'une heure, car les bateaux étaient nombreux et les gabariers se disputaient les pilotes. Enfin l'un d'entre eux arriva, monta à bord de la capitane et salua l'équipage. C'était un petit homme replet, aux favoris blancs et au regard clair, qui ne ressemblait en rien aux pilotes de Lalinde. Lui au moins ne méprisait pas les gabariers, au contraire. S'asseyant sur un sac près du gouvernail, il dit à Victorien avec un franc sourire :

— Allez ! Donadieu, appareillez donc ! Tout le monde sait bien que vous êtes aussi savant que moi !

Benjamin comprit que son père, sans le montrer, était flatté, et lui-même en ressentit une fierté qui rosit ses joues. Le maître de bateau ordonna aussitôt à ses matelots de rejoindre leur poste, et le convoi, s'éloignant du quai avec souplesse, prit sa place dans le trafic des chalands et des coureaux.

La pluie avait cessé. Le vent d'ouest apportait des odeurs puissantes de sel et de sable, et le ciel, d'un gris laiteux, semblait se dissoudre dans les brumes qui prenaient leur essor comme des draps soulevés par une brise. De grands oiseaux blancs traversaient le fleuve avec des écarts brusques, pareils à des feuilles emportées par l'orage. Ivre d'air et d'espace, Benjamin regardait son père manœuvrer avec une maîtrise dont aurait pu être jaloux n'importe quel pilote maritime. « Un jour, je deviendrai aussi fort que lui », se dit-il. Et il lui vint comme un élan soudain d'affection pour cet homme avec qui les paroles n'avaient jamais eu beaucoup d'importance. Il suffisait d'un regard, d'un geste, d'un signe pour qu'ils se comprennent et sachent qu'ils étaient du même sang. Et c'était ce même homme qui régnait sur le fleuve et les bateaux, ce même homme qui le conseillait, lui donnait tout son savoir, décidait des manœuvres, était respecté par tous. Benjamin était heureux, simplement, que cet homme-là fût son père, et il pensait qu'il n'oublierait pas cette première descente, ces flots tumultueux, ces oiseaux, ces mâtures, ces bateaux de mer, cet espace ouvert devant la gabare qui s'y engouffrait avec une assurance et une témérité en tout point semblables à celles de son capitaine.

Au bout de dix minutes, après un vague geste du bras, le pilote s'en fut se coucher entre le merrain et le bastingage de tribord. Les matelots s'esclaffèrent, mais Victorien, lui, ne sourcilla pas. Quelques coups de rame suffisaient à propulser en avant le convoi, que le jusant[1] eût d'ailleurs bien porté tout seul. Victorien signala à Benjamin que l'on avait quitté le Périgord. Le fleuve dessinait des méandres entre des îles couvertes de saules, puis il s'élargissait encore en frôlant les villages de Civrac et de Saint-Jean-de-Blaignac où étaient amarrées une multitude de barques de pêcheurs. Ensuite, après le confluent de l'Engranne dominé par le château de La-Mothe-de-Chaulne, le fleuve vint buter sur le tertre de Cabara, une éminence couronnée d'un village lui-même coiffé d'un vieux manoir. Puis ce fut Branne et ses filets de pêche sur les rives et, un peu plus loin, Sainte-Terre qui précédait la grande plaine où se succédaient les vignes, les champs de maïs, les vergers et les prairies. Le soleil surgit dès que le convoi y entra. Ce fut aussitôt un embrasement des rives qui se mirent à fumer. L'après-midi s'annonça dans une sorte de langueur qui s'étendit sur la vallée d'où montaient des rumeurs de bêtes et d'hommes au travail. Le convoi dépassa les vignes de Saint-Sulpice-de-Faleyrens et les coteaux de Saint-Emilion, puis il aborda le grand cingle de Génissac où la navigation était difficile entre les nombreuses barques de pêche, les coureaux et les chalands. Enfin, à l'approche du soir, on arriva à Libourne dont les toits apparurent sur la rive droite.

Le convoi longea d'abord des chais d'où montait une puissante odeur de moût, puis ce fut le grand pont et ses arches ornées d'avant-becs et d'œils-de-bœuf, la tour du grand port coiffée d'ardoises bleues, et puis les quais qui bruissaient de l'activité des portefaix et des sacquiers[2]. Benjamin découvrit des bateaux de mer aux agrès et aux apparaux impressionnants, avec drisses et voiles, haussières et cordages, toute une succession de voiliers, de chalands, de gabares et de filadières[3]. Et, lorsque le convoi atteignit la rade du confluent de l'Isle où

1. Courant de marée descendante.
2. Déchargeurs de sel groupés en corporation à Libourne et Bordeaux.
3. Barque longue et étroite destinée à la pêche fluviale.

se trouvaient les entrepôts de bois et de sel, Benjamin comprit ce qu'était vraiment un port maritime. Car ici, à Libourne, outre les navires de mer venus charger et décharger le vin, le merrain et les épices, des caboteurs et des barques à quille remontaient le sel des marais du Verdon ou de Meschers, parfois aussi de l'île d'Oléron ou de l'île de Ré. Sans être égale à celle de Bordeaux, sur la Garonne, l'activité de Libourne était supérieure à celle des ports de l'estuaire, que ce fût Bourg-sur-Gironde ou Saint-André-de-Cubzac.

Les bateaux de Donadieu trouvèrent difficilement une place au bout du quai. L'équipage descendit, se dirigea vers la tour. Victorien expliqua à son fils que les rues étroites qui partaient de là étaient peuplées de tonneliers, de cordiers, de sacquiers, de pêcheurs, de charpentiers de bateaux, de toute une population dont les hommes vivaient du fleuve, étaient considérés comme gens de mer et de rivière et, à ce titre, devaient servir dans la marine du roi. Victorien lui montra les rues Neuve, Lamothe, Venelle, qui s'en allaient perpendiculairement à l'Isle vers des quartiers plus vastes et mieux éclairés où habitaient les marchands.

L'équipage, ayant suivi la rue Lamothe, marcha jusqu'à une vieille auberge tassée dans une impasse sans lumière. La nuit était tombée. De puissantes odeurs de poisson, de sel et de bois stagnaient au-dessus de la ville malgré le souffle frais du vent venu de la mer. L'équipage de Donadieu entra dans l'auberge où se trouvaient des Dommois, des Bergeracois et des Bordelais. Benjamin fut heureux de ne reconnaître aucun de ces « Argentats » avec lesquels les matelots s'étaient battus à Mauzac. Il s'assit entre son père et Vincent, regarda autour de lui : la salle était plus grande que celle des auberges de Mauzac ou de Sainte-Foy, les matelots plus nombreux, les servantes plus vives, plus belles aussi, peut-être, mais les propos heureusement plus raisonnables. On sentait bien qu'ici les soucis du commerce prenaient le pas sur les rivalités des équipages. On entrait dans le monde des affaires après avoir quitté celui du voyage. Même la nourriture était différente : la soupe était de poisson, les plats également, et l'on buvait du vin blanc. Benjamin, qui n'en avait pas l'habitude, vit bientôt passer des nuages devant ses yeux et eut bien du mal à ne pas s'endormir. Son père, qui s'en aperçut, demanda à Vincent de l'emmener. Etourdi par l'alcool et la fumée, Benjamin le suivit non pas dans une grange, mais dans un grenier au-dessus d'un entrepôt, s'allongea sur une paillasse et s'endormit dans la minute qui suivit.

Le lendemain matin, il fallut manœuvrer de bonne heure pour accoster au quai où se trouvait l'entrepôt de Georges Duthil, un riche négociant libournais. Victorien donna ses instructions pour le déchargement du merrain et de la carassonne, puis, suivi par Benjamin, il prit la rue des Guîtres, tourna dans la rue de Fonneuve où se trouvait le bureau de Georges Duthil. Là, après avoir salué le négociant qui attendait sa visite, Victorien lui remit la lettre de voiture concernant le bois et l'ordre d'achat relatif à l'acquisition de vingt pipes de sel blanc et de dix pipes de sel roux [1]. Le négociant était un grand homme aux cheveux blancs frisés sur les tempes, au nez long et droit, aux yeux clairs, dans un visage ovale et sans la moindre ride. Elégamment vêtu d'une chemise à haut col et d'un gilet de soie, il donnait d'une voix impérieuse des instructions à des commis qui ne cessaient d'entrer et de sortir.

— Merci, Donadieu, finit-il pas dire avec un sourire en se tournant vers Victorien. Vous direz à Lombard que je ne puis lui payer le merrain que 340 francs le millier. Les vendanges ne seront pas aussi bonnes que prévu et les tonneliers s'inquiètent des commandes. Quant au sel blanc, il va vous falloir patienter

1. Une pipe correspondait à peu près à 7 hectolitres de sel. Le sel le meilleur que l'on trouvait à Libourne était le sel blanc, vieux et lourd de la mer. La différence de coloration provenait de la couleur de l'argile qui tapissait le fond des marais. Plus le sel était blanc, plus il était prisé. Les lieux d'approvisionnement des négociants de Libourne étaient soit les marais salants de la Gironde : Le Verdon, Meschers ; soit ceux de la côte atlantique : l'île de Ré ou l'île d'Oléron.

quelques jours : j'en attends du Verdon. Ou alors prenez du roux ; il est de très bonne qualité et Lombard pourra le vendre pour du blanc tellement il est dense et beau. Dans ce cas, je le lui céderai à 140 francs la pipe.

— Je ne peux pas attendre, répondit Victorien ; c'est le début de la campagne et les grossistes du haut-pays réclament le sel depuis la fin d'août. Il m'en faut tout de suite.

— Dans ce cas, je vous paye le merrain et la carassonne, mais je vous certifie que vous ne trouverez pas de sel blanc sur place. Les bateaux de la mer bordelaise attendent le vent du nord et rien n'indique qu'il va se lever de sitôt.

— Je verrai, fit sèchement Victorien. Payez-moi le merrain, s'il vous plaît.

Benjamin avait été surpris par le ton qu'avait brusquement pris la conversation. Il ne comprenait pas très bien ce qui se passait, n'ayant jamais côtoyé ce monde des affaires où la bienveillance et la parole donnée n'étaient pas toujours de rigueur. Il recula un peu vers la porte, tandis que le négociant sortait des écus de sa bourse et réglait ce qu'il devait en disant d'une voix qui semblait porter une menace :

— Vous ferez quand même mes amitiés à Lombard et vous lui direz bien que j'attends sa visite avant l'hiver.

— Comptez sur moi, dit Victorien.

Il se leva, prit rapidement congé du négociant, entraîna Benjamin jusqu'aux quais d'un pas pressé. C'était la première fois que Benjamin le voyait ainsi confronté aux dures lois du commerce et aux difficultés que rencontraient les maîtres de bateau pour concilier les intérêts de ceux qui les employaient. Le prix du bois et celui du sel, en effet, se fixaient à Libourne, c'est-à-dire loin du marchand qui passait les commandes. Les ordres d'achat du sel étaient signés en blanc. Aussi la responsabilité des maîtres de bateau était-elle importante et souvent source de conflit avec leur employeur. De plus ils étaient responsables du vol éventuel des marchandises et, bien sûr, des sommes d'argent qu'ils transportaient sur eux. Outre le commandement des bateaux et des hommes, les pièges de la rivière, les aléas du temps, ils assumaient donc des charges qui, le plus souvent, se traduisaient par une rémunération de deux francs l'hectolitre quand ils avaient eux-mêmes à payer le halage, l'équipage, les pilotes, les frais d'auberge. C'était donc beaucoup de travail, de soucis, de charges, de responsabilités pour un bénéfice peu en rapport avec les risques encourus, mais quel était celui qui aurait renoncé à la magie du voyage et à la fascination exercée par le fleuve ? Certes pas Victorien Donadieu, en tout cas. Et Benjamin, qui le suivait, ressentait tout cela intensément, même s'il ne comprenait pas toujours les motivations des uns et des autres.

Une fois sur les quais, Victorien surveilla un moment le déchargement du bois qui avait continué en son absence, puis, après dix minutes, il entraîna Benjamin vers les entrepôts, en visita plusieurs, mais tous étaient dans l'attente de sel blanc. A l'auberge, à midi, devant l'air préoccupé du maître de bateau, les matelots évitèrent de plaisanter et parlèrent à voix basse. Sitôt le repas terminé, tous repartirent à leur ouvrage, les matelots sur les gabares, Victorien le long des quais, suivi par Benjamin qui ne savait que dire ni que faire. Il n'avait jamais vu son père aussi tendu, aussi soucieux, et il aurait voulu l'aider car il lui paraissait en danger, soudain, dans un monde devenu hostile et lourd de menaces.

Ils suivirent la rue de Fonneuve et ses maisons monumentales à étages et, tout au bout, Victorien s'arrêta devant celle, plus imposante encore, avec ses arcades à l'entrée et ses balcons de fer forgé, d'un nommé Jean Fourcaud. Victorien sonna à la porte, attendit un long moment, puis entra enfin, tandis que Benjamin, sur son ordre, demeurait dehors, assis sur un banc de pierre situé en bordure d'un petit jardin, face au perron de l'entrée. L'entrevue dura longtemps. Benjamin commençait à désespérer quand son père ressortit. Il s'approcha de son fils, mais parut ne pas le voir. Il ne put même pas lui dire qu'il avait finalement obtenu huit pipes de sel blanc du Verdon et vingt de sel roux de l'île de Ré contre la promesse de s'approvisionner désormais chez Jean Fourcaud pour moitié. Compte tenu des relations qu'entretenaient Arsène Lombard et Georges Duthil, Victorien savait déjà qu'il aurait bien du mal à faire admettre sa décision au marchand souillagais. Et pourtant celui-ci ne pouvait satisfaire ses clients sans sel blanc. Décidément, le métier devenait de plus en plus difficile.

Victorien et Benjamin marchèrent en silence en direction des quais, et Benjamin eut l'impression que son père tremblait d'une colère contenue. Pourtant il n'osa pas poser de questions, continua de marcher à côté de celui qu'il avait cru invincible, tout-puissant, et qu'il découvrait vulnérable. Soudain, Victorien le prit par le bras, le força à s'asseoir sur une murette, posa ses deux mains sur ses épaules, planta son regard dans le sien et dit avec violence :

— Dès que tu auras grandi, petit, tous les deux nous nous établirons marchands.

Il ajouta au bout d'un instant, comme Benjamin, muet, soutenait le regard métallique :

— Vois-tu, petit, sans eux les maîtres de bateau ne sont rien.

Benjamin hocha la tête, conscient de sceller avec son père un pacte d'une extrême importance.

— Ce qu'il faudrait aussi, c'est que tu obtiennes le permis maritime pour conduire toi-même nos bateaux jusqu'à Bordeaux. Alors nous serions forts, très forts, tu comprends ?

— Je comprends, dit Benjamin, heureux que son père le considérât soudain comme un égal.

— A la bonne heure !

Victorien se détendit d'un coup, comme si l'avenir s'éclairait. La main droite qui savait si bien tenir le gouvernail passa dans les cheveux du garçon pour une caresse un peu rude. Le feu qui brillait d'ordinaire dans les yeux clairs parut se rallumer.

— Viens ! dit Victorien, il est temps.

Ils se hâtèrent vers le port où le déchargement était achevé. Il fallut manœuvrer pour aller accoster au quai sur lequel se trouvait l'entrepôt à sel de Jean Fourcaud. Ce ne fut pas facile, la rade étant encombrée de bateaux qui n'hésitaient pas à se frayer un chemin par la force. Une fois que ce fut fait, les matelots distribuèrent les sacs [1] aux hommes de Jean Fourcaud qui les remplirent avec un appareil en forme de cône tronqué monté sur une bascule. Pendant que certains œuvraient à la bascule, d'autres cousaient l'extrémité des sacs pleins et les plombaient. Avant de les embarquer, il fallut passer à la douane et régler les droits, ce qui demanda encore beaucoup de temps à Victorien Donadieu. Quand tout fut terminé, la nuit tombait. L'équipage se rendit à l'auberge pour le repas du soir qui fut plus joyeux que celui de midi. Il y eut comme de coutume les défis inévitables lancés d'équipage à équipage, quelques échauffourées et, pour finir, un véritable combat entre ceux d'en haut et ceux de la basse vallée, mais rien de très grave, au demeurant, car les matelots avaient surtout hâte d'aller flâner dans les ruelles du port.

Quand l'équipage de Donadieu sortit, certains voulurent entraîner Benjamin avec eux, mais Vincent, qui avait reçu de discrètes instructions de Victorien à ce sujet, s'y opposa. Cependant, dès que les matelots se furent éloignés, Vincent emmena Benjamin sur les quais, non sans lui avoir fait promettre de n'en rien dire à son père. A la lueur des lanternes et de la lune, Benjamin eut tout loisir d'admirer les bateaux et leur mâture, les haussières et les gréements qui claquaient dans le vent. Il voulut les examiner un par un, les toucher, les mesurer du regard, et, si Vincent l'avait laissé faire, il eût volontiers escaladé les passerelles pour monter à bord.

— Viens donc ! dit Vincent, qui redoutait que Victorien fît une ronde dans le grenier dortoir.

Il dut prendre Benjamin par le bras et le ramener, pour couper au plus court, à travers une ruelle encombrée par des matelots ivres et des femmes qui les interpellèrent avec des mots crus dont Benjamin s'étonna à peine. Cette nuit, il était devenu un marin de haute mer qui rentrait d'un long voyage

---

1. C'étaient toujours les maîtres de bateau qui fournissaient les sacs. Chacun d'eux contenait un hectolitre.

autour du monde, et tout lui était permis. Il était près d'une heure quand il s'écroula sur la paillasse du grenier. Dès que le sommeil l'eut touché, il se retrouva debout à la proue d'un navire de grand large, face au vent, respirant à pleins poumons les senteurs du Pacifique, statufié par la fierté au milieu des embruns d'une mer en furie.

Tout s'était bien passé pendant la remonte qui avait duré neuf jours. Une journée de pluie ayant succédé à une journée de soleil, les eaux avaient perdu de leur vigueur de crue, mais elles étaient restées suffisamment hautes pour la navigation. C'est à peine si le convoi avait été retardé par les querelles rituelles des haleurs à bras et des bouviers [1] ou si un tronc, échappant au regard du prouvier, avait effleuré la coque des bateaux. Aussi, en cette soirée de la fin octobre saturée de parfums de futailles, l'équipage de Donadieu, après avoir été accueilli par les familles sur son port d'attache, pouvait-il décharger le sel avec la satisfaction du devoir accompli. Un seul ne paraissait pas très heureux de se trouver là : c'était Victorien, qui allait devoir rendre des comptes à Arsène Lombard, près de qui il surveillait le déchargement du sel au milieu du va-et-vient des matelots courbés sous les sacs. Au moment où Benjamin parvenait à se soustraire aux effusions de ses sœurs, Emeline Lombard surgit, souriante. Il eut un mouvement de recul mais ne put s'échapper et, conscient que Marie, sans doute cachée quelque part, devait les observer, il fit face à Emeline dont les boucles brunes jouaient dans le vent et les yeux pétillaient de malice.

— Alors, fit-elle, tu es content de ce voyage ?

— Très content, répondit-il, mal à l'aise d'être vu ainsi par tout le monde en compagnie de la fille du marchand.

---

1. Le halage à bras a été interdit seulement en 1837. Auparavant, les haleurs attendaient en bande les bateaux sur les chemins de halage et disputaient les cordes aux bouviers qui, eux, travaillaient avec un attelage d'une paire ou de deux paires de bœufs.

— Et le sel ? Il est beau ?

— Non, pas vraiment ; il y a surtout du roux, et il n'est pas de très bonne qualité.

Comme ils se trouvaient au milieu du passage et gênaient le déchargement, Benjamin s'éloigna vers les bâtiments de l'octroi, suivi comme son ombre par Emeline. Au même moment, Arsène Lombard et Victorien Donadieu entrèrent dans le bureau du marchand qui jouxtait celui de l'administration, poursuivant une conversation qui s'animait de plus en plus. Bientôt des éclats de voix franchirent le seuil du bâtiment dont la porte claqua. Les matelots s'immobilisèrent, écoutèrent un instant, puis se remirent au travail. Benjamin se félicita que sa mère et ses sœurs aient déjà regagné la maison, comme d'ailleurs la plupart des femmes qui étaient venues accueillir l'équipage. Près de lui, les cris redoublaient et il sentait une sourde colère bouillonner en lui. Qu'est-ce qu'il faisait là en compagnie d'une fille qu'il n'aurait même pas dû regarder ? Furieux de sa propre faiblesse, il la quitta sans un mot et, prenant la direction des maisons en contournant les bâtiments du port, il rencontra Marie qui semblait l'attendre.

— Tu es là, toi ? demanda-t-il en feignant la surprise.

Elle ne répondit pas, sourit, le suivit et, d'instinct, obliquant vers la droite, ils se dirigèrent vers les prairies où ils avaient l'habitude de se retrouver. Ils marchèrent un moment en silence le long de la berge qui épongeait l'eau des dernières pluies, écoutèrent frémir les trembles dont les feuilles jaunies annonçaient d'autres fanaisons. Ils s'arrêtèrent en bordure de la plage de galets où les femmes, lors des basses eaux, faisaient leur lessive, et, comme Benjamin demeurait silencieux, Marie murmura :

— Ma mère a été malade.

— Ah ! fit-il, c'était grave ?

Marie secoua la tête tout en mordillant une tige de saule.

— Maintenant ça va mieux.

Et elle ajouta, sans bien savoir pourquoi elle ressentait le besoin de lui confier un tel secret :

— Elle attendait un enfant et elle l'a perdu.

Benjamin se retourna brusquement, incrédule. A treize ans, il ne pouvait comprendre comment une femme pouvait perdre un enfant, mais il n'osa pas demander d'explications. Il lui sembla seulement que le mauvais sort s'acharnait sur Vincent et sa famille, mais il n'en fut pas très sûr : cinq enfants, c'était déjà beaucoup. Un long silence s'installa, tandis que l'un et l'autre regardaient au-dessus des collines brasiller une plage de ciel où de rares nuages couraient se consumer.

— Alors le sel n'est pas bon, soupira Marie qui avait elle aussi entendu les cris sur le port.

— Non. Il n'y en a pas assez de blanc.

— Et qu'est-ce que vous avez rapporté d'autre ?

— Du savon noir, des bottes de chandelles, du sucre et un peu de café.

Il s'assit sur une souche et Marie s'installa face à lui. N'y tenant plus, elle demanda aussitôt :

— Raconte-moi.

Il n'avait pas la tête à ça. Il pensait à son père, là-bas, dans le bureau d'Arsène Lombard, et Marie le savait.

— Ne t'inquiète pas, dit-elle, de toute façon, même quand le sel est beau, il trouve toujours à redire.

Il hocha la tête mais ne dit rien.

— Allez ! raconte-moi, répéta-t-elle.

Le visage de Benjamin s'éclaira en pensant à Limeuil, Bergerac, Castillon, Libourne. Ah ! Libourne et ses bateaux de mer, ses parfums d'océan, ses entrepôts géants ! Oubliant le présent, il se mit à raconter tout ce qu'il avait vu, là-bas, et les auberges dans les ports, le confluent de la Vézère, les rapides de Lalinde, les quais de Bergerac, les pilotes de Castillon, toutes les scènes vécues pendant ce premier et inoubliable voyage. Marie, les yeux grands ouverts, avait rapidement cessé d'écouter : plus que les paroles de Benjamin, ce qui la frappait, surtout, c'était la passion avec laquelle il s'exprimait, cette lumière étrange qui dansait dans ses yeux et l'impression qu'il lui donnait d'être déjà reparti sur la rivière, en des lieux où, elle le savait, elle ne pourrait jamais le suivre.

S'apercevant qu'elle ne l'écoutait plus, il se tut brusquement. Elle sursauta, confuse d'avoir été devinée. Il murmura après un bref silence :

— Merci pour la veste; elle me sera bien utile pendant l'hiver.

— Elle te va bien, au moins ?

— Comme si tu avais pris des mesures.

Il ajouta, tandis qu'elle se troublait :

— Tu as dû en mettre, du temps !

— Oh ! non, fit-elle, mais en songeant qu'elle y avait passé une partie de ses nuits.

Et, changeant aussitôt de sujet de conversation :

— Elle ne se gêne pas, Emeline.

Il eut un sourire gêné, souffla :

— Laisse, ça n'a pas d'importance.

Mais de penser à la fille d'Arsène Lombard lui rappela subitement son père aux prises avec le marchand, et il en conçut un vague sentiment de trahison. Il se leva d'un bond en disant :

— Il faut que j'aille aider, il va bientôt faire nuit.

Ils retournèrent en se hâtant vers le port où les matelots travaillaient encore sur les bateaux, se séparèrent en se souhaitant une bonne nuit. Elle s'éloigna tandis qu'il montait sur le pont de la gabare seconde que nettoyait Vincent. Il l'aida jusqu'à la nuit tombée, puis, emportant les bottes de chandelles, les pains de savon et de sucre, il rentra chez lui.

Son père s'y trouvait déjà, assis à table, l'air dur, tandis que sa femme et ses filles, debout, attendaient.

— Alors ! fit Victorien sans lever les yeux, tu as oublié l'heure ?

— J'aidais Vincent, répondit Benjamin, conscient que le moment était mal choisi pour se faire remarquer.

— Et ta mère attend les chandelles pendant ce temps !

Benjamin donna les provisions à Elina qui sourit en haussant légèrement les épaules pour lui faire comprendre qu'il n'y avait rien de grave c'était souvent ainsi après les comptes avec Arsène Lombard. Elle apporta la soupe, laissa Victorien servir la maisonnée et couper le pain après avoir tracé une croix avec son couteau. Pendant les premières minutes, le silence régna dans la cuisine, puis Elina, comme à l'accoutumée, entreprit d'apaiser son mari. Il eut deux ou trois répliques encore vives, puis il se calma. Elle le connaissait tellement bien qu'elle trouvait facilement les mots auxquels il était sensible. Ne mangeaient-ils pas à leur faim ? Avaient-ils des enfants malades ? Ne dormaient-ils pas avec un toit solide sur la tête ? Alors ? Que pouvaient-ils exiger de plus quand il existait tant de pauvres gens sur la terre ? Il y avait toujours eu des marchands, que diable ! Et il y aurait toujours aussi des bateliers.

Après la soupe, l'atmosphère s'était déjà détendue.

— On repart dans deux jours, dit Victorien d'une voix ordinaire ; le merrain arrive demain.

Il ajouta, s'adressant ostensiblement à Benjamin :

— J'ai promis un sac de baies de genévrier à Fourcaud. Tant pis pour lui si elles ne sont pas mûres. Tu iras sur le causse demain, tu le chargeras sur la capitane et, à Libourne, tu le lui livreras toi-même.

Benjamin hocha la tête, se mit à manger les goujons frits qu'Angéline avait pris à la nasse et son esprit, aussitôt, s'évada. Il repartait. C'était sûr. Son premier voyage n'avait pas été vain. Il le savait maintenant qu'il allait très vite devenir un vrai batelier comme Vincent, comme son père, que la vie dont il rêvait était à sa portée. Son regard croisa celui de sa mère, et il comprit qu'en son absence ses parents avaient parlé de lui. Elle lui sourit car c'était sa nature, mais la lueur qu'il aperçut au fond de ses yeux lui donna comme un regret de son enfance dont les rives, ce soir, s'éloignaient à jamais.

3

L'hiver avait passé sans glace et sans neige, mais accablé de tempêtes de vent qui avaient rendu la navigation périlleuse. Un printemps précoce lui avait succédé, tout en couleurs et en pétillements de lumière. Depuis une semaine, en ce début de mai, les saumons et les aloses remontaient vers les sources, provoquant la traque fébrile des gens de la rivière qui, de Libourne jusqu'au Massif central, n'en dormaient plus. Benjamin et Vincent n'étaient pas les derniers à être atteints par cette fièvre qui, chaque année à la même époque, rendait les hommes fous. Jusqu'à ce jour, ils n'avaient pas osé pêcher la nuit, au flambeau, sur la barque à fond plat de Vincent Paradou mais, malgré l'interdiction formelle de ce genre de pêche, leur passion avait fini par être la plus forte. Benjamin s'était évadé par la fenêtre du grenier qui s'ouvrait sur les branches hautes d'un frêne, sur lequel il avait pris soin de creuser des entailles pour descendre aisément, et il avait retrouvé Vincent deux cents mètres en amont du port, pour embarquer sans être vu.

Cette nuit de mai était chaude et exhalait des effluves d'herbe tendre. L'air était épais comme du sirop. Les eaux, encore grosses des pluies et de la fonte des neiges, glissaient dans l'ombre avec des soupirs et des halètements de bête qui, parfois, faisaient sursauter les deux hommes. Au beau milieu du lit, mais protégée des regards par un rideau de frênes, la barque se frayait un chemin dans le courant puissant qui portait vers le port. Vincent tenait le flambeau de la main gauche, et, de la droite, le harpon avec lequel il frappait les grands poissons épuisés par leur long voyage. Benjamin, lui, tenait les rames et manœuvrait sans bruit, car les chocs contre la coque eussent ébranlé la nuit comme un coup de fusil. Ayant l'habitude de pêcher ensemble, ils ne parlaient pas, ou à peine, communiquant par des gestes dont ils connaissaient d'instinct la signification.

Un oiseau de nuit les frôla d'un coup d'aile et disparut dans l'ombre. Il n'y avait pas de lune. Il fallait bien « sentir » la rivière pour se hasarder ainsi, sans repère sinon la masse plus sombre des collines, sur ces eaux vigoureuses. Le vent glissait sur la rivière puis s'en allait courir dans les prairies où il faisait chanter l'herbe neuve. L'air était chaud, mais l'eau très froide : la neige du haut-pays fondait depuis la fin d'avril et lui donnait des éclats de banquise. Benjamin n'avait pas peur. Passé la légère appréhension de l'embarquement, dès que la pêche commençait, l'excitation lui faisait oublier tous les risques. Surtout lorsque Vincent prenait les rames et lui prêtait la fouëne meurtrière. Il lui semblait pourtant que dans cette nuit sans lune le flambeau embrasait la vallée comme ces incendies de ciel qui illuminent au crépuscule l'horizon tout entier. Mais ce n'était qu'une impression, il le savait. Car Vincent avait légèrement mouillé le flambeau avant de l'allumer, afin que la fumée tempérât sa clarté.

— A gauche, souffla ce dernier en désignant de la main un remous plus profond.

Benjamin manœuvra doucement pour amener la barque en lisière, effleura le remous qui mourait, un peu plus loin, sur une gravière. Le flambeau s'inclina vers la surface de l'eau. Le temps parut s'arrêter. Benjamin vit nettement l'éclair du poisson sous la lumière et, aussitôt après, celui de la fouëne qui frappait. Dans la seconde qui suivit, Vincent se redressa, soulevant un saumon d'au moins huit livres dont les écailles brillèrent dans la lumière comme des diamants. Posant le manche du flambeau dans l'encoche taillée à cet effet, Vincent saisit dans sa main gauche le fer saumonier et assomma la bête du tranchant. Le saumon se débattit à peine, frémit interminablement puis acheva sa vie dans le fond de la barque où se trouvaient déjà une dizaine de poissons. Vincent reprit le flambeau, souffla, en désignant du doigt une meilhe sombre où l'eau s'enroulait comme une anguille autour d'un arbre mort :

— Là, à droite.

Benjamin manœuvra aussitôt et le flambeau s'inclina. Ebloui, le poisson se mit à tourner sur lui-même, rendu fou par cette lueur inconnue qui l'aveuglait. Le bras de Vincent frappa de nouveau, se redressa, sa proie empalée sur les dents aiguisées de la fouëne. Le saumon rejoignit le butin inerte des pêcheurs, puis le flambeau recommença de sonder l'eau, inlassablement. Un long moment passa sans autre capture. Les deux hommes se sentaient seuls au monde. A force d'épier les bruits, de se fondre dans la nuit, ils avaient l'impression de devenir semblables à ces bêtes nocturnes qui guettent, immobiles, le moindre souffle de vent qui trahira la proie. Sans même se concerter, d'un accord tacite, ils traversèrent la rivière, certains que les calmes de la rive droite servaient de refuge aux saumons épuisés.

— Approche-toi encore, dit Vincent.

— Non, murmura Benjamin, on est trop près.

Vincent parut se réveiller de la douce euphorie qui lui faisait oublier les plus élémentaires précautions. Il posa le flambeau, trempa les mains dans l'eau, se mouilla le visage, retrouva sa lucidité. Il le savait bien qu'il ne fallait pas trop se rapprocher des rives : c'était la première des règles à respecter quand on pêchait la nuit. Il s'en voulut, soupira comme pour se forcer à la prudence :

— Si ton père nous voyait, il ferait un malheur.

Benjamin ne répondit pas : il préférait ne pas envisager cette éventualité, fût-ce un seul instant. Comme la barque se mettait à dériver lentement vers l'aval, ils entendirent un grand « floc » entre la rive et eux. Au bruit, c'était peut-être le plus beau saumon de la Dordogne. Vincent n'eut pas besoin de faire le moindre signe à Benjamin : la folie de la pêche les avait de nouveau subjugués. La barque s'approcha d'un remous où l'eau chantait, et Benjamin pensa qu'il devait y avoir un arbre sous la surface. Ils n'étaient pas éloignés de la rive de plus de dix mètres. A l'instant où Vincent inclina le flambeau, Benjamin, mû par un pressentiment, esquissa le geste de le retenir, mais c'était trop tard. La fouëne projetée par Vincent remonta sans le moindre saumon et, aussitôt, des lumières jaillirent de la rive proche.

— Sauve-toi, fit Vincent.

Benjamin hésita à peine : ayant distinctement perçu un bruit de rames, il lâcha les siennes et, prenant une profonde inspiration, il plongea. L'eau était si froide qu'il en resta un moment paralysé, se laissant dériver comme un noyé, puis l'instinct de survie fut le plus fort et il amorça des mouvements familiers. D'abord, il fallait s'éloigner de la rive, ensuite gagner le courant avant les barques des poursuivants et se servir de lui pour filer vers l'aval. Ces deux pensées s'ordonnèrent clairement dans sa tête, mais l'eau s'enroulait autour de ses jambes et de ses bras et semblait vouloir lui interdire le passage. Il s'épuisait. Remontant d'un coup de talons, il aspira une grande bouffée d'air tout en jetant un coup d'œil vers la rive. Trente mètres, pas plus, les séparaient. Il replongea, chercha une autre voie, descendit dans les fonds, rencontra moins de résistance et, en quelques secondes, il entra dans le courant. A partir de cet instant, il se laissa porter en émergeant de temps en temps pour respirer.

Maintenant qu'il s'éloignait du danger, il retrouvait suffisamment de lucidité pour s'interroger : où était Vincent ? Avait-il pu fuir à temps ? Et qui étaient ces hommes sur la barque ? Les gendarmes ou les gardes ? Il remonta vers la surface, nagea sur le dos, vit des lueurs de torche à soixante mètres, là-bas, et il lui sembla entendre des cris. La peur, qui avait reflué en lui, de nouveau lui mordit le ventre. Tournant la tête vers la droite, il aperçut une barque venant de Cieurac. C'était un vrai guet-apens. Il plongea, songeant qu'avec un peu de chance il aurait le temps de couper vers le port et de remonter dans sa chambre avant que les barques n'accostent. Cependant, le courant s'affaiblissait à l'approche d'un calme et le portait à peine. Il accéléra, nageant de toute la force de ses jambes et de ses bras, mais avec l'impression de ne pas se rapprocher de la rive. Dans un ultime effort, il passa sous l'eau et fit appel à toute son énergie. Enfin il heurta du pied les galets et accosta sous les trembles, cent mètres en aval du port. Vite, sans même regarder où se trouvaient les barques, il se fondit dans l'obscurité, courut en contournant les maisons, et, à bout de souffle, tremblant sur ses jambes, il atteignit l'arbre qu'il escalada en moins de dix secondes. D'en haut, il sauta dans sa chambre et, le cœur fou, écouta. On entendait des cris sur la rive, en amont.

— Vincent s'est enfui, Vincent s'est enfui, répéta-t-il en serrant les poings, comme pour conjurer le malheur.

Puis, de peur d'avoir réveillé son père et sa mère, il se déshabilla en toute hâte, mit ses vêtements à sécher sur le bord de la fenêtre et se coucha.

Il lui fallut près d'une heure avant de se réchauffer et de trouver le sommeil. La voix de Vincent ne cessait de résonner contre ses oreilles. « Sauve-toi, sauve-toi », disait-elle, et il plongeait chaque fois avec l'impression de descendre en des eaux si profondes que son cœur éclatait

Marie ne dormait pas. Bien que son père ne lui eût rien dit, elle savait qu'il pêchait sur la rivière, sans doute avec Benjamin. Elle s'était levée plusieurs fois et, accoudée sur la fenêtre, avait écouté la nuit. En vain. Rien ne trahissait la moindre activité entre les arbres dont les fûts trouaient de taches pâles la nuit sans lune. Elle s'était recouchée, avait sombré dans un demi-sommeil, et c'est alors qu'elle avait entendu les cris. Aussitôt debout, elle descendit dans la chambre de sa mère, demanda :

— Vous avez entendu, mère ?

Amélie Paradou se dressa sur son lit.

— Qu'y a-t-il ? Qu'est-ce que c'est ?

— Vous n'avez rien entendu ? répéta Marie.

— Non.

— On a crié du côté des prairies.

— Quand ?

— Il y a deux minutes.

Amélie se leva et suivie par Marie, elle passa dans la cuisine, ouvrit la porte, écouta la nuit. Seul le vent rôdait sur les prairies et jouait dans les branches des arbres avec un bruit de houle légère. Le parfum lourd des herbes humides pesait sur la vallée où l'on distinguait à peine, par moments, les brefs éclairs de l'eau le long des rives.

— Il faut aller voir, dit Marie.

Elles rentrèrent pour s'habiller, firent coucher François qui s'était réveillé, sortirent de nouveau, marchèrent vers l'endroit où Vincent avait l'habitude d'amarrer sa barque. L'obscurité était épaisse et douce comme de l'étoupe. Tout en pressant le pas, Marie respirait avec un plaisir inconscient cette suavité de l'air qui lui rappelait d'autres promenades nocturnes avec Benjamin. Elle pensait à la probable colère de Victorien quand il apprendrait que Vincent emmenait Benjamin, la nuit, sur la rivière. Ce serait terrible. Surtout si les gendarmes les avaient surpris.

— Il me fera mourir, cet homme, gémit Amélie qui peinait à suivre sa fille.

— Ne dites pas des choses comme ça, murmura Marie, je vous en prie.

Une fois sur le port, elles constatèrent que la barque ne se trouvait pas à sa place habituelle, et ce fut pour l'une comme pour l'autre la preuve incontestable d'un malheur.

— Mon Dieu ! fit Amélie.

Elles demeurèrent un moment immobiles en essayant d'apercevoir ou d'entendre quelque chose qui pût les rassurer, puis, sans se concerter, elles suivirent la berge en direction des prairies. Comme il faisait très sombre, elles faillirent tomber plusieurs fois et ne trouvèrent pas le moindre indice.

— Retournons, dit Marie, ça ne sert à rien.

Elles revinrent vers le port, s'arrêtant plusieurs fois pour écouter, s'efforçant d'imaginer quel drame s'était joué à leur insu dans cette nuit hostile. Une fois dans la maison, elles renoncèrent à aller se coucher, sachant très bien qu'elles ne trouveraient pas le sommeil. Elles ranimèrent le feu, s'assirent face à face de part et d'autre de la cheminée, et une longue attente commença. De temps en temps, Amélie poussait un long soupir, murmurait :

— Mon Dieu ! cet homme !

Marie, elle, ne disait rien, mais elle songeait que si son père et Benjamin avaient été pris, il faudrait payer une forte amende et peut-être même les mettrait-on en prison. Elle avait souvent entendu de la bouche des adultes cette courte prière d'avant les repas : « Mon Dieu, préservez-vous du naufrage et de la justice », et elle savait ce que cela signifiait : la foudre allait s'abattre sur les deux familles, sans doute même la misère et le déshonneur. Mais il y avait pis encore : Vincent et Benjamin ne s'étaient-ils pas noyés en tentant d'échapper à leurs poursuivants ? A force de réfléchir, de se torturer, il lui semblait que les jours à venir devenaient sombres comme des nuées d'orage. Heureusement le sommeil finit par tomber sur elle et la délivra, pour quelques heures, de son angoisse.

Quand elle rouvrit les yeux, il faisait jour. Elle sursauta, toucha le bras de sa mère qui s'était endormie elle aussi, et la peur, de nouveau, s'empara d'elles.

— Va chercher Elina, dit la mère, il ne faut pas alerter Victorien.

Marie frissonna, rajusta ses vêtements et sortit. Cependant, au lieu d'aller directement chez les Donadieu, elle fit un crochet par le port pour voir si par miracle la barque n'était pas revenue. Hélas, non ! Elle retourna sur ses pas, se demanda où se trouvait Benjamin, leva la tête, crut apercevoir des vêtements qui séchaient sur le rebord de la petite fenêtre sous les toits. Son cœur s'emballa et elle reprit espoir. Au moins, s'il avait échappé aux gendarmes, il pourrait expliquer ce qui s'était passé.

Elina était seule dans la cuisine. Elle sursauta en découvrant Marie qui, dans sa précipitation, avait oublié de frapper.

— Mon père n'est pas rentré, dit celle-ci sans songer à dissimuler son désarroi. Il était à la pêche au flambeau. On a entendu des cris.

Le sourire d'Elina se figea.

— C'était donc ça, fit-elle.

Puis, avec sa détermination habituelle :

— Je vais chercher Victorien ; il est dans le jardin.

— Non, surtout pas, fit Marie avec une telle angoisse dans le regard qu'Elina la dévisagea sans comprendre et demeura sur place.

— Mais pourquoi ? demanda-t-elle. Tu sais bien qu'on peut toujours compter sur lui.

Marie se sentait très mal et n'osait pas lui dire l'exacte vérité. Pourtant il le fallait : il n'y avait pas d'autres moyens de savoir où se trouvait Vincent. Elle hésita encore quelques secondes, lâcha dans un souffle :

— Je crois que Benjamin était avec lui.

Elina pâlit, s'appuya sur la table, puis, sans un regard pour Marie, s'engagea dans l'escalier. Dès qu'elle entra dans la chambre de Benjamin, apercevant les vêtements sur la fenêtre, elle comprit tout de suite que Marie avait dit vrai.

— Dieu du ciel ! gémit-elle.

Et, s'asseyant au bord du lit, elle prit Benjamin par le bras et le secoua jusqu'à ce qu'il se réveille. Il émergea difficilement du sommeil, grogna, se frotta les yeux, entrevit ses vêtements dans les mains de sa mère et toutes les scènes de la nuit lui revinrent à l'esprit.

— Malheureux ! qu'as-tu fait ? dit Elina.

Il demeura muet, accablé par le souvenir des cris de Vincent.

— Qu'est-ce qui s'est passé ? demanda Elina.

Benjamin avala difficilement sa salive, murmura :

— Les gendarmes nous attendaient.

— Et Vincent ? Où est-il ?

— Je ne sais pas ; j'ai plongé.

— Tu as pensé à ton père ? Qu'est-ce qu'on va lui dire ?

Benjamin ne répondit pas. Elina, prise d'un terrible soupçon, demanda :

— Il ne s'est pas noyé, au moins ?

— Non, fit Benjamin, je l'ai entendu crier.

Elle soupira, lui tendit ses vêtements en disant :

— Tiens ! habille-toi et descends !

Elle ne l'attendit pas, et, en bas, trouva Amélie en compagnie de Marie : elle n'avait pas eu le courage de rester seule. Toutes les trois retinrent leur souffle en entendant Victorien qui rentrait pour déjeuner. Un silence accablé l'accueillit et il n'eut aucune peine à comprendre qu'il s'était passé quelque chose de grave. Comme Amélie et Marie n'avaient même pas la force de parler, Elina se dévoua en s'efforçant de ne pas lui montrer son inquiétude. Cependant, au fur et à mesure qu'elle racontait, le visage de Victorien se fermait, les muscles de ses mâchoires se contractaient et l'éclat de ses yeux devenait métallique ; autant de signes qui, chez lui, annonçaient une colère froide.

— Où est Benjamin ? demanda-t-il enfin, d'une voix extrêmement calme, presque inaudible.

— Il descend, dit Elina.

On entendait effectivement ses pas dans l'escalier, des pas qui ralentissaient prudemment en approchant de la cuisine. La première personne qu'il aperçut en poussant la porte, ce fut Marie et son regard affolé. Il eut comme une hésitation, tenta de remonter, mais la voix de son père le cueillit comme une gifle de vent glacé.

— Approche, petit, fit Victorien.

Cloué sur place, Benjamin appela des yeux sa mère à son secours, mais il comprit qu'elle ne pouvait plus rien pour lui. Il fut alors assailli par des souvenirs de colère folle, d'une force terrible qui, parfois, faisaient devenir Victorien comme fou.

— Approche ! répéta la voix, méconnaissable.

Benjamin avança mais demeura derrière la table, hors de

portée de son père qui était assis. Celui-ci se leva, la contourna, s'arrêta devant son fils qui recula d'un pas. La voix de Victorien devint tout à coup très douce et Benjamin la trouva plus redoutable encore.

— Où étais-tu, cette nuit ?

Pourquoi fallait-il qu'il lui fît répéter ce qu'il avait déjà avoué à sa mère avec tant de peine ?

— Sur la rivière, souffla-t-il.

— Avec qui ?

— Avec Vincent.

— Que s'est-il passé ?

— Les gendarmes nous attendaient.

— Les gendarmes ou les gardes ?

— Il y avait plusieurs barques.

— Où est Vincent, ce matin ?

— Je ne sais pas, j'ai plongé.

Toute cette conversation s'était déroulée à voix basse, comme étouffée par la gravité des propos échangés. Il y eut ensuite un long silence, puis Victorien revint s'asseoir et dit, s'adressant aux trois femmes :

— Laissez-nous.

Elina se précipita vers lui, murmura :

— Ce n'est qu'un enfant ; il ne s'est pas rendu compte de ce qu'il faisait.

— Laissez-nous, répéta Victorien.

Le regard d'Elina courut de son fils à son mari, puis de son mari à son fils, et elle eut un geste navré d'impuissance. Après un long soupir, elle sortit lentement, précédant Amélie et Marie qui n'osa même pas lever les yeux sur Benjamin, immobile, de l'autre côté de la table. Une fois qu'ils furent seuls, Victorien ordonna :

— Approche, petit !

Benjamin obéit, s'arrêta à un mètre de son père qui, de nouveau, s'était levé.

— Sais-tu que si tu avais été pris, c'était moi qui serais allé en prison ?

Benjamin déglutit avec peine, répondit :

— Je le sais, père, je regrette.

— Alors pourquoi as-tu fais ça ? demanda Victorien d'une voix où il y avait plus de déception que de colère.

Benjamin ne put affronter le regard clair qui cherchait à lire en lui et à comprendre. Il bredouilla :

— Je sais pas... C'est comme une force qui me pousse... une folie...

Les mains de Victorien tremblaient et Benjamin se rendait compte qu'il avait de plus en plus de mal à se contrôler. Il avait peur à présent, bien que son père n'eût pas l'habitude de le frapper. Mais était-ce vraiment de la peur ? Non, pas exactement : c'était plutôt la sensation d'une impardonnable trahison envers l'être qu'il admirait le plus au monde.

— Je regrette, père, répéta-t-il.

Il ne vit pas arriver le coup, s'en fut cogner contre le mur, glissa sur le sol, assommé, un voile devant les yeux, se demandant vaguement ce qui venait de se passer. Il s'écoula plus d'une minute avant qu'il ne retrouve totalement ses esprits. Il aperçut alors son père, assis, qui regardait ses mains ouvertes devant lui, et il fallut un long moment à Benjamin pour comprendre les mots que murmuraient les lèvres d'où le sang paraissait s'être retiré :

— J'aurais pu le tuer... J'aurais pu le tuer...

Victorien partit pour le bourg une demi-heure plus tard, et chacun regagna sa maison, son travail. La matinée s'écoula lentement, tandis que la nouvelle de l'arrestation de Vincent se propageait dans toute la vallée. Sur la capitane, Benjamin nettoyait le pont avec rage, comme s'il avait voulu effacer sa propre faute et celle de Vincent. Vers onze heures, Marie, qui le guettait, lui fit signe que Victorien était de retour. Tous deux se précipitèrent vers la maison où ils retrouvèrent Amélie accourue elle aussi aux nouvelles. Elles entrèrent, mais Benjamin demeura à la porte, osant à peine regarder à l'intérieur.

Victorien était assis sur le banc, son grand corps légèrement penché vers l'avant, avec, semblait-il, tout le fardeau du monde sur ses épaules. Son visage était sombre. Dur. Il faisait peur.

— Alors ? demanda Elina en se forçant à sourire.

— Deux cents francs d'amende ou la prison, dit Victorien d'une voix blanche.

Amélie poussa un gémissement et tomba à genoux, tandis que Marie prenait sa tête entre ses mains en reculant comme pour chercher l'aide de Benjamin.

— Je ne les payerai pas ! cria Victorien en tapant du poing sur la table. Il s'est conduit comme un enfant. Il m'a trahi. Il ira en prison !

Amélie se traîna jusqu'à lui, essaya de lui prendre les mains, mais il la repoussa et répéta :

— Il ira en prison ! Tant pis pour lui !

— Vous ne pouvez pas laisser faire ça, Victorien, supplia Amélie, qu'est-ce que nous deviendrions sans lui ?

Et, comme Victorien demeurait hostile et paraissait ne pas l'entendre :

— Mes enfants ? Vous pensez à mes enfants ?

— Il m'a trahi, et avec mon propre fils, cria Victorien, je ne le lui pardonnerai jamais !

Repoussant Amélie violemment, il se leva et partit sans accorder la moindre attention à Elina qui se précipitait pour le retenir. Celle-ci aida Amélie à se relever, la fit asseoir, versa un peu de liqueur dans un verre et le lui tendit. Marie, épouvantée, se tourna vers Benjamin. Il la prit par le bras et l'emmena sur le chemin sans un mot. Ils couvrirent une trentaine de mètres avant qu'elle ne trouve la force de murmurer :

— C'est pas possible, il ne va pas laisser faire ça.

— Mais non, dit Benjamin, viens ! Ne t'inquiète pas.

Ils furent bientôt rejoints par les frères de Marie qui voulaient savoir ce qu'avait dit Victorien. Marie le leur raconta brièvement et leur demanda de rentrer.

— S'ils le mettent en prison, j'irai les tuer, dit François, farouche.

Il y avait une telle violence dans sa voix que Benjamin, comme Marie, ne douta pas un instant de sa détermination.

— Tu ne crois pas qu'on a assez de problèmes comme ça ? dit Marie. Va donc couper du bois, il n'y en a plus dans le coffre.

— Je les tuerai, répéta François, mais il s'éloigna en emmenant ses frères.

Benjamin et Marie n'allèrent pas bien loin. Ils s'assirent côte à côte sur la berge et Marie s'appuya contre lui. C'était la première fois qu'il la devinait aussi fragile, aussi vulnérable, et il se sentait coupable de n'avoir pas été assez prudent pour deux.

— Qu'est-ce qu'on va devenir ? murmura-t-elle.

— Ma mère lui parlera ; elle saura le convaincre.

— Tu crois ? fit-elle en tournant vers lui des yeux pleins d'espoir.

— Oui, j'en suis sûr, ne t'en fais pas.

— Et si on allait la voir, tous les deux ? fit Marie, incapable de rester inactive quand le sort de son père dépendait peut-être d'elle.

— Allons-y si tu veux ; mais tu sais, elle ne nous a sûrement pas attendus.

Ils regagnèrent la maison des Donadieu où chaque membre de la famille était déjà assis à table. Benjamin et Marie s'arrêtèrent sur le seuil, surpris d'apercevoir Victorien à sa place habituelle.

— Bon appétit ! fit Marie, confuse, avant de s'enfuir.

Benjamin entra, s'assit, remercia sa mère qui lui servait sa soupe, mais, alors qu'il s'apprêtait à manger, la voix froide de Victorien demanda :

— Es-tu bien sûr de l'avoir méritée ?

Benjamin se sentit blêmir, reposa sa cuillère.

— Non, dit-il.

— Alors tu peux t'en aller.

Il se leva, tête basse, monta dans sa chambre où il s'allongea sur son lit, malheureux comme il ne l'avait encore jamais été.

Dire qu'une nouvelle descente était prévue pour le surlendemain ! Qu'allait-il se passer ? Comment allait-on faire pour remplacer Vincent sur la gabare seconde ? Il en était là de ses réflexions quand il entendit crier en bas, dans la cuisine. Il se releva, descendit quelques marches sans bruit, écouta.

— Jamais je n'aurais cru ça de lui ! criait Victorien. Je lui avais donné toute ma confiance.

Comprenant que sa mère avait commencé son patient travail de persuasion, Benjamin se sentit soulagé. Combien de fois était-elle parvenue à le convaincre de changer d'avis ? Souvent, et Benjamin le savait. Il suffisait pour cela de ne pas le heurter, de ne jamais élever la voix plus haut que lui, de lui faire toucher du doigt les conséquences d'un acte que sa fureur l'empêchait d'entrevoir.

— On ne peut pas laisser Amélie et ses enfants sans ressources, vous le savez bien, disait Elina de sa voix calme et douce.

Et, comme son mari ne répondait pas :

— Vincent vous est dévoué corps et âme, et il serait capable de se faire tuer pour vous.

— Ça ne l'a pas empêché de trahir ma confiance, répliqua vivement Victorien.

— Vous-même, à son âge, n'aviez-vous pas aussi cette folie de la pêche ?

— Je n'ai jamais trahi personne pour cela.

Elina posa son assiette de soupe, reprit, avec toujours autant de douceur :

— Il a besoin de sous, et les saumons rapportent.

— Il fallait m'en demander.

Elina soupira, mais ne se départit pas de son sourire.

— Il n'ose pas, dit-elle, vous le savez bien ; nous avons déjà tant fait.

— Justement.

— Et leurs enfants, y pensez-vous ? Et Marie, cette petite si courageuse que nous avons élevée tous les deux, vous voulez donc faire son malheur ?

— Quand bien même j'accepterais de payer, s'écria subitement Victorien d'une voix qui fit trembler toute la maison, dites-moi donc où je vais trouver les sous !

Il y eut un grand silence. Elina, cette fois, ne répondit pas. Comme Benjamin, là-haut, sur l'escalier, elle venait de comprendre que le véritable problème, le principal obstacle était bien là. Car Victorien, lui, avait tout de suite su qu'il lui faudrait aller demander à Arsène Lombard la somme nécessaire, ce qu'il n'avait jamais accepté de faire pour sa propre famille, même lors de l'hiver où Fantille était tombée malade, même l'année où les basses eaux avaient duré six mois. Il allait devoir solliciter de l'argent pour un travail qu'il n'avait pas accompli. Là, surtout, résidait sa véritable blessure, l'humiliation suprême. Benjamin éprouva à cette pensée un tel sentiment de honte qu'il remonta dans sa chambre, s'écroula sur son lit et laissa couler des larmes qui avaient encore le goût de l'enfance.

Une heure passa, puis deux, pendant lesquelles, après avoir séché ses yeux, il eut tout le loisir de réfléchir. Vers trois heures, décidé à agir coûte que coûte, il descendit pour parler à sa mère, mais il n'y avait personne dans la cuisine. Il courut alors chez Louis Lafaurie qui habitait à deux cents mètres de la rivière, une maison basse et trapue qui, au contraire de celles du port, ne comportait qu'un seul étage. Lafaurie était en train de bêcher son jardin et suait abondamment. Il était gros, avec des joues rouges rebondies et des yeux couleur de châtaigne. Benjamin, comme les autres matelots, l'aimait beaucoup. Son insouciance, son imprudence, même, sur la rivière, ne plaisaient pas toujours à Victorien qui pourtant l'estimait. Quand il aperçut Benjamin, Lafaurie s'appuya sur sa bêche, hocha la tête d'un air apitoyé et dit :

— Quelle histoire ! Ton père doit être furieux !

— Si furieux qu'il fait peur, dit Benjamin.

Même en de telles circonstances, le visage de Lafaurie conservait toute sa jovialité.

— On parle de deux cents francs d'amende, reprit-il ; c'est vrai ?

Benjamin hocha la tête.

— C'est pas rien, dit Lafaurie.

Puis il s'essuya le front en soupirant, abandonna son outil, entraîna Benjamin dans la cuisine où sa femme, Maria, épluchait des pommes de terre. Ils n'avaient pas d'enfants et menaient une vie paisible entre le port et les collines. Maria était plus vive que son mari. L'énergie éclairait son visage dans lequel deux yeux noirs pétillaient de malice.

— Si seulement chacun pouvait donner un peu, fit Benjamin.

Il y eut un court silence pendant lequel les mots firent lentement leur chemin dans l'esprit de Louis et de Maria.

— A vingt matelots, ça fait dix francs chacun, calcula Maria ; ce n'est quand même pas le bout du monde.

— Pour nous, peut-être, dit son mari, mais pour les autres ?

— Les autres, il faut aller le leur demander, dit Maria ; il n'y a pas d'autre solution.

— Je peux y aller en courant, intervint Benjamin, si vous vous chargez de ceux qui habitent sur le port.

Louis réfléchissait en regardant sa femme. Connue pour avoir un peu d'instruction et beaucoup de bon sens, on venait la consulter régulièrement sur les sujets les plus divers, l'opportunité d'un achat, d'une alliance, d'une décision grave.

— Au moins essayons, dit-elle vivement ; une histoire comme celle-là, ça finit toujours par un drame ; alors mieux vaut agir le plus vite possible.

Elle ajouta, rangeant prestement son ouvrage :

— Moi, je vais sur le port ; toi, Louis, chez ceux qui habitent vers le bourg et toi, petit, si tu veux bien, cours donc chez ceux qui habitent le plus loin : Fauvergue, Roussille, Laval, Mazel.

Comme Benjamin s'élançait déjà, elle le retint par le bras pour lui dire :

— On se retrouve ici dès que vous avez terminé. Si on ne

récolte pas assez de sous pour payer l'amende, dites-leur qu'on rendra ceux qu'ils auront avancés.

Tous trois partirent de leur côté dans l'après-midi accablé de soleil, où la verdure des feuilles semblait éclabousser le ciel. Benjamin prit la route des collines où habitait Jean Fauvergue, le second de Vincent, un colosse noir à moustaches qui vivait seul dans une maisonnette couverte de lauzes. Il écouta Benjamin avec un air catastrophé et, malheureux pour Vincent et Amélie qu'il connaissait depuis longtemps, il donna huit francs, tout ce qu'il possédait. Benjamin remercia, but un verre de vin frais coupé d'eau et partit chez le vieux Johannès Mazel qui habitait plus loin sur le causse, au milieu des vignes. Il avait soixante ans et avait navigué, dans le temps, avec le grand-père de Benjamin. Sec et noueux, les yeux bleus, il vivait avec sa femme, Adeline, qui élevait des canards et des oies. Ils n'étaient pas au courant de l'arrestation de Vincent. Quand Benjamin leur eut expliqué ce qui se passait, ils lui donnèrent dix francs sans la moindre hésitation. Il prit à peine le temps de remercier et courut chez les autres matelots où, partout, il reçut le même accueil chaleureux. Pas un seul reproche ne sortit de la bouche de ces hommes durs au mal, souvent dans le besoin, qui avaient appris la solidarité sur la rivière et à qui le mot « prison » donnait des frissons.

A six heures, comme convenu, Benjamin fut de retour chez Maria et Louis Lafaurie qui l'attendaient. Les comptes furent vite faits : à eux trois, ils avaient réuni cent quatre-vingts francs. Il manquait donc vingt francs que Victorien ne pouvait pas ne pas donner. Tremblant d'excitation, Benjamin emmena Louis avec lui pour remettre l'argent à son père. Celui-ci coupait du bois dans l'appentis du jardin. Le même air farouche errait sur son visage et ses lèvres serrées témoignaient du combat qui se livrait en lui. A l'instant où il aperçut Benjamin et Lafaurie, il s'arrêta de casser son bois, posa un pied sur le billot, s'accouda sur un genou et attendit. Ils s'approchèrent.

— Voilà cent quatre-vingts francs, père, dit Benjamin. Vos

matelots ont tous donné pour Vincent ; vous n'aurez rien à demander à Arsène Lombard.

Victorien les dévisagea l'un et l'autre, comme s'il ne comprenait pas. Elina survint à cet instant, suivie par ses filles. De la cuisine, elle avait entendu la voix de Benjamin, dont l'absence l'avait inquiétée pendant l'après-midi. Les trois femmes s'arrêtèrent à dix pas des hommes, ne sachant ce qui motivait cette entrevue singulière :

— Prenez ! Victorien, dit Louis ; vous le pouvez, ce n'est pas pour vous, c'est pour Vincent.

Il ajouta, comme Victorien, fermé, ne se décidait pas.

— Ils ont tous donné, tous, je vous dis !

Et il répéta, radieux, prenant les femmes à témoin :

— C'est pour Vincent... c'est pour Vincent.

— Prenez ! Victorien, intervint Elina en s'approchant, souriante ; vos hommes veulent porter secours à Vincent.

Il fallait que le père tende la main. Benjamin comprit qu'il y avait là une impossibilité qui rendait vains tous leurs efforts. Il s'avança, posa les pièces sur le billot en évitant de croiser le regard de son père, puis il recula de nouveau. Quand il releva la tête, il comprit qu'il avait fait le geste opportun, car Victorien souriait. Ses yeux avaient perdu la lueur farouche et glacée qui y brillait depuis le matin. Sans doute pour dissimuler son émotion, il plia son grand corps, se saisit du mouchoir dans lequel Benjamin avait plié les pièces et dit :

— Viens donc avec moi, Louis ; on va le chercher.

Ils entrèrent d'abord dans la maison pour y prendre la somme manquante, puis ils partirent vers le bourg, tandis que Benjamin, Elina et les filles couraient chez Amélie pour lui annoncer la nouvelle. Là, une fois qu'Elina et Benjamin eurent rendu compte de la générosité de l'équipage, les femmes s'embrassèrent en essuyant quelques larmes. Mais déjà des cris retentissaient sur le chemin, ceux des matelots du port qui, prévenus par Maria, venaient attendre le retour de Vincent. Les femmes les firent entrer et boire un verre pour patienter. Cependant, comme il était évident que les hommes ne seraient pas de retour avant longtemps, elles confectionnèrent une énorme omelette que les matelots dévorèrent joyeusement. D'autres arrivèrent peu après, mystérieusement prévenus, désireux d'assister eux aussi au retour de Vincent.

Il faisait nuit quand celui-ci arriva enfin, précédé par Victorien et Louis Lafaurie. L'acclamation qui salua son entrée lui démontra combien il était aimé de tous. Il dut passer de bras en bras pour l'accolade fraternelle et ce furent des rires et des cris à n'en plus finir. Les femmes se remirent en cuisine pour nourrir tout ce monde. Benjamin, debout près de la cheminée, observait son père. Son visage s'était adouci. Sans doute l'amitié qui régnait entre ses hommes, la grande famille qu'ils formaient lui réchauffaient-elles le cœur. Il semblait avoir oublié tous ses griefs vis-à-vis de Vincent. Peut-être avait-il épuisé ses reproches pendant le long trajet du bourg à la maison. Une sorte de gravité l'habitait. Mais c'était une gravité heureuse qui le réconciliait avec le monde et avec les siens. Il n'était pas le dernier à lever son verre, même s'il restait muet et se contentait d'écouter les plaisanteries de son équipage.

Un peu plus tard, Benjamin, qui parlait avec Marie, s'aperçut qu'il avait disparu. Il sortit discrètement, devina une silhouette sur le chemin, là-bas, la suivit dans la nuit. C'était bien Victorien : Benjamin le reconnut sans peine au moment où celui-ci passa dans un rayon de lune. Il semblait se diriger vers le port. Un vent léger s'était levé, qui portait des parfums de cerise. Le noir velouté de la nuit s'étendait sur les prairies avec l'épaisseur d'un nuage. Victorien s'arrêta sur la berge, demeura un instant immobile, repartit, monta sur la capitane et s'assit, face à la rivière, le menton dans ses mains. Benjamin hésita : fallait-il le rejoindre ou le laisser seul ? Son besoin de lui parler fut le plus fort. Il monta lui aussi sur le pont, s'assit sur une caisse, à bonne distance de son père. Celui-ci tourna la tête vers lui, mais ne dit rien. Ils restèrent un long moment silencieux, comme il leur était arrivé si souvent, les jours où ils allaient ensemble à la pêche, tout en sachant très bien, malgré ce silence, combien ils étaient proches. Un oiseau de nuit tourna un moment sous la lune puis s'abattit dans les chênes de la rive opposée.

— Qu'est-ce que tu veux, petit ? fit Victorien, d'une voix qui avait enfin perdu sa froideur.

— Rien, père.

Victorien Donadieu soupira.

— Tu as quelque chose à me dire, peut-être ?

— Oui, père.

Benjamin déglutit péniblement, murmura :

— Si vous aviez dû aller chez Arsène Lombard, j'aurais regretté de ne m'être pas noyé la nuit dernière.

Il y eut un long silence troublé seulement par le murmure des eaux. Victorien Donadieu ne bougeait pas. Benjamin attendait il ne savait quoi, un geste, un mot, qui scellât enfin la réconciliation.

— Viens ici ! dit brusquement le père.

Benjamin s'approcha, s'immobilisa face au regard qui, depuis, le matin, le jugeait.

— Sais-tu, petit, quel est le plus grand malheur qui puisse arriver à un homme ? demanda-t-il.

Benjamin ne répondit pas.

— C'est de voir un de ses enfants mourir avant lui. Alors ne parle plus de te noyer et contente-toi de pêcher la journée.

Victorien se leva, attira rudement son fils contre lui et l'entraîna vers la fenêtre d'où s'échappait le chant des matelots attablés chez Vincent Paradou.

4

Des éclairs de fer-blanc déchiraient le ciel de décembre que griffait le vol nerveux des oies sauvages. Il avait plu pendant quinze jours, mais, la veille, le vent avait tourné au nord et la pluie avait cessé. La Dordogne portait une crue qui charriait des plaques de glace. Sur les rives corrompues par l'hiver, des bécassines et des vanneaux cherchaient leur nourriture dans les champs inondés. Ce matin, malgré le froid sec, les eaux atteignaient les chemins de halage où les bateaux de Victorien Donadieu se préparaient aux manœuvres de changement de rive au relais de La Roque-Gageac.

Frigorifié malgré sa veste de laine et son manteau de bure, Benjamin écoutait les flocons de neige gelée se poser sur la capitane avec un bruit de pattes d'oiseaux et regardait la barque du passeur emporter la cordelle sur l'autre rive. Elle filait à toute allure en travers du courant sur les eaux d'un gris cendré où, par moments, émergeaient des troncs d'arbres ou des pièces d'appontement happées par la crue dans les villages. La barque accosta, là-bas, en douceur, et le patron bouvier s'en saisit pour la nouer autour d'un chêne. Benjamin se tourna légèrement de côté afin d'essuyer les larmes de douleur qui coulaient de ses yeux. Près de lui, Victorien, les mains nues sur le gouvernail, bleues de froid, donna l'ordre à ses matelots de pousser sur les bergades, puis, d'une manœuvre savante, il plaça la capitane dans la perpendiculaire de la rivière. Sous la force du courant qui la frappa de plein fouet, elle faillit verser puis elle se rétablit lentement en amorçant la dérive. On avait déchargé la moitié du sel sur le gabarot d'allège qui attendait derrière la gabare seconde son tour pour traverser. Une fois qu'elle eut gagné le milieu de l'eau, la capitane hésita, puis elle se précipita sur la rive, maintenue par la cordelle qui vibrait dangereusement, et accosta dans une meilhe abritée par une avancée de la berge.

— Il me faut trois paires de bœufs ! cria Victorien en sautant sur la terre ferme.

Le patron des bouviers s'approcha. C'était l'un de ces paysans qui habitaient à proximité des rives et vivaient bien mieux du halage que de leurs maigres récoltes. Il était noir, petit et gros. Du gel s'était posé sur ses moustaches que sa respiration ne parvenait pas à effacer. Ses yeux étroits étaient presque invisibles dans un visage mangé par la barbe.

— J'ai cinq paires en tout, grogna-t-il : deux pour la capitane, deux pour la seconde et une pour l'allège. Si tu en veux plus, il faudra attendre.

Le convoi avait trois jours de retard. Le courant était tellement violent qu'au lieu de parcourir vingt-cinq kilomètres dans la journée, on en couvrait seulement quinze. Victorien ne répondit pas. Il éprouva la dureté du sol avec ses pieds, fit la grimace.

— Tes bêtes sont bien ferrées, au moins ? demanda-t-il.

— Ferrées de neuf, dit le bouvier.

Victorien s'avança sur le chemin de halage où les flaques de pluie avaient gelé. Il glissa, faillit tomber, demanda :

— Tu as vu l'eau, Marcellin ?

— Pardi que je l'ai vue ! fit le bouvier. Elle est moins forte que tu le crois : c'est de l'eau de neige.

— Et le chemin, tu l'as vu ?

— Je connais mes bêtes, ça me suffit.

Victorien eut une ultime hésitation. Il se tourna vers l'autre rive où l'on apercevait les silhouettes de Louis et de Vincent sur les bateaux, mais les deux hommes étaient trop loin pour donner leur avis.

— Allons-y ! dit Victorien.

Les matelots dénouèrent la cordelle de traverse, fixèrent à la base du mât une corde plus courte et la donnèrent au bouvier. Celui-ci la noua au train arrière de son attelage et, muni de son aiguillon, il se plaça devant ses bêtes qui, sur son ordre, tendirent leurs jarrets et avancèrent péniblement. Elles couvrirent à pas lents une dizaine de mètres, puis elles bronchèrent dès que la capitane, ayant dépassé l'avancée de la berge, se heurta au courant. Pelotonné dans son manteau à l'abri du vent, Benjamin entendait l'eau bouillonner contre la coque et frissonnait en apercevant les plaques de glace qui tournoyaient au-dessus des remous. Des rafales de vent soufflant par le travers avaient tendance à rabattre la capitane vers la rive. La pression de l'eau sur la coque était énorme. Devant, le patron bouvier hurlait en frappant ses bêtes de l'aiguillon. L'attelage arriva sur un méandre convexe que le courant léchait au ras de la berge. Dès qu'il heurta la capitane, les bêtes, déjà fatiguées, semblèrent s'immobiliser. Le chemin, en mauvais état, penchait vers la rivière. L'une des bêtes dérapa sur une flaque gelée. En moins de cinq secondes l'attelage fut déséquilibré.

— Coupe ! cria Victorien à Johannès qui se trouvait près du mât.

Le vieux, qui avait de l'expérience, s'était déjà emparé de la hache sans attendre l'ordre de son capitaine : il cogna de toutes ses forces contre le mât sur lequel était nouée la cordelle, la sectionnant du premier coup, mais il était déjà trop tard. Après avoir perdu l'équilibre et basculé le long du talus, les bêtes dévalèrent la courte pente jusqu'à l'eau qui les engloutit. Sous le choc de la rupture, la capitane, d'abord, s'immobilisa, puis elle se mit à reculer en pivotant sur elle-même comme un tronc abandonné aux caprices des flots. Pour éviter qu'elle ne se fracasse sur la rive, Victorien, donnant un vigoureux coup de gouvernail, essaya de lui faire prendre du travers, tandis que Benjamin, agrippé aux cordages, retenait son souffle. Victorien parvint à faire virer son bateau sur tribord sans entrer dans le courant, mais un remous qu'il ne pouvait apercevoir le prit brusquement et le renvoya vers le milieu de l'eau. Deux cents mètres plus bas, la seconde, qui peinait pour gagner l'autre rive, n'avait pas encore atteint le tiers de sa traversée.

— Père ! cria Benjamin, attention !

Victorien, jugeant que la distance était suffisante, essaya d'abord de passer entre la seconde et la rive où se trouvaient les bouviers, puis il comprit qu'il n'en aurait pas le temps. Il changea alors de cap pour tenter de gagner la rive libérée par la seconde, mais la capitane ne put s'arracher au courant trop violent. Benjamin entendit crier les bouviers, de même que Vincent. Il remarqua que Marcellin était descendu au bord de l'eau pour porter secours à ses bêtes qui luttaient contre les remous. Victorien fit un geste du bras à l'adresse de Vincent afin de lui indiquer ou il allait passer, mais celui-ci ne le comprit pas. Tout allait trop vite. Il semblait que, quoi qu'ils fissent, leurs routes allaient se croiser. Pourtant, Victorien, renonçant à son idée première, tenta une ultime manœuvre en plaçant son bateau parallèlement au courant pour tâcher de passer devant le nez de la seconde, mais celle-ci, ayant gagné en vitesse en fin de parcours, arrivait trop vite. Le choc fut effroyable. La proue de la capitane fit exploser celle de la seconde et rompit sa cordelle. Il y eut un craquement sinistre de coque brisée, des planches montèrent très haut avant de retomber dans une gerbe d'écume, qui, l'espace d'un instant, recouvrit entièrement les bateaux. Ceux-ci partirent alors dans une folle dérive, très près l'un de l'autre, à vive allure. Benjamin, qui, d'instinct, avait fermé les yeux au moment du choc, les rouvrit et aperçut son père, toujours debout, d'une pâleur effrayante, mais qui manœuvrait avec calme, sans qu'un seul trait de son visage ne bougeât.

Vincent, lui, avait beaucoup de mal à tenir son bateau qui enfournait par l'avant et piquait dangereusement du nez. Il eût sans doute sombré rapidement si l'un des matelots de la capitane n'eût réussi, avec une adresse inouïe, à lancer une cordelle au prouvier miraculeusement indemne. A l'instant même où ce dernier la nouait au mât de la seconde, la capitane sortait enfin du courant. La cordelle se tendit mais résista à la traction énorme des deux bateaux. Plus lourde que la seconde, la capitane parvint à la retenir et, avec l'aide de Vincent dont le gouvernail n'avait pas souffert, à l'amener doucement vers des eaux plus paisibles. Cependant, si la capitane accosta sans difficulté, la seconde, privée de son autonomie, heurta les rochers, qui, à cet endroit, crénelaient la rive. Un nouveau craquement déchira le silence, donnant à Benjamin l'impression que c'était son cœur qui s'ouvrait.

Il sauta sur la berge, courut derrière son père, oubliant le froid, soudain, et tout ce qui était étranger au danger couru par les bateaux. Car il lui semblait que sa propre chair avait été touchée et il comprenait qu'il en était de même pour Victorien, dont le visage était blême et dont les yeux brillaient avec un éclat glacé. Mais déjà les matelots déchargeaient les sacs de sel de la seconde dont la plaie béante s'ouvrait comme une gueule de brochet monstrueux. Si la fissure de la capitane fut rapidement colmatée avec du bois et de l'étoupe, il devint vite évident que la blessure de la seconde était mortelle. Les matelots criaient, s'affolaient, se gênaient pour colmater la brèche, et plus les minutes passaient, plus le bateau de Vincent s'enfonçait. Victorien essayait bien de coordonner leurs efforts, mais le combat était perdu d'avance. Les hommes eurent tout juste le temps de sauter sur la rive quand la gabare coula, d'abord lentement, puis d'un coup, avec un bruit de caverne investie par les eaux. Sur la berge, les hommes exténués, à bout de souffle, n'eurent pas un mot, pas un geste. Benjamin jeta un regard vers son père dont les traits, s'étant brusquement creusés, le vieillissaient soudain effroyablement. Pourtant il se tenait bien droit, et ses cheveux, rabattus vers l'arrière par le vent, découvraient, comme pour mieux les montrer, l'énergie et la fierté de son visage. Ce fut lui qui trouva le premier la force de réagir :

— Allons, fit-il, tout le monde est en vie et c'est le principal.

Les matelots s'ébrouèrent avec des soupirs, puis ils retournèrent sans un mot sur la capitane pour consolider les réparations de fortune. Ils oublièrent un peu le drame en travaillant, mais, dès qu'ils eurent terminé, que le gabarot eut à son tour traversé, une grande lassitude tomba sur eux. Vincent avait le visage défait. Ses yeux brillaient anormalement et il se mordait la lèvre inférieure jusqu'au sang. Victorien, lui, avait retrouvé ce masque que son fils connaissait bien et derrière lequel il cachait la déception ou la souffrance. Benjamin s'éloigna de quelques pas et, après avoir vérifié que personne ne regardait dans sa direction, appuyé au tronc d'un peuplier, il laissa couler quelques larmes de rage qu'il effaça prestement de la main. C'était la première fois qu'il voyait sombrer un bateau. Et c'était terrible.

Il revint lentement vers les bateaux sur lesquels les matelots entassaient les sacs de sel sauvés du naufrage de la seconde, mais il y en avait trop. Il fallut abandonner des sacs sur la rive et les protéger d'une bâche en attendant du secours. Deux bateliers amis étaient à la remonte, et Victorien le savait. Il comptait sur leur aide pour transporter une partie de la cargaison jusqu'à Souillac. Cela ne se refusait pas. La solidarité existait vraiment entre gens de rivière.

Face à tous ces hommes fatigués et meurtris, le vent s'acharnait, cinglait la peau, s'insinuait sous les vêtements. Victorien comprit qu'ils avaient atteint le seuil de ce qu'ils pouvaient endurer. Il décida d'emmener tout son monde à l'auberge qui se trouvait à cinq cents mètres de là, à l'intérieur des terres. Les hommes pourraient au moins s'y réchauffer et reprendre des forces. Benjamin, qui marchait en dernière position, apercevait le grand corps de son père bien droit malgré le vent glacé et, à chacun de ses pas, quelque chose en lui se nouait. Il se porta rapidement à sa hauteur et lui dit d'une voix qui tremblait un peu :

— Nous en reconstruirons un autre tous les deux, père, même s'il faut pour cela travailler jour et nuit.

Sur le port, personne ne savait où se trouvaient les bateaux. Elina Donadieu était allée aux nouvelles chez Arsène Lombard, mais le marchand ignorait tout de ses matelots. L'inquiétude était à son comble dans les familles, d'autant plus que les eaux ne cessaient de monter malgré l'arrêt de la pluie. Et Noël était là, qui allait passer sans les hommes retenus on ne savait où, sans doute en danger.

Marie se trouvait dans la maison d'Elina Donadieu, avec sa mère, afin de préparer le repas de fête que l'on prendrait, comme d'habitude, avant de se rendre à la messe de minuit. Marie hachait une gousse d'ail et, en regardant tomber la neige à travers la fenêtre, elle pensait à Benjamin et à son père qui devaient souffrir du froid. Elle espérait que les bateaux arriveraient avant la nuit, car elle savait que Victorien ferait l'impossible pour ramener ses hommes à temps. Ainsi la veillée serait heureuse comme à l'accoutumée, dans la maison des Donadieu où les deux familles se réunissaient chaque soir de Noël.

— Ne t'inquiète pas, ma fille, lui dit Elina, fais donc confiance à Victorien.

— Ce serait bien la première fois que nos matelots manqueraient la veillée, ajouta Amélie sans lever la tête de son ouvrage.

— Ou alors, il se serait passé quelque chose de grave, reprit Elina.

— Ne parle pas de malheur, murmura Amélie en se signant furtivement.

Marie, un instant distraite, retrouva le fil de ses pensées tournées vers Benjamin, et la conversation des deux femmes devint un murmure lointain. Il avait tellement changé, Benjamin, depuis l'été ! Voilà qu'il dépassait maintenant Vincent par la taille et que sa voix était devenue celle d'un homme. Elle, au contraire, ne changeait guère et se désespérait de garder son corps d'enfant. Ce n'était pas le cas d'Emeline qui avait déjà l'allure et l'assurance d'une demoiselle. Etait-ce pour cette raison que Benjamin s'attardait fréquemment auprès d'elle, sur le port, pour des conversations mystérieuses qui duraient de plus en plus longtemps ? « Tu es bête, disait-il quand Marie lui reprochait ces discussions dont, sans le lui montrer, elle souffrait ; je suis bien obligé de lui parler, sinon cela fâcherait son père. » Marie ne croyait pas à cette explication, mais souriait pourtant avec indulgence. Que n'eût-elle accepté pour ne pas le perdre ?

Elle haussa les épaules. Etait-elle sotte ! Pourquoi toujours ressasser de telles pensées, même en cette veille de Noël où les bateaux allaient arriver d'une minute à l'autre. Ne changerait-elle donc jamais ? Furieuse contre elle-même, elle se dépêcha de terminer son travail, se couvrit chaudement et sortit, espérant secrètement arriver sur le port en même temps que les bateaux « C'eût été trop beau », songea-t-elle avec dépit en apercevant le quai désert où le vent courait à perdre haleine. Elle s'assit sur une pile de bois et, immobile dans le froid, elle observa un moment la Dordogne dont les eaux couleur de fer lui donnait des frissons. Elle répéta la même prière pendant une ou deux minutes en fermant les yeux : « Mon Dieu, faites que Benjamin arrive maintenant. » Puis, convaincue de se montrer égoïste : « Mon Dieu, faites que les hommes regagnent leur famille aujourd'hui. » Et elle ajouta, avec une ferveur confiante . « Puisque c'est Noël, puisque c'est Noël... » Elle ne se décidait pas à rouvrir les yeux. Si elle attendait encore une minute, il lui semblait que la capitane surgirait là-bas, sous le rocher du Raysse...

Une rafale de vent la gifla, le froid mordit son visage. Elle rouvrit enfin les yeux. Nulle gabare à l'horizon. La Dordogne, impassible, roulait des eaux hostiles en murmurant : « Ils ne viendront pas, ils ne viendront pas. » Elle eut très froid, soudain, se sentit glacée jusqu'au cœur. Elle fit néanmoins une dernière tentative, répéta sa prière, mais sans conviction. Elle avait perdu. C'était trop injuste de passer un Noël ainsi sans son père, sans Benjamin, sans ces rires qui résonnaient dans la grande maison où il faisait si bon. Gardait-elle le souvenir d'une telle tristesse ? Non. Aucun. Et tout à coup, elle détesta tellement la rivière que sa vue lui devint insupportable. Elle se leva, rajusta sa capuche et rentra lentement.

Dans la cuisine, des parfums d'oignon et de soupe de pain lui restituèrent des sensations agréables qui s'estompèrent rapidement. Elle aida sa mère à larder des pigeons, vaqua à de multiples occupations alors que l'après-midi coulait inéluctablement, malgré le désir qu'elle avait d'en retenir chaque seconde. Il devint pourtant vite évident, à mesure que l'obscurité augmentait, que les bateaux n'arriveraient plus. Pour les femmes, la déception fut à la mesure de l'espérance entretenue pendant les préparatifs de la veillée. On attendit encore une heure, mais vainement, et il fallut bien se mettre à table, tenter de rire, de s'amuser le temps que vienne l'heure de partir pour la messe.

Elina organisa une veillée au coin du feu et raconta des contes et des légendes appris dans la métairie de son enfance. On chanta quelques chansons, tandis que les filles filaient le chanvre que l'on faisait rouir dans les fossés réservés à cet usage en aval du port, mais le cœur n'y était pas. Les garçons, qui jouaient avec des quilles, ne se disputaient même pas, contrairement à leur habitude. Elina parvint quand même à garder son sourire et à rendre la veillée la plus agréable possible jusqu'à l'heure du départ. Marie, sa mère et les enfants retournèrent alors dans la maison des Paradou pour se préparer. Chacun se vêtit de ses plus beaux habits et glissa dans sa poche une pierre bien chaude. Après quoi, tout le monde sortit de nouveau pour retrouver Elina et ses filles qui attendaient sur le chemin.

La nuit était claire, l'air coupant comme du verre. Malgré le vent, on entendait bouillonner la rivière, là-bas, près du port enfoui dans l'obscurité. La colère des eaux tumultueuses faisait penser aux bateaux, et les bateaux aux hommes immobilisés quelque part, pour de mystérieuses raisons. On avait beau y être habitué, il était douloureux de penser à eux dans cette nuit hostile au fond de laquelle brillait la lumière des chandelles, sur les chemins du bourg. Au-dessus des collines, les étoiles clignotaient comme des lanternes fouettées par le vent. Il ne neigeait plus. Le chemin boueux se dérobait sous les sabots où la paille, pourtant bien serrée, tenait à peine chaud aux pieds.

Le trajet parut bien long à Marie qui, trois quarts d'heure plus tard, pénétra dans l'église avec recueillement. Malgré les deux kilomètres à parcourir à l'aller et au retour, elle s'y rendait souvent avec sa mère. Comme toutes les femmes de la vallée, en effet, elles avaient été élevées dans une piété un peu craintive mais ardente, fidèle, où elles puisaient les forces nécessaires à leur vie souvent solitaire. Marie priait avec des élans sincères et confiants, car il était essentiel que quelqu'un veillât sur elle comme elle-même veillait sur les siens. Le monde était ainsi : les plus forts protégeaient les plus faibles, qui protégeaient eux-mêmes plus faibles qu'eux.

Ce soir, pourtant, dès qu'elle s'agenouilla à sa place habituelle, au fond de la nef, à droite de l'entrée, un feu d'amertume se mit à brûler dans son corps. Là-bas, devant l'autel, les familles des marchands étaient réunies, et les enfants comme les parents, les hommes comme les femmes, s'apprêtaient à entendre la messe dans la sérénité. Ce fut si violent que des larmes de rage perlèrent dans les yeux de Marie qui découvrait l'injustice dans la maison même du bon Dieu. Et son père avait froid. Et Benjamin aussi, sans doute. Et tous deux étaient loin. Peut-être s'étaient-ils noyés lors d'un accident. Elle frissonna, essaya de s'intéresser à l'office qui commençait, mais il lui fallut un long moment pour oublier ce pincement au cœur qui avait été si douloureux. Puis les chants et les répons montèrent sous les voûtes aux couleurs chaudes, les lumières des cierges embrasèrent les vitraux, la voix d'Elina et de ses filles réconfortèrent Marie qui réussit à s'apaiser.

Lorsque la messe se termina, pourtant, elle ne suivit pas ses frères qui allaient admirer la crèche, près du chœur. Elle sortit avec sa mère et Elina, attendit sous le porche en échangeant quelques mots avec Angéline qui venait de les rejoindre. Cinq minutes plus tard, Arsène Lombard apparut, l'air sombre, et attira Elina à l'écart. Il lui parla doucement, une main posée sur son bras, avec une sorte de gravité. Le regard de Marie croisa alors celui d'Emeline, qui, un peu en retrait, attendait près de sa mère, et ce qu'elle y lut la troubla. Il ne contenait pas le défi habituel, mais plutôt de la pitié. Marie eut peur, tout à coup, si peur qu'elle voulut s'éloigner, mais Mme Lombard ne lui en laissa pas le temps. C'était une grande femme maigre, brune, aux yeux étroits mais étrangement mobiles, qui avait la réputation d'être aussi avare qu'autoritaire. Marie ne l'aimait pas beaucoup car elle se montrait toujours méprisante avec les matelots et leurs familles. Aussi ce fut avec stupeur qu'elle la vit s'approcher et adresser la parole à Amélie, stupéfaite elle aussi :

— Je voudrais vous voir demain avec votre fille, madame Paradou ; venez donc dans l'après-midi, ça ira très bien.

— Oui, madame, répondit Amélie en esquissant une légère inclinaison du buste.

— Pour le reste, Elina Donadieu vous en parlera, ajouta la femme du marchand.

Amélie hocha la tête, remercia. Marie, mal à l'aise, de plus en plus inquiète, rejoignit Elina que venait de quitter Arsène Lombard.

— Il y a eu un accident, murmura celle-ci d'une voix détimbrée. Personne n'a été blessé, mais la gabare seconde a coulé.

Elle ajouta, comme Amélie l'interrogeait à son tour :

— Ils ont eu le temps de décharger le sel et ils attendent les bateaux à La Roque-Gageac. Ils seront sans doute là dans deux ou trois jours.

Marie eut un long frisson, mais ne dit mot. Elle avait lu dans le regard d'Emeline l'annonce d'un malheur et ne s'était pas trompée. Elle serra les dents, inspira un grand bol d'air frais, afin de cacher son émotion à Fantille et aux garçons qui sortaient de l'église. Ceux-ci s'aperçurent très vite que quelque chose n'allait pas et demandèrent ce qui s'était passé. Elina le leur expliqua et Jean, le plus petit, se mit à pleurer. Marie, le prenant dans ses bras, se rendit compte que les gens du bourg les considéraient avec compassion. Elle avait hâte de partir. Il fallut pourtant renseigner les femmes des matelots qui s'étaient approchées et posaient des questions. Quand Elina eut juré sur la croix qu'il n'y avait aucun blessé, on put enfin se mettre en route et regagner le port.

Tout en marchant, Marie pensait au naufrage et se disait que la perte d'un bateau entraînait souvent la perte du travail grâce auquel, dans la vallée, vivaient des centaines de familles. On ne décidait pas facilement la construction d'un nouveau bateau. D'ailleurs, qui savait si Victorien Donadieu pouvait payer de tels travaux ? Qu'allait-il se passer ? Quels étaient les hommes qui resteraient à quai ? Elle avait beau réfléchir, elle ne trouvait pas plus de réponse à ces questions qu'elle n'en trouvait à celle de savoir pourquoi Mme Lombard leur avait demandé de venir la voir le lendemain. Etait-ce une conséquence du naufrage ou simplement celle d'un caprice ? Trop fatiguée pour réfléchir davantage, elle s'efforça de songer seulement au feu que l'on n'avait pas éteint avant de partir et près duquel elle allait pouvoir se réchauffer en buvant du vin chaud.

Les flocons de neige tourbillonnaient comme des lucioles dans la nuit. Silencieuses, les femmes pressaient le pas, pelotonnées dans leur manteau et sous leur capuche. Pas une n'aurait osé espérer, fût-ce une seconde, ce qui les attendait derrière la porte des Donadieu. Et pourtant Victorien, Vincent et Benjamin étaient là, souriants, pareils à des fantômes surgis de la nuit, aussi heureux de la surprise ménagée aux femmes que de la chaleur enfin retrouvée. Elles aussi étaient trop heureuses pour demander d'explication sur cette arrivée impromptue et elles se contentaient de savourer ce moment en serrant contre elles ceux qu'elles n'attendaient plus.

— Vous ne croyicz quand même pas qu'on allait vous laisser passer la nuit de Noël toutes seules ! s'exclama Victorien.

— Lombard nous a parlé d'un accident, dit Elina. Que s'est-il passé ?

— Il s'est passé que l'on a perdu un bateau mais qu'il n'y a pas mort d'homme. On a laissé le chargement à la garde des célibataires et on est venus à pied. On repartira demain en début d'après-midi.

— Avec ce froid ! fit Elina.

— Marcher réchauffe ; et si on est revenus, ce n'est pas pour discuter, mais pour rire, boire et manger. Pour le reste, il sera toujours temps d'aviser demain. Allons ! vous n'avez plus qu'à vous asseoir !

Ils avaient fait la cuisine. Une soupe aux oignons fumait sur la table, tandis que dans un toupi [1] des châtaignes blanches et des pommes de terre dégageaient un fumet délicieux. Marie, s'asseyant près de Benjamin, frissonna de la tête aux pieds. Elle avait eu si peur à la sortie de la messe, elle avait tellement attendu, tellement espéré tout au long de la journée, que l'arrivée subite de son père et de Benjamin la laissait au bord des larmes. Elle se rendait bien compte que Victorien se forçait pour plaisanter et que Vincent, lui, paraissait anéanti. Même Benjamin semblait différent : il souriait, bien sûr, mais dans ses sourires passaient des ombres de tristesse et il parlait à peine. Pourtant, grâce au vin, à la chaleur, à l'entrain d'Elina qui avait compris qu'elle devait aider Victorien, peu à peu la gaieté était revenue dans la maison. Chacun mangeait et buvait en écoutant Elina qui ne parlait surtout pas de bateaux mais de cuisine, de veillées mémorables, de festins passés et à venir. Après s'être avisée qu'elle aurait tout le temps de penser au naufrage le lendemain, Marie se laissa griser par la douceur du moment et oublia tout.

Quand on eut fini de manger, on fit un demi-cercle autour du feu pour boire un peu d'eau-de-vie et de liqueur de genévrier. Sur le banc où elle avait entendu tant de contes, assisté à tant de veillées, Marie, assise près de Benjamin, sentait contre son bras la chaleur de sa peau et fermait les yeux. Ainsi, ce Noël n'aurait pas été perdu comme elle le redoutait. Il était près de trois heures du matin. Tous les siens, tous ceux qu'elle aimait se trouvaient là, à l'abri du danger. Elle souhaita passionnément que cette veillée ne se terminât jamais. Pourtant, Elina, qui

---

1. Marmite paysanne.

savait que les hommes étaient exténués, ne tarda pas à inviter tout le monde à aller se coucher. On se sépara après s'être embrassé et souhaité un joyeux Noël. Benjamin retint un instant Marie contre lui, la serrant plus qu'il ne convenait. Elle emporta dans son lit l'odeur de sa peau, qu'elle s'efforça de conserver le plus longtemps possible en rabattant les couvertures au-dessus de sa tête.

Comme ils l'avaient annoncé la veille, les hommes étaient repartis au début de l'après-midi. Ni Amélie ni Marie n'avaient parlé du rendez-vous chez les Lombard. Vincent était suffisamment abattu sans ajouter encore à son chagrin. Le pauvre n'avait cessé de répéter, le regard fixe, les traits tirés :

— Je tenais le gouvernail et mon bateau a coulé.

— Si les bêtes n'avaient pas glissé, il ne se serait rien passé, répondait Amélie. Ce n'est pas de ta faute.

— Peut-être, mais qu'est-ce que je vais devenir maintenant ?

— Allons ! tu sais bien que Victorien ne te laissera pas sans travail.

Marie, alarmée de voir son père ainsi découragé, s'était inquiétée auprès de Benjamin de ce qui allait se passer. Celui-ci l'avait un peu rassurée en affirmant que l'on pourrait sans doute renflouer le bateau. Dès cet instant, l'avenir lui avait paru moins sombre et elle n'avait pas tardé à retrouver son énergie coutumière.

Dès que les hommes furent partis, donc, Marie et sa mère confièrent la garde des garçons à Angéline et se mirent en route dans les prairies couvertes de neige. Elle n'était pas épaisse mais elle avait gelé pendant la nuit. Le ciel demeurait menaçant. De gros nuages gris couraient au-dessus de la vallée, poussés par le vent du nord, qui, sur la rivière, soulevait des vaguelettes grises. Perdues dans leurs pensées, les deux femmes ne prêtaient aucune attention à la sonorité de l'air où l'aboiement des chiens se répercutait indéfiniment de colline en colline. Marie songeait à la veillée, à sa joie au moment où elle avait aperçu les hommes dans la maison, au contact du bras de Benjamin dont il lui semblait sentir encore la chaleur contre elle. Amélie, elle, était préoccupée par l'objet de leur visite et avait hâte de savoir ce que Mme Lombard leur voulait.

Quand elles arrivèrent au bourg, les rues étaient désertes. C'était Noël, et les repas duraient ce jour-là plus longtemps qu'à l'accoutumée. Comme elles étaient en avance, elles firent un tour dans les rues voisines, puis elles retournèrent lentement vers le lieu de leur rendez-vous. La maison des Lombard était une grande bâtisse à trois étages encadrée par deux clochetons en forme de pigeonnier. Au premier et au second, deux balcons de bois donnaient sur la place, soutenus par des colonnes de pierre sculptées. Amélie cogna à la porte ornée de ferrures et d'un heurtoir de cuivre. Une vieille femme en blouse et tablier noir l'ouvrit et s'effaça avec un sourire, avant même qu'Amélie eût dit qu'elles étaient attendues. La servante les conduisit le long d'un couloir sombre, les fit entrer dans une vaste pièce aux murs blancs où flambait un grand feu dans une cheminée au manteau de marbre, puis elle s'en fut prévenir sa patronne en donnant l'impression d'avoir de grandes difficultés à se déplacer.

Trois ou quatre minutes passèrent, pendant lesquelles Marie redouta de voir apparaître Emeline, mais ce fut bien sa mère qui entra dans la pièce, suivie par Arsène Lombard en personne. Ils saluèrent Marie et sa mère d'un signe de tête, les invitèrent à s'asseoir et firent de même. Mme Lombard, bien droite, le regard impérieux, parla alors de sa voix au timbre haut en esquissant un sourire :

— Je vous ai demandé de venir, madame Paradou, parce qu'il me semble que c'est le moment de penser à l'avenir de votre fille.

Le cœur de Marie s'emballa brusquement. Une vague glacée coula sur ses épaules et elle comprit qu'elle allait devoir livrer un terrible combat.

— Vous savez comme moi que la perte d'un bateau pose toujours de graves problèmes. Or, c'est bien votre mari qui tenait le gouvernail, n'est-ce pas ?

— En effet, dit Amélie.

— Je ne pense pas que Donadieu soit en mesure d'en faire construire un autre avant la prochaine campagne, poursuivit Mme Lombard.

Et, se tournant vers son mari qui allumait sa pipe :

— Qu'en pensez-vous, Arsène ?

— Je ne crois pas, bougonna le marchand que cette conversation ne paraissait guère intéresser.

— Aussi, reprit Mme Lombard, votre mari risque fort de se retrouver sans travail.

Elle fit mine de réfléchir un instant, poursuivit :

— Nous en avons longuement parlé et nous avons pensé que nous pourrions prendre votre fille à notre service. Vous auriez ainsi un enfant de moins à charge et nous vous donnerions dix écus. Qu'en pensez-vous ?

Marie eut l'impression que son cœur éclatait. Elle posa sur sa mère un regard indigné, attendit une réponse cinglante qui, pourtant, tarda à venir.

— C'est que..., murmura Amélie, Marie m'aide beaucoup et je crains de ne pouvoir me passer d'elle.

Mme Lombard eut une sorte de sursaut indigné, pinça les lèvres de stupeur : comment pouvait-on ainsi discuter une proposition tout droit issue de sa générosité ? Décidément, ces gens de la rivière ne respectaient rien et ne méritaient pas les faveurs qu'on leur consentait ; il ne fallait pas s'attendre de leur part à la moindre manifestation de reconnaissance.

— Vous savez, dit-elle en faisant un effort pour garder son calme, il y a plus d'une famille qui souhaiterait voir sa fille entrer dans notre maison.

— Je sais, dit Amélie, et je vous en remercie.

Elle ajouta, plus bas, comme si elle avait peur que sa fille entendît :

— C'est vraiment très aimable à vous.

Marie fut sur le point de laisser exploser sa colère, mais la prière qu'elle déchiffra dans les yeux de sa mère l'en dissuada.

Elle se contint, ferma les yeux. Que se passait-il, ce matin? Etait-il possible que sa mère consentît à une pareille trahison? Allait-elle la vendre? Devrait-elle servir ces gens, Emeline, quitter la rivière, Benjamin, devenir prisonnière d'une maison où elle se sentait tellement étrangère qu'elle n'avait plus qu'une envie : en sortir, s'échapper vers les prairies, son domaine, le seul endroit où elle pouvait vivre heureuse et en sécurité?

— C'est un bien grand honneur que vous nous faites, reprit Amélie pour rompre le silence.

— Mère! gémit Marie.

— Je ne dis pas non, fit Amélie sans paraître l'entendre, mais je voudrais d'abord en parler à son père; c'est lui qui décidera.

Marie, aussitôt, se sentit rassurée : jamais, elle en était sûre, Vincent ne la vendrait; jamais il n'accepterait que sa seule fille quittât sa maison, même si le travail manquait, même si les jours à venir devaient être difficiles. Elle en voulut pourtant à sa mère de la tiédeur de son refus, sentit s'ouvrir en elle une blessure qui s'aviva encore lorsque Amélie demanda :

— Vous pouvez peut-être attendre qu'il revienne?

Ulcérée, Mme Lombard concéda :

— Il me faut une réponse dans trois jours au plus tard. Notre vieille Augusta ne nous est plus d'aucune utilité et nous n'avons que l'embarras du choix pour la remplacer.

— Trois jours suffiront, dit Amélie.

Et, tournant vers sa fille un visage implorant :

— N'est-ce pas, Marie?

— Oui, mère, murmura celle-ci avec l'impression d'une fibre essentielle qui se rompt; mais partons maintenant.

Ce fut elle qui, d'ailleurs, se leva la première, ce qui parut choquer Mme Lombard habituée à ne voir partir ses visiteurs qu'avec sa permission. Elle sonna néanmoins sa servante qui, d'un pas fatigué, raccompagna Marie et sa mère à la porte. Arsène Lombard, lui, n'avait pas bougé.

— Dans trois jours! répéta sa femme avant que la porte ne se referme.

Et Marie comme sa mère perçurent comme une menace dans sa voix.

Le retour fut silencieux et triste, pour l'une comme pour l'autre. On eût dit deux étrangères cheminant côte à côte, et surtout pas une mère et sa fille. Pourtant toutes deux ressentaient le même sentiment de déchirure qui mettait en péril l'estime et la confiance que rien n'avait jamais ternies jusqu'à ce jour de Noël battu par la pluie et le vent. Une fois qu'elles se furent réfugiées dans leur maison bien chaude où la cheminée invitait à un bonheur casanier, elles reprirent leur travail comme si de rien n'était, mais toujours en silence. Dès que Marie trouva un instant de répit, elle sortit pour laisser couler en cachette ces larmes qu'elle repoussait depuis son retour en pensant à Benjamin, à Emeline, à cette défaite dans laquelle elle risquait de sombrer sans l'avoir mérité.

Victorien Donadieu et son équipage avaient attendu les bateaux d'Angibeau pendant vingt-quatre heures. Bien qu'ils fussent très chargés, le maître de bateau avait accepté de prendre à son bord les deux tiers de la cargaison entassée sur la rive, et le reste avait été réparti sur la capitane et le gabarot de Donadieu. Il ne neigeait pas, mais une pluie glaciale balayait le pont où les hommes, prêts à parer à toute éventualité, ne se souciaient pas de s'abriter. Les attelages avaient été doublés, mais les bateaux n'avançaient pas plus vite pour autant : trop lourds, luttant contre la pluie et le vent, ils prenaient beaucoup d'eau par la proue où les sacs de sel pesaient de plus en plus.

Assis à sa place habituelle, transi de froid, Benjamin songeait aux propos tenus par son père les jours précédents : si les eaux baissaient rapidement et si la crue ne déplaçait pas trop la seconde vers le milieu de la rivière, on pourrait sans doute la renflouer. Pour oublier les gifles glacées du vent, il se réfugia dans le souvenir de la veillée de Noël, de la présence de Marie près de lui, de la chaleur de la grande cuisine où ils avaient pu reprendre des forces. Victorien avait eu une riche idée de décider ce court voyage, même si au retour les trois hommes avaient davantage senti la fatigue et le froid qu'à l'aller.

Le convoi arriva à l'extrémité de la tire qui, avec près de cinq kilomètres, était la plus longue de la remonte. Le chemin de halage rencontrant la colline — ce qui était fréquent entre Limeuil et Souillac — il fallait changer de rive une nouvelle fois. Il était dix heures trente du matin. Si tout allait bien, on arriverait avant la nuit. Au loin, de l'autre côté de la vallée, vers Saint-Julien-de-Lampon, le ciel semblait s'éclaircir et Benjamin se demandait si ce n'était pas la proximité du port qui lui donnait l'illusion d'un embellissement magique de l'horizon. La capitane s'abrita derrière le peyrat où était amarrée la barque des passeurs, et le vieux Johannès dénoua la cordelle fixée au mât. Victorien descendit, paya le bouvier qui empocha les pièces en remerciant et repartit vers son port d'attache. Le passeur, un petit homme noir et bossu coiffé d'un grand chapeau périgourdin aux bords tombants sur les épaules, vint chercher la cordelle et traversa pour la porter aux bouviers de l'autre rive.

Benjamin n'aimait guère ces folles traversées au cours desquelles les bateaux, maintenus par une corde vibrante, coupaient la rivière à vive allure grâce à la seule force du courant. Et pourtant il y en avait une vingtaine depuis Castillon-la-Bataille. Et plus on remontait, plus les eaux devenaient irrégulières et fantasques, d'où l'absence de haleurs à bras que remplaçaient les bouviers. Bizarrement, Benjamin se sentait plus en sécurité avec les premiers qu'avec les seconds, même si les bateliers se méfiaient de ces énergumènes aux mines patibulaires, à la musculature impressionnante, toujours prêts à se battre pour prendre une cordelle. Avec eux, au moins, elle était bien tenue, car ces anciens marins connaissaient parfaitement les dangers que l'on courait sur l'eau. Avoir navigué sur des mers lointaines, avoir couru l'aventure et affronté les tempêtes les auréolaient d'un prestige qui les rendait méprisants pour les bouviers qui, eux, les considéraient comme des bandits de grand chemin capables de tuer pour gagner quelques sous. Toutefois, on en trouvait de moins en moins, surtout en amont de Bergerac, car le débit des eaux ne leur permettait pas d'exercer leur métier et, de plus, la loi de 1830 ne les autorisait à se saisir des cordelles qu'en l'absence des bouviers...

Le regard de Benjamin se porta sur les arbres décharnés de la rive sur laquelle il avait chaque fois l'impression que le bateau allait se fracasser. Pourtant la zone d'accostage se trouvait toujours dans une meilhe abritée, et les bateaux avaient le temps de perdre de la vitesse après être sortis du courant. C'est ce que fit la capitane, avant d'accoster en douceur près d'une aubarède[1] d'où s'envolèrent des bécassines. On attacha alors l'attelage à la capitane et Victorien remonta sur son bateau en grommelant :

— Qu'on arrive enfin et qu'on ne parle plus jamais de ce voyage.

La remonte continua sous la pluie et le vent. Vers midi, cependant, les gros nuages noirs désertèrent le ciel. Les berges démeublées par l'hiver perdirent brusquement leur apparence spectrale sous la lumière vive du soleil. Des médailles se mirent à cliqueter un peu partout, sur les terres, les collines et les arbres. Lors d'un nouveau changement de rive, l'équipage descendit pour manger et les hommes allumèrent un grand feu qui leur rendit leur bonne humeur. Allons ! Plus que dix kilomètres ! Si le temps ne changeait pas, si aucun incident ne venait troubler l'avance des bateaux, on pourrait dès ce soir prendre un repas chaud et dormir dans des draps. La cargaison, elle, était sauve. Arsène Lombard n'aurait aucun grief à adresser à son maître de bateau et la réputation de ce dernier demeurerait intacte. Finalement, l'accident eût pu avoir des conséquences beaucoup plus graves encore.

Le soleil se cacha de nouveau derrière les nuages ramenés par le vent, mais la pluie ne vint pas ralentir le convoi. On

1. Plantation d'aubiers.

atteignit le port vers cinq heures de l'après-midi, et Benjamin, toujours debout près de son père, poussa un long soupir. Dès que la capitane eut été amarrée, il fut l'un des premiers à sauter sur la terre ferme et à rejoindre sa mère qu'il s'empressa de rassurer :

— Je crois qu'on pourra renflouer la seconde, dit-il.

— Tant mieux ! fit-elle en l'embrassant.

Puis elle chercha des yeux son mari qui donnait ses dernières instructions. Il vint vers elle et ils demeurèrent un instant face à face, elle souriante, lui plus lointain, mais avec, aux commissures des lèvres, deux petites rides qui traduisaient, chez lui une satisfaction contenue.

— Tu dois être fatigué, dit-elle.

Il fit un signe négatif de la tête, mais elle n'en crut rien, le sachant incapable d'avouer la moindre faiblesse. Et, comme Arsène Lombard arrivait, il la quitta pour le rejoindre dans l'entrepôt. Elina et Benjamin rencontrèrent Marie qui attendait son père en compagnie d'Amélie. Benjamin remarqua que Marie paraissait préoccupée et chercha son regard. Il comprit qu'elle voulait lui parler à l'écart, mais ils n'en eurent pas le temps, car Vincent approchait. Celui-ci embrassa distraitement sa femme et sa fille, puis, le dos courbé, il s'éloigna lentement, sans un mot, vers sa maison. Marie et sa mère le suivirent, tandis que Benjamin, se retrouvant seul, remonta sur la capitane pour aider au déchargement du sel.

Une fois parvenu chez lui, Vincent s'assit à table et, la tête entre les mains, demeura longtemps accablé malgré les mots de réconfort prononcés par les femmes. Au terme de dix minutes, Amélie, comprenant qu'elle ne parviendrait pas à le dérider, déclara :

— Ne t'inquiète pas ; Mme Lombard nous a demandé Marie pour servante ; si nous acceptons, ils nous donneront dix écus.

Vincent releva lentement la tête, planta son regard dans celui de sa fille qui, une seconde, eut envie de se rebeller. Mais la lueur qu'elle y découvrit était si désespérée qu'elle ne dit mot. Il lui sembla même y lire une sorte de soulagement qui raviva sa blessure. Vincent dut le comprendre, car il murmura :

— Nous verrons, nous verrons...

Et il se mit à parler de l'accident d'un ton las et monocorde, comme si les mots qu'il avait gardés en lui sortaient d'eux-mêmes, sans qu'il pût rien pour les retenir. Les femmes l'écoutaient à peine, car elles n'ignoraient rien de ce qu'il disait, mais elles ne l'interrompaient pas, sachant que le fait de s'expliquer, de se justifier, lui faisait du bien. Cinq minutes passèrent ainsi, entrecoupées par les soupirs des uns et des autres, puis Amélie fit comprendre à Marie qu'elle voulait rester seule avec Vincent. Marie, qui n'attendait que cela, fila sur le port où elle retrouva Benjamin occupé à nettoyer le pont de la capitane.

— Viens ! lui dit-elle en faisant un signe de la main sans trop s'approcher.

Elle s'éloigna la première, le temps qu'il achève son ouvrage, et il ne tarda pas à la rejoindre, intrigué par son air préoccupé et son insistance à vouloir lui parler seule à seul. Ils s'en allèrent sur le chemin, franchirent le petit pont de bois, s'arrêtèrent sous un frêne, se firent face. Il remarqua alors les yeux pleins de larmes de Marie et demanda en la prenant par les épaules :

— Qu'est-ce qu'il y a ?

Elle ne répondit pas tout de suite, car les mots qu'il fallait prononcer soudain lui faisaient peur et rendaient la menace immédiate.

— Qu'est-ce qu'il y a ? répéta-t-il, en la secouant un peu, mais sans rudesse.

— Ils veulent me donner aux Lombard, balbutia-t-elle enfin entre deux sanglots.

— Qui donc ?

— Mes parents.

Il ne comprenait pas, fronçait les sourcils, se demandait ce qui s'était passé de si terrible en son absence pour provoquer en elle un tel chagrin.

— Ce sont eux qui me veulent pour servante, ajouta-t-elle.

Et, soudain, avec une détermination farouche dans la voix, tandis qu'il demeurait interdit, assommé par la nouvelle :

— J'irai plutôt me noyer que de servir ces gens-là.

Elle répéta, suffoquant sous les larmes :

— Je me noierai, je me noierai...

Il la prit contre lui, entoura ses épaules du bras, murmura :

— Calme-toi, là, je suis là.

— Aide-moi, fit-elle en se redressant brusquement ; ne les laisse pas faire ça.

— Mais non, dit-il, mais non, ne t'inquiète pas.

Il la repoussa doucement, ajouta :

— Tu sais bien que je les en empêcherai.

Elle hocha la tête et, pour la première fois depuis la veille, elle eut la sensation de n'être plus seule.

— Comment vas-tu faire ? demanda-t-elle, affolée maintenant par l'idée qu'il ne soit trop tard.

— Je parlerai à mon père.

— Quand ? Il faut faire vite.

— Tout de suite, si tu veux.

— C'est vrai ? C'est bien vrai ?

— Tout de suite, répéta-t-il. Ne pleure plus et rentre chez toi. Je vais le voir avant que vous veniez à la maison, puisque vous mangez chez nous.

— Merci, dit-elle ; oh ! merci, Benjamin !

Elle eut un élan pour l'embrasser, hésita au dernier moment et, avant qu'il n'ait eu le temps de la retenir, elle fit volte-face et se mit à courir. Benjamin demeura un instant interdit, puis la pensée de leur conversation le décida à se rendre sans tarder sur le port. Il y trouva son père qui, après avoir discuté avec Arsène Lombard et vérifié que le déchargement s'achevait sans problèmes, s'apprêtait à rentrer.

— Qu'y a-t-il ? demanda-t-il avec une pointe d'agacement devant l'air grave de son fils.

— Je voudrais vous parler, père, dit Benjamin.

Victorien donna un dernier coup d'œil aux bateaux, puis il suivit Benjamin qui resta silencieux quelques instants, comme s'il préparait les mots qui devaient convaincre à coup sûr. Enfin il s'arrêta et, se retournant brusquement, il déclara d'une traite avec toute l'indignation dont il était capable :

— Père, Vincent et Amélie veulent donner Marie pour servante aux Lombard.

Victorien haussa les sourcils et répondit d'une voix où l'irritation perçait de plus en plus :

— Qu'est-ce que c'est que cette histoire ?

— C'est la femme Lombard qui le leur a demandé.

— Quand ?

— Hier, je crois, et elle leur a promis dix écus.

— Bon ! Et alors ? fit Victorien chez qui la fatigue décuplait la mauvaise humeur.

— Alors il ne faut pas, souffla Benjamin qui ne savait trop s'il allait réussir dans son entreprise.

Victorien, intrigué, chercha à deviner dans les yeux de son fils la raison profonde d'une requête dont il n'était pas coutumier.

— Et pourquoi donc ? fit-il.

Benjamin s'éclaircit la gorge, murmura :

— Parce que ça ne se peut pas, père.

Victorien ne répondit pas tout de suite et prêta soudain plus d'attention à l'expression grave de Benjamin qui, devant son silence, reprit :

— Marie a été élevée chez nous, elle ne doit pas partir servante, surtout chez les Lombard.

Il se troubla, ajouta cependant :

— C'est Marie et... et... Il ne faut pas qu'elle s'en aille.

Comme Victorien demeurait silencieux, il reprit, baissant les yeux, avec une humilité et avec une confiance qui touchèrent profondément le maître de bateau :

— S'il vous plaît, père, empêchez cela.

Victorien toussota, gêné comme chaque fois qu'il était ému, puis il lança d'une voix rogue en se mettant à marcher :

— C'est entendu : elle n'ira pas. Viens ; rentrons, il commence à faire froid.

Benjamin le suivit sur le chemin où erraient déjà les premières ombres de la nuit et où le gel resserrait son étreinte.

— Merci, père, murmura Benjamin, mais si bas qu'il ne sut s'il avait entendu.

Tous deux avaient hâte de trouver enfin la chaleur qu'ils espéraient depuis le matin. Aussi ce fut avec des soupirs de satisfaction qu'ils pénétrèrent dans la grande cuisine où se trouvaient déjà Vincent, Amélie, Marie et ses frères. Vincent avait un peu perdu cet air de condamné qui errait sur son visage à son arrivée. Benjamin pensa qu'Amélie et Elina n'y étaient sûrement pas pour rien. On s'installa à table et chacun se mit à manger de bon appétit, à part Marie qui jetait des regards éperdus à Benjamin pour savoir comment s'était passée l'entrevue. Elle n'eut pas à attendre longtemps, car Elina, qui devinait tout, qui savait tout, parla de la visite d'Amélie chez les Lombard en feignant de se demander si Vincent et Amélie devaient accepter ou non. Victorien, sans lever la tête de son assiette, prit alors sa voix la plus impérieuse, celle dont il n'usait que dans les grandes occasions, pour déclarer, en frappant du poing sur la table :

— La petite n'ira pas chez les Lombard. Je ne le veux pas. Quant à toi, Vincent, je te prendrai avec moi sur la capitane.

Et il ajouta, après avoir vidé son verre et cogné celui-ci sur la table en le reposant :

— Il ferait beau voir que la fille de mon second devienne servante ! Je ne veux plus jamais entendre parler de ça !

Marie, qui avait senti une onde glacée couler sur ses épaules dès qu'Elina avait parlé des Lombard, prit sa tête entre ses mains pour cacher son émotion : la parole de Victorien, elle le savait, était sacrée, et c'était bon de se trouver de nouveau en sécurité, après avoir eu si peur.

— Vous n'aurez pas besoin de le leur dire, reprit Victorien qui avait deviné une sorte de crainte chez Amélie ; c'est moi qui le ferai demain.

Il y eut un long silence que dissipa Elina en servant des galettes de maïs. Après quoi, la conversation rebondit et

Benjamin se rendit compte que chacun, maintenant, paraissait soulagé. Il jeta un coup d'œil vers son père impassible, se souvint de son calme et de son courage pendant et après l'accident sur la rivière et souhaita passionnément devenir un jour comme lui. Puis, quand son regard croisa enfin celui de Marie, il y lut une telle reconnaissance, une telle confiance, qu'il se sentit capable, pour elle, de conquérir désormais le monde entier.

Deuxième partie

L'OR DU HAUT-PAYS

5

Victorien Donadieu et son fils marchaient depuis trois jours dans la forêt en longeant la Dordogne. Après les chênes, les bouleaux, les charmes et les érables, ils rencontraient maintenant davantage de hêtres et de châtaigniers. Le pays changeait. L'air devenait plus vif. Ils entendaient cogner les haches sur les pentes abruptes et dans les gorges où le granit et le schiste affleuraient par endroits, trouant le vert profond de la forêt par plaques d'un roux cuivré, parfois virant au bronze, que le soleil de juillet embrasait comme un chaume. Des odeurs d'écorce et de feuilles sèches flottaient dans l'air épais que l'absence de vent rendait pesantes, d'une âcreté semblable à celle de la poussière dont les grains scintillaient dans les rayons obliques du soleil.

Perdus dans leurs pensées, heureux de ce voyage que Victorien projetait depuis longtemps, les deux hommes marchaient en silence. Cela faisait déjà deux ans et demi que la gabare seconde avait été perdue, en ce funeste mois de décembre 1833. Contrairement à ce que Victorien avait d'abord pensé, il n'avait pas été possible de la renflouer, car la crue l'avait éventrée, puis disloquée en moins de huit jours. Ni lui ni Benjamin n'avaient oublié les drames de cet hiver-là, les séparations forcées d'avec Johannès, d'autres encore, les plus vieux, avec qui Victorien partageait pourtant le voyage depuis des années. Un déchirement que Johannès, le premier, n'avait pas supporté : il était mort trois mois plus tard, s'éteignant peu à peu, comme une chandelle qui a trop brûlé et qu'une petite brise souffle, négligemment, sans le vouloir.

François, le frère aîné de Marie, était mort de la diphtérie cet hiver-là, lui aussi, mais nul, dans les familles Paradou et Donadieu, ne l'oubliait. Amélie ne s'en était pas remise, et c'était maintenant Marie qui menait la maison, sa mère demeurant plongée dans une sorte de mélancolie où l'on eût dit que, par instants, elle perdait la raison. Vincent et Marie, eux, avaient surmonté l'épreuve avec courage, et Marie, curieusement, peut-être mieux que son père. A seize ans, ou presque, elle était maintenant une vraie femme aux grands yeux verts, aux longs cheveux châtains flottant sur ses épaules, au visage parsemé de taches de rousseur. Son corps s'était étiré avec grâce et sa démarche ne manquait ni d'énergie ni de souplesse. Deux fossettes égayaient ses joues, auxquelles Benjamin ne songeait jamais sans un certain trouble. Lui-même, à seize ans passés, n'avait pas encore fini de grandir. Il mesurait pourtant plus d'un mètre quatre-vingts, était musclé mais avec harmonie, et ses yeux, d'un marron de plus en plus clair, prenaient, les jours de grand soleil, une teinte dorée, chaude comme du miel. Ses cheveux avaient un peu foncé avec le temps. Son visage anguleux, ses pommettes saillantes, son nez bien droit paraissaient avoir été taillés à la serpe. Pas une once de graisse ne s'était posée sur ses jambes et ses bras rompus aux durs travaux sur la capitane où, de plus en plus souvent, son père lui confiait le gouvernail. « Si seulement nous avions un troisième bateau », songeait-il souvent, impatient d'être seul maître à bord, de franchir les étapes qui le feraient devenir un jour, il en était sûr, l'égal de son père.

Celui-ci, justement, venait de prendre des décisions énergiques : après avoir économisé la moitié de l'argent nécessaire à la construction d'un bateau, il avait emprunté l'autre moitié à un négociant de Libourne, un nommé Jean Delmas, avec lequel il avait noué des liens d'amitié. C'était en vérité le négociant libournais qui l'avait convaincu de franchir le pas, de devenir marchand, de travailler à son compte et d'entreprendre ce voyage dans le haut-pays pour conclure des marchés avec les merrandiers. Avec sa confiance naturelle, Elina avait elle aussi encouragé son mari dans cette voie, persuadée que Benjamin, un jour, profiterait de leurs efforts. Victorien avait senti qu'il fallait oser, aller de l'avant, car l'époque était favorable à ceux qui entreprenaient. Louis-Philippe, ses ministres Thiers et Guizot prônaient l'enrichissement progressif de tous les Français. Cette théorie des « classes moyennes » importée d'Angleterre érigeait l'entreprise et l'argent en moteurs de la société. Les républicains et les légitimistes étaient muselés par la censure. Thiers frappait de peines considérables les directeurs de journaux convaincus d'attiser la haine contre le roi, qui, pour asseoir son prestige, choisissait des ministres et des préfets dans les rangs des anciens officiers supérieurs de Napoléon.

Victorien Donadieu, fervent bonapartiste, avait donc été sensible à l'air du temps qui lui suggérait d'entreprendre enfin la réalisation de son grand projet. Il avait commencé à nouer des contacts avec les rouliers qui écoulaient le sel dans le Quercy et le Massif central. Cela n'avait pas été très difficile, car ils ne demandaient qu'à travailler. Il lui restait à trouver des grossistes en Corrèze et dans le Cantal, ou plus haut si cela se révélait nécessaire, mais il fallait surtout obtenir la confiance des merrandiers et signer des marchés avec eux. A cet effet, Jean Delmas avait écrit une lettre selon laquelle il se portait garant de l'achat du merrain que descendrait Donadieu à Libourne. Lui-même était un ancien pêcheur de la mer bordelaise qui avait peu à peu acheté des bateaux et, après s'être enrichi, s'était installé négociant en sel et en merrain. Il y avait longtemps qu'il poussait Donadieu à devenir son fournisseur privilégié, ce qui lui assurerait des livraisons plus régulières de bois, cet or du haut-pays qu'on réclamait sans cesse à Libourne et Bordeaux. Victorien avait confiance en Jean Delmas : c'était un homme honnête et droit qui pratiquait des méthodes basées sur des liens amicaux avec ses fournisseurs.

Bien qu'ayant pris la décision définitive au printemps,

Victorien avait dû attendre les basses eaux et l'arrêt du trafic pour se mettre en route vers le haut-pays. Il avait d'abord cherché des merrandiers dans les vallées de la Bave et de la Cère, mais il n'avait pas réussi à y nouer des contacts. Les marchands de Souillac et du Sarladais, en effet, s'étaient groupés pour acheter les coupes à l'occasion d'une campagne qui devait durer trois années. Tous les merrandiers des deux vallées travaillaient pour eux. Pas un n'avait accepté de s'engager avec un maître de bateau qui s'essayait au commerce. Ils préféraient la clientèle sûre, celle qui payait sans discuter, de préférence d'avance, la carassonne et le merrain.

Revenus vers les rives de la Dordogne, Victorien et Benjamin avaient alors poursuivi leur route jusqu'à Argentat d'où partaient les gabares légères qui concurrençaient les bateaux de la basse vallée. Là, ils avaient erré sur le port dont les quais pavés étaient encombrés de merrain et de fonçailles. Avant de se renseigner, ils avaient marché jusqu'au pont qui enjambait la rivière, puis ils avaient admiré les belles maisons alignées à bonne distance des quais, leurs deux étages à balconnet, leurs escaliers de pierre grise, et la demeure à tourelle où l'on déclarait les chargements avant de partir vers le bas-pays.

Après avoir longtemps hésité, Victorien s'était approché d'un vieil homme au visage parcheminé qui, immobile sur une chaise placée au bord du quai, regardait les eaux basses en fumant sa pipe. Tout, en lui, indiquait qu'on avait affaire à un matelot : ses mains sculptées par les intempéries, sa façon de se tenir bien droit malgré son âge comme s'il cherchait à voir au-delà d'une proue ; son regard enfin, où passaient des ombres de mélancolie. Victorien lui ayant demandé s'il connaissait des merrandiers, une lueur s'était aussitôt allumée dans les yeux du vieil homme qui avait répliqué :

— Tu es d'où, toi, pour chercher des merrandiers sur un port ?

Victorien avait décidé de lui faire confiance.

— De Souillac. J'ai des bateaux et je veux devenir marchand, avait-il répondu.

— Tu t'appelles comment ?

— Donadieu.

Le vieillard avait fermé les yeux un instant, cherchant en lui-même de lointains souvenirs...

— Donadieu... Donadieu... Ton père ne s'appelait pas Augustin ?

— Si.

Le vieux s'était mis à rêver puis avait murmuré :

— Je crois que je l'ai bien connu. On a même fait des affaires ensemble du temps où je descendais.

— Ah bon ! s'était exclamé Victorien qui trouvait là matière à encourager le vieil homme à la conversation.

— C'était un brave matelot, avait repris le grand-père, et de parole.

Puis, avec du regret dans la voix :

— Tout ça ne date pas d'aujourd'hui.

— Non, avait répondu Victorien, mais le temps passe pour tout le monde, grand-père.

Le vieillard était demeuré silencieux quelques secondes, le regard aimanté par l'eau qui paressait entre les pierres. Il avait furtivement essuyé une larme qui avait coulé sur sa joue, puis il s'était redressé en demandant brusquement :

— Et qu'est-ce que tu viens faire ici, Donadieu ?

— Trouver des merrandiers qui veuillent bien travailler avec moi.

— Oh ! pauvre ! avait dit le vieillard, tu sais bien qu'ici ils travaillent tous pour les gabariers du port. Et puis, tu sais, ils n'aiment pas beaucoup ceux du bas-pays. Tu ne trouveras personne dans les alentours.

Il avait ajouté, après avoir tété sa pipe en terre :

— C'est que tout le monde vit du bois ici, et ce n'est pas toujours facile !

Et, comme Victorien semblait tout à coup découragé :

— Si tu veux mon avis, il faut que tu montes plus haut dans les forêts, en suivant la Dordogne jusqu'à Spontour. Là, tu demanderas le chemin des plateaux mais tu te méfieras : c'est des arbres et du vent, le plus souvent aussi des nuages. Quand tu auras grimpé là-haut, tu trouveras un village qui s'appelle Auriac. Là, tu demanderas Ambroise Debord de la part du père Sidoine. Tu lui diras que tu es un ami. Tu verras : sur le plateau tout est à lui : les forêts, les bûcherons, les merrandiers, et même les chantiers de Spontour.

— Debord, vous dites ?

— Oui. Son vrai nom, c'est Debord du Vers, mais tu peux l'appeler Ambroise Debord ; il est riche mais pas fier.

— Merci ! avait dit Victorien, maintenant rassuré.

— Attends ! avait fait le vieux, c'est pas tout ; écoute-moi : à Spontour, avant de monter là-haut, tu iras voir aussi de ma part Eusèbe Cueille ; il est gabarier et, si tu le lui demandes, il te descendra le merrain jusqu'à Souillac.

Le grand-père s'était tu un instant, comme s'il hésitait à se confier davantage, puis il avait ajouté en confidence :

— Ce sont des amis, parce que tu comprends, moi, je suis de là-haut. Ici, je suis venu chez la fille et c'est pas la même chose, pardi !

Il avait soupiré :

— Oh ! fichtre non ! Mais qu'est-ce que tu veux ? Mes jambes ne me répondent plus ; alors il fallait bien que je m'habitue, pas vrai ? Seulement des fois je me languis et même tu vois, à toi, je peux bien le dire : je me languis tellement que je me meurs...

Victorien était demeuré silencieux quelques secondes, compatissant à cette fin terrible du vieillard et mesurant aussi la chance qu'il avait eue de le rencontrer. Il avait ensuite glissé discrètement une pièce dans la main qui tremblait sur le genou du vieux matelot :

— Pour votre tabac, père Sidoine, avait-il dit.

Et ils étaient repartis vers le haut-pays dont le vert profond des forêts, à l'horizon, égratignait le bleu du ciel.

Tout en marchant près de son père, Benjamin pensait à cette larme furtivement essuyée par le grand-père et se rendait compte combien la passion de l'eau, de la descente, demeurait vivante en ceux qui l'avaient connue. Il mesurait également l'importance de la confiance entre les hommes et se félicitait du fait que le père Sidoine eût connu et apprécié son propre grand-père. Victorien avait pu ainsi retirer le bénéfice d'une estime réciproque entre deux hommes qui avaient vécu, comme lui, de la rivière et de la parole donnée.

Il faisait très chaud en ce milieu de journée du début de juillet. La chaleur s'était répandue dans les forêts et stagnait au ras du sol, prisonnière des arbres. Quelques fûts de bouleaux égarés sur ces terres hautes jetaient dans la pénombre des éclairs que les rares rayons de soleil infiltrés sous les ramures embrasaient aussitôt. Une corne sonna très loin, sur les plateaux. Il allait être midi. Victorien et Benjamin longeaient la rivière sur un étroit chemin taillé à la lisière de la forêt. De puissantes odeurs de mousse coulaient des versants abrupts qui semblaient monter droit vers le ciel. Cette mousse tapissait les roches sur plus de dix centimètres d'épaisseur et courait sur les pentes comme des coulées de lave. Au détour du chemin, la robe fauve d'un chevreuil fusa vers un fourré : il venait de boire et regagnait ses quartiers.

— Arrêtons-nous pour manger, dit Victorien, il est grand temps.

Ils descendirent sur la berge en pente douce, s'assirent sous des charmes, se reposèrent un moment en silence, puis Victorien coupa le pain acheté à Argentat, en donna un chanteau à Benjamin, ainsi qu'un fromage rond et un oignon. Ils se mirent à manger, savourant la nourriture comme s'ils en avaient été privés depuis plusieurs jours. Benjamin se sentait très proche de son père, avait envie de le lui dire, mais n'osait pas. Pourquoi parler ? Ce voyage effectué côte à côte les rapprochait davantage et leur donnait l'impression de construire un ouvrage en commun. C'était sans doute ce qui pouvait arriver de plus beau entre un père et son fils. Et Benjamin songeait qu'il n'eût jamais souhaité d'autre père que cet homme assis à trois pas de lui, dont il admirait tellement la force et le courage. Victorien, se sentant observé, se tourna vers lui. Leurs regards se croisèrent. Chacun d'eux détourna rapidement la tête.

Une buée bleue stagnait au-dessus des arbres de l'autre rive où les inégalités du relief faisaient ressembler les collines à des doigts monstrueux. Des coups sonores, portés par l'écho, dévalaient les pentes et leur parvenaient assourdis, comme étouffés par la forêt.

— Les chantiers de Spontour, dit Victorien.

— Ou les bûcherons, fit Benjamin.

L'air, dans l'étroite vallée, coulait avec une transparence de source. Il paraissait de la même essence que l'eau dont l'éclat, malgré la chaleur, faisait songer aux glaces de l'hiver. Là-haut, à mi-coteau, l'épaule d'un village s'affaissait vers un clocher gris. Sur sa gauche, on distinguait la traînée rousse d'une coupe abandonnée. Une odeur de sève fusa vers les deux hommes : celle des grands arbres dont l'écorce éclatait au soleil.

— Si on a le temps, dit Victorien rêveusement, on remontera jusqu'à la source.

— Si loin ?

— Qui ne connaît pas la source ne connaît pas la rivière, fit Victorien sentencieusement.

Puis il ajouta, avec gravité :

— Non seulement on la connaîtra mieux, mais je suis sûr qu'on la comprendra mieux.

Cette idée de découvrir la source de la Dordogne enchanta Benjamin. Il en avait rêvé plusieurs fois mais avait toujours cru le voyage impossible. Aujourd'hui, il lui semblait que rien ne serait plus jamais impossible. Il s'allongea sur la mousse, face au ciel, regarda quelques minutes tourner un épervier sur les collines, puis il ferma les yeux et s'endormit.

Ils arrivèrent à Spontour au milieu de l'après-midi. C'était un village aux toits de schiste dont toutes les maisons regardaient la rivière. Dès le pont de bois qui en ouvrait l'accès, on comprenait qu'ici tout le monde vivait pour et par la Dordogne.

Les rues sentaient la sciure, les copeaux, et cette odeur, mêlée à celle de l'eau, avait imprégné les êtres et les choses. Du chantier de construction des gabares au chantier des merrandiers on entendait cogner, scier, couper, raboter, et tous ces bruits portaient témoignage d'une activité sereine et heureuse.

Victorien se renseigna auprès de deux pêcheurs qui nettoyaient leurs filets, pour savoir où habitait Eusèbe Cueille. Ils lui désignèrent une maison à étage, près du port, dont le balcon était soutenu par des piliers ouvragés. Victorien et Benjamin s'y rendirent aussitôt et n'eurent aucune difficulté à conclure un marché avec le gabarier, un homme affable, de taille moyenne, noir et maigre, qui devait approcher la cinquantaine. Il fut entendu qu'il transporterait le merrain et la carassonne jusqu'à Souillac pour le prix de 5 francs le millier. Il l'entreposerait sur le port de Laroumet, face au château de Cieurac, où Donadieu viendrait en prendre livraison. Ils scellèrent leur marché devant un verre d'eau-de-vie et purent ainsi mieux faire connaissance. Victorien et Benjamin comprirent que leur hôte préférait s'arrêter à Souillac plutôt que de descendre à Libourne comme le faisaient les « Argentats », car il considérait que les risques étaient trop grands et, de plus, il n'aimait pas rester trop longtemps absent de son village.

En leur faisant ses adieux, il promit aussi de trouver des gabariers pour l'aider s'il n'arrivait pas à descendre tout le bois nécessaire, puis il leur montra, sur le versant opposé au village, le départ du chemin qui montait vers le plateau sur lequel régnait Ambroise Debord. Victorien et Benjamin repassèrent le pont, s'attardèrent un moment pour examiner les eaux qui, même basses, demeuraient d'une limpidité de source. Ils prirent ensuite le chemin de terre qui sinuait entre les chênes, les hêtres et les châtaigniers. Les arbres étaient si hauts et si touffus qu'aucun rayon de soleil ne les transperçait. C'était ainsi très agréable de marcher dans cette fraîcheur relative qui faisait gicler le parfum des mousses entre les fougères. Le chemin grimpait abruptement vers la crête qu'ils avaient aperçue d'en bas mais que les arbres, maintenant, leur cachaient. De temps en temps ils entendaient crier sur leur droite, à l'endroit où les coupes creusaient de larges saignées dans la forêt.

Ils escaladèrent la pente pendant près d'une heure avant de parvenir enfin sur un plateau égratigné de bosquets de chênes, de bruyère, et de prés d'un vert pâle brûlés par le soleil. Le village était plus haut encore, dont ils apercevaient les maisons aux toits gris tapies dans la verdure. Ils rencontrèrent un berger long et maigre comme un échalas, à qui ils demandèrent où se trouvait la maison d'Ambroise Debord. Il leur fit répéter plusieurs fois, puis il comprit enfin et leur montra, à gauche du clocher, une grande et belle demeure entourée de dépendances. Avant d'y arriver, ils croisèrent des habitants qui les examinèrent d'un œil circonspect : un homme qui menait des bœufs et deux femmes qui causaient en tricotant sur le seuil d'une porte.

Dans la cour, des chiens les accueillirent, vite rappelés par un valet coiffé d'un chapeau aux bords effrangés. Sans que ce dernier eût le temps de le prévenir, un homme sortit sur les marches de la grande maison qui, de près, ressemblait à un manoir. Grand et fort, un chapeau de feutre sur la tête, vêtu d'une veste de chasse à boutons dorés, chaussé de bottes de cuir, il attendit que s'approchent ses visiteurs tout en calmant le chien de la voix. Sous des yeux noirs profondément enfoncés dans leurs orbites saillaient des pommettes hautes malgré la rondeur du visage qui trahissait un amour de la bonne chère.

— Je cherche Ambroise Debord, fit Victorien en s'arrêtant devant les marches.

Il ajouta aussitôt, soucieux de donner tout de suite une impression favorable à l'homme qui le dévisageait :

— De la part du père Sidoine d'Argentat.

— Ambroise Debord, c'est moi ! fit le géant de sa voix profonde et grave. Qu'est-ce qui t'amène si loin des routes ?

Le tutoiement surprit Victorien mais il n'y perçut aucun affront : il ne portait aucun mépris et révélait plutôt une bonhomie chaleureuse.

— Je m'appelle Donadieu et je viens de Souillac, répondit

Victorien. J'ai des bateaux et je cherche du bois, beaucoup de bois, pour le descendre en Bordelais. Et j'ai ça, aussi, ajouta-t-il en se souvenant brusquement de la lettre de Jean Delmas qu'il tendit au géant.

— Du bois, il n'y a que de ça, fit celui-ci sans même lire la lettre ; entre donc, Donadieu, puisqu'on est faits pour s'entendre.

De plus en plus étonné par la faconde du maître des lieux, Victorien lui emboîta le pas, suivi par Benjamin qui était aussi intimidé par le géant que par son imposante demeure. Ambroise Debord les fit entrer dans une grande salle dallée au fond de laquelle trônait une cheminée surmontée d'un manteau en bois de châtaignier sculpté. Il les fit asseoir dans des fauteuils de cuir, cria d'une voix qui fit trembler le lustre :

— Phonsine ! Apporte des verres et du vin !

Une vieille femme apparut, menue, fluette, manifestement terrorisée. Elle sortit puis revint aussitôt, tandis que le maître des lieux lisait la lettre de Jean Delmas en la tenant presque à bout de bras, comme s'il y voyait mal.

— Alors tu veux te faire marchand ! fit-il en versant du vin dans les verres portés par sa servante.

Et, sans laisser le temps à Victorien de répondre :

— Tu as raison, Donadieu, il faut savoir ce que l'on veut dans la vie. Si tu es courageux, nous ferons une paire d'amis.

Et il se mit à raconter comment lui-même, à dix-huit ans, avait ouvert des coupes dans la forêt, recruté des bûcherons, des merrandiers, des carassonniers et crée les chantiers de Spontour.

— J'ai fait ça tout seul après la mort de mon père, répéta-t-il avec de la fierté dans la voix.

Benjamin ne pouvait en détacher son regard. Il en avait un peu peur mais en même temps se sentait attiré par cet homme qui débordait de vitalité et semblait capable de déplacer des montagnes.

— Ici, Donadieu, reprenait le géant, c'est le domaine des arbres. Ils m'appartiennent tous, de chaque côté de la rivière.

J'ai des chênes et des châtaigniers de plus de huit cents ans. Je te les ferai voir.

Il buvait, servait ses hôtes dès que leurs verres étaient vides, et même Benjamin qui avait déjà refusé en pure perte. C'est ainsi que Debord parut soudainement le découvrir.

— C'est ton fils ? demanda-t-il alors à Victorien.

Le maître de bateau hocha la tête.

— Il est beau. Tu l'as bien réussi... Il navigue ?

— Oui, dit Benjamin, depuis trois ans.

— Moi, j'ai cinq fils, reprit le géant sans paraître l'entendre. Ils sont dehors. Ils courent la forêt. Les deux aînés, eux, surveillent les coupes. C'est qu'on les mène pas comme ça, les bûcherons ; un coup de hache est vite parti.

Il parut réfléchir, but une dernière gorgée de vin, se leva brusquement et dit :

— On est d'accord ; donne-moi la main.

Victorien serra sans hésitation celle qu'il lui tendait.

— Et pour le prix ? fit-il.

— On s'arrangera toujours, mais d'abord tu vas voir ce que c'est que du bois.

Il les entraîna aussitôt à l'extérieur, et prit un chemin enfariné de pierraille blanche qui s'inclinait vers la vallée. Les forêts dormaient à perte de vue sous une buée bleue. Le vert puissant des arbres moutonnait de colline en colline comme des vagues. De grands oiseaux tournaient au-dessus des hameaux et glissaient insensiblement vers des proies pétrifiées. Le géant marchait vite, sans cesser de parler, et il n'était pas facile de le suivre.

Le chemin s'arrêtait à la lisière étincelante de la forêt. Ambroise Debord y entra par une sente qui basculait presque à la verticale vers la rivière. Les trois hommes descendirent lentement en se retenant aux branches basses des arbres. Les coups de hache devinrent de plus en plus distincts et, bientôt, après avoir franchi un torrent à sec aux lèvres plantées d'aulnes, ils arrivèrent dans l'éclaircie d'une coupe. Celle-ci cascadait sur cinq ou six cents mètres jusqu'à la Dordogne dont on apercevait l'éclat de vitre dans la combe. La coupe était tellement large que les arbres, une fois débarrassés de leurs branches, pouvaient rouler vers l'eau sans être stoppés par le moindre obstacle. En bas, sur la rive, à gauche de la saignée, un filet de fumée montait du campement des merrandiers.

Benjamin, pris à la gorge par l'odeur de la mousse, leva la tête vers le faîte des chênes, des hêtres et des châtaigniers. C'étaient des arbres splendides, drus, à la fois souples et vigoureux, qui le faisaient penser à ces fins clochers d'église dont on ne doute pas qu'ils atteignent le ciel. On avait envie de les retenir à l'instant de leur chute. Il songea à ce que lui avait dit son père, un jour devant un frêne foudroyé : « Les arbres sont les seuls êtres vivants à n'avoir pas besoin de tuer pour vivre. » Et, devant ces beaux fûts inertes, c'était comme si la vie, soudain, sa propre vie, demeurait à tout jamais salie. Car ils avaient atteint le but de leur voyage, et il fallait se résigner aux coups des haches qui se répercutaient de colline en colline, même s'il y avait là un sacrilège dont nul ne semblait se sentir responsable.

Il suivit Ambroise Debord et son père vers des bûcherons qui finissaient d'ébrancher un grand chêne. Dès qu'ils eurent terminé, Ambroise Debord s'approcha du tronc, invita Victorien et Benjamin à le rejoindre et se mit à genoux en disant :

— Tu vois, Donadieu, tous mes merrains sont en cœur noir de ce chêne, de ce cœur-là. Mes merrandiers fendent le bois dans le sens de la fibre pour obtenir les planches. Le reste, seulement, sert à fabriquer la fonçaille. Ma carassonne, elle, est en châtaignier.

Il caressa amoureusement la blessure de l'arbre, porta une pincée de sciure vers sa bouche, se releva en disant à Victorien :

— Goûte !

Etonné, celui-ci prit un peu de sciure entre les doigts, puis dans sa bouche, la goûta consciencieusement. Ambroise Debord en donna également à Benjamin qui mastiqua l'étrange farine un moment. Elle était d'un goût fade, mais laissait dans la bouche une empreinte légèrement sucrée, où l'on devinait une force diffuse, comme celle d'un sang qui eût coulé d'un fruit. Benjamin la garda longtemps dans sa bouche avant de la recracher, comme venait de le faire son père.

— Les vignerons du Bordelais savent bien ce que leur vin doit à ces cœurs, crois-moi, Donadieu ! Et toi aussi tu sauras désormais ce que tu achètes et ce que tu vends ; tu verras : tu n'en seras que respecté davantage.

Il donna quelques ordres, arracha une épaisse plaque de mousse, la respira un long moment, fermant les yeux, puis il la jeta et demanda brusquement :

— Bon, tu as vu ?

— J'ai vu, fit Victorien ; c'est même la première fois que je vois un bois pareil.

— Alors on peut remonter, et ce soir vous coucherez chez moi ; demain sera un autre jour.

— C'est que..., objecta Victorien, nous aurions bien voulu redescendre cette nuit.

— Ecoute, Donadieu ! un marché, ici, n'a de valeur que s'il est signé devant une table. Alors tu vas me suivre sans avoir peur de déranger personne parce que ma femme est morte depuis trois ans. On se tiendra compagnie, que diable !

Ils se mirent en route vers le village, emboîtant le pas au géant qui continuait à parler de sa femme, des bûcherons, des forêts en jurant ses grands dieux que personne n'était jamais reparti de chez lui à la tombée de la nuit sans trouver la table et le lit.

Une ombre fraîche se posait sur les collines, portée par une brise qui léchait la plus haute cime des arbres. Au-dessus des bois, le ciel s'endimanchait de soies violettes. L'air palpitait avec de longs frissons, comme des blés sous le vent. Benjamin suivait son père et Ambroise Debord avec difficulté : il eût préféré revenir vers Spontour au lieu de grimper de nouveau sur ces terres trop hautes, trop vastes, où il respirait mal et où l'immensité glorieuse des forêts se faisait oppressante.

Il fallut pourtant retrouver la grande demeure dans laquelle, visiblement, Ambroise Debord ne supportait pas la solitude, et s'asseoir dans la salle à manger où ils avaient bu du vin deux heures auparavant. Benjamin se demanda où se trouvaient les fils dont le géant avait parlé et fut surpris de n'en voir aucun. Ambroise Debord appela sa servante qui apparut aussitôt, toujours aussi terrorisée.

— Sont pas rentrés ? demanda-t-il avec de la contrariété dans la voix.

La vieille fit un signe négatif de la tête mais n'ouvrit pas la bouche.

— Des vrais sangliers, fit Debord, ils préfèrent la forêt.

Il ajouta à l'adresse de ses hôtes, avec un sourire indulgent :

— J'étais comme eux à leur âge ; je dormais sur la mousse, mon père ne me voyait que tous les mois, ou presque.

Benjamin comprit qu'il parlait de ses fils et les envia de passer la nuit sous les étoiles, loin de leur père dont ils devaient fuir l'autorité. Celui-ci fit servir le repas et continua à parler de son sujet de conversation préféré : les arbres de ses forêts. Il compara les qualités du bois des bouleaux, des frênes, des châtaigniers, des ormes, des hêtres, des charmes, pour finir par les trouver ridicules par rapport à celles des chênes. Il discourut un long moment de ses feuilles, de son écorce, de son cœur et prétendit qu'il suffisait à un vieillard de rester adossé à un tronc de chêne pendant une journée pour retrouver la vitalité de ses vingt ans.

La servante avait apporté un civet de lièvre et des crêpes de blé noir que Benjamin trouva moins bonnes que les crêpes de froment du Sarladais. Cependant, comme il croyait le repas terminé, la servante apporta des girolles et du poulet, un peu plus tard une tarte aux prunes qu'il trouva délicieuse. Ambroise Debord parlait en mangeant, criait même, parfois, et buvait de grands verres d'un vin de Bordeaux qu'il faisait venir en fûts. Un ogre. Un ogre à qui il fallut près d'une heure avant de daigner écouter ses hôtes qu'il interrogea sur la rivière et les dangers de la navigation dans la basse vallée.

Victorien Donadieu raconta à son tour les descentes et les remontes, les changements de rive et les naufrages, parla de

Bergerac, Libourne, Castillon-la-Bataille, des bateaux à voile, de la mer. Le géant l'écouta sans s'arrêter de manger, mais avec intérêt. Comme il remplissait fréquemment le verre de Benjamin, celui-ci finissait par avoir mal à la tête et avait tendance à s'assoupir. Il trouva cependant suffisamment de ressources pour entendre Debord raconter comment la neige, qui tombait sur ces hauteurs dès la mi-novembre, ne les libérait qu'au printemps. Poussés par la faim hors des forêts, des hordes de loups erraient sur les plateaux, s'en prenant aussi bien aux hommes qu'aux bêtes. On était donc contraint pendant quatre ou cinq mois de vivre près des cheminées, à l'intérieur des maisons aux murs épais d'un demi-mètre et aux fenêtres étroites.

— Il ne tient pas le vin, ton fils, entendit encore Benjamin avant de sombrer dans le sommeil où il emporta la vision de grands loups attaquant les bûcherons d'Ambroise Debord.

Son père le réveilla un peu plus tard, l'aida à se lever pour suivre leur hôte qui allait les conduire à leur chambre. Ils montèrent un escalier aux larges marches en châtaignier, empruntèrent un couloir dont les murs portaient des têtes de bêtes naturalisées, pénétrèrent dans une chambre immense où se trouvaient deux paillasses et une seule table sur laquelle une bassine et un broc semblaient n'avoir plus servi depuis des années. Avant de se laisser de nouveau emporter par le sommeil, Benjamin eut encore le temps d'entendre Ambroise Debord, en équilibre instable sur ses jambes, dire à Victorien d'une voix subitement changée :

— Tu comprends, Donadieu, si je bois, c'est parce que j'aime les arbres plus que moi-même, et que toute ma vie je n'ai fait que les couper.

A sept heures du soir, la température s'adoucissait enfin sur la rivière où Marie, en compagnie de son frère Vivien, allait en barque relever les nasses posées aux aurores. Les eaux, très basses, cascadaient sur les gravières avec des clins d'œil de lumière et des chuchotements de fille amoureuse. C'était l'époque de la « crevée ». Manquant d'oxygène, les poissons remontaient à la surface où il était facile de les prendre au petit filet dans les passes étroites ou à l'entrée des bras morts. Vincent Paradou était parti depuis trois jours à Sainte-Capraise pour surveiller la construction du bateau commandé par Victorien. Cela faisait deux semaines que ce dernier avait quitté le port en compagnie de Benjamin, et Marie, à chaque heure du jour, que ce fût dans sa maison ou sur la rivière, ne cessait de penser à eux, à ce voyage dans le haut-pays dont les conséquences devaient être si importantes pour tous ceux qui travaillaient avec Victorien.

Des cris d'enfants qui se baignaient près de la plage de galets trouaient le silence du soir. Une grande paix s'étendait sur la vallée qui semblait enchâssée dans le vert des collines. Marie ramait lentement du côté droit de la barque et observait Vivien qui était assis à l'avant et lui faisait face. Il était torse nu. Sa musculature déliée, la sveltesse de ses jambes et de ses bras la faisaient penser à Benjamin et se souvenir que, la nuit d'avant son départ, tous deux étaient allés se promener dans les prairies et s'étaient allongés dans l'herbe, sous la lune.

Marie, ce soir-là, s'était amusée à fermer les yeux puis à les rouvrir brusquement, pour éprouver la sensation qu'elle aimait tant de voguer sur une planète perdue dans l'univers. C'était un rêve qu'elle faisait souvent : elle était seule avec Benjamin sur une planète où le danger n'existait pas, où il n'y avait ni crues de rivière ni gendarmes ni maladies ni naufrages ni filles aux boucles brunes et aux yeux noirs. Benjamin, comme Marie, s'était lui aussi étendu face au ciel. Pourtant, au bout d'un moment, ils s'étaient retrouvés l'un contre l'autre. Alors, la tête posée sur l'épaule de Benjamin, elle avait demandé :

— Tu ne me quitteras jamais ?

— Jamais, avait-il répondu.

— Rien ne pourra nous séparer, pas vrai ?

— Mais non ; bien sûr que non.

Il l'avait embrassée, scellant ainsi une promesse, un engagement qui, depuis toujours, lui avait semblé évident. Il paraissait d'ailleurs acquis, pour les deux familles, qu'ils se marieraient un jour. C'était écrit. Rien ne pressait. Cela viendrait à son heure puisqu'il en avait été tacitement décidé.

Et puis Benjamin était parti. Victorien et Vincent aussi. Marie était restée seule avec sa mère et s'occupait tous les jours de la cuisine, de la lessive, des soins à donner aux plus petits, de toute une somme de menus travaux pour lesquels, heureusement, Vivien l'aidait beaucoup. Amélie, elle, se remettait lentement de la mort de son fils aîné, mais elle ne travaillait pas comme avant et n'était pas d'un grand secours à sa fille. Aussi Marie attendait-elle le soir avec impatience pour aller sur la rivière, car c'était là sa récompense, son seul plaisir de la journée.

Dieu, que c'était bon de glisser sur l'eau dans la douceur des soirs d'été et de sentir sur sa peau la fraîcheur de la brise qui faisait éclore les parfums de la nuit ! Marie inspira bien à fond, fit gicler l'eau sur ses bras avec sa rame, puis mouilla son visage. La barque acheva d'accomplir son demi-cercle. Marie tenait fermement l'extrémité du filet, le repliant vers le bouchon de liège de l'autre extrémité, afin de le refermer avant de le hisser. Quand ce fut fait, elle le hala lentement par-dessus bord et, à mesure que les mailles sortirent de l'eau, son cœur battit plus vite. Apparurent alors une truite, des perches et des barbeaux qui achevèrent leur vie dans le fond de la barque, après que Vivien les eut assommés avec le fer saumonier. Elle aimait par-dessus tout cette capture violente des poissons, les tenir à pleines mains, deux doigts glissés dans les ouies, sentir leur vie jusque dans ses bras, puis les lâcher enfin, avec l'impression d'avoir elle-même été poisson, d'avoir pénétré leur monde mystérieux. C'était d'ailleurs pourquoi elle ne les tuait pas mais laissait ce soin à Vivien qui s'en acquittait sans le moindre scrupule.

Elle s'essuya le front d'un revers de poignet, s'abandonna un instant à la légère brise qui glissait sur sa peau, puis elle reprit sa rame et la barque glissa silencieusement vers les nasses posées au matin sous les nénuphars des bras morts. Quand elle entra dans l'ombre des aulnes qui, en cet endroit, bordaient la rive, Marie retint la rame et arrêta la barque près du nénuphar sur lequel était nouée la corde. Elle attendit une dizaine de secondes avant de tirer doucement vers le haut. Elle comprit tout de suite que c'était beaucoup plus lourd qu'au matin. Un long frémissement courut de sa nuque à ses reins et elle respira plus vite. A l'instant où la nasse bascula dans la barque, ce fut comme si le soleil et l'eau y entraient en même temps. Marie fit couler des perches, des anguilles et des truites dans le bateau et ne résista pas au plaisir de saisir le seul brochet qu'elle contenait par les ouïes, de caresser ses écailles au risque de se faire mordre. Vivien dut le lui enlever des mains. Elle s'empara aussitôt d'une truite et, tout en la caressant, songea qu'elle comprenait maintenant pourquoi les hommes de la vallée, à la remonte des saumons, pêchaient la nuit au risque de se retrouver en prison. Et elle se souvint de ce printemps où son père et Benjamin avaient été surpris par les gendarmes, de l'amende à payer, du drame évité de justesse. Chassant ce souvenir pénible, elle donna un coup de rame puis laissa dériver la barque vers le milieu de la rivière où les eaux paressaient, légèrement grisonnantes aux abords du courant. Restait à relever une autre nasse, la dernière, et elle y prit le même plaisir, tout en écoutant chanter un homme qui jetait son épervier sur les gravières, là-bas, à l'endroit où la lumière du soir argentait les frênes de la rive.

Sur le chemin du retour, ils accostèrent un peu en amont du Raysse. Pendant que Vivien s'occupait des poissons, Marie eut soudain envie de se baigner.

— Traverse, et attends-moi de l'autre côté, dit-elle à son frère.

Il soupira, sachant qu'il devrait l'attendre longtemps, car elle se plaisait de plus en plus à nager pendant ces soirées d'été où l'eau était si fraîche. Elle regrettait souvent de ne pouvoir se déshabiller comme les hommes, pour mieux sentir les caresses de l'eau sur sa peau. Elle ne portait pourtant qu'une robe légère, mais elle n'aurait jamais osé l'enlever devant Vivien.

Elle se laissa glisser avec souplesse dans l'eau, s'écarta de la barque en la repoussant avec le bras, puis elle plongea et descendit au plus profond avec des frissons délicieux. Elle tourna plusieurs fois sur elle-même, tandis que l'eau lissait son ventre et ses cuisses, puis, d'un élan des jambes, elle remonta pour prendre de l'air. L'eau était forte, épaisse et non plus claire et vive comme au printemps. Un peu de vase en suspension altérait sa transparence habituelle. Marie plongea de nouveau et, en grandes brasses, se dirigea vers le courant. A force de suivre Benjamin, elle nageait de mieux en mieux et connaissait parfaitement les forces et les faiblesses de l'eau, en jouait, s'en faisait une alliée. Ce soir, nager était le seul moyen dont elle disposait de le rejoindre, d'éprouver les sensations qu'ils partageaient, de vivre ce qu'il aimait.

Au lieu de revenir vers la plage de galets, elle se dirigea vers le rocher du Raysse en longeant le gouffre sombre où, lui sembla-t-il, les eaux étaient plus fraîches encore. Elle sortit du courant, se hissa sur un rocher, s'assit et fit un geste du bras à l'adresse de Vivien. Celui-ci, qui venait d'arriver sur la plage de galets, cria :

— Qu'est-ce que tu fais ? Ne plonge pas dans le gouffre, c'est dangereux.

Elle ne répondit pas, observa l'eau d'un vert profond qui tourbillonnait dans un remous dont l'extrémité semblait se précipiter sous l'énorme rocher creusé en forme de conque. Combien y avait-il de profondeur là-dessous ? Huit, dix, quinze mètres ? Une voix lui soufflait à l'oreille de ne pas plonger, mais la couleur de l'eau l'attirait bien qu'elle s'en défendît. Alors qu'elle basculait en avant, elle se reprit deux ou trois fois, trouva la force de relever la tête.

— Marie, c'est dangereux ! cria de nouveau Vivien ; reviens par le bras mort.

Elle lui fit signe qu'elle allait lui obéir, le quitta des yeux et, aussitôt, elle se sentit aimantée par le gouffre. Une sorte de sensation primitive se réveillait en elle, annihilait toute conscience de danger, suscitant elle ne savait quel obscur désir de ventre maternel. C'est à peine si elle entendit le cri poussé par Vivien lorsqu'elle s'élança.

D'abord, ce fut bien la merveilleuse sensation de fraîcheur veloutée qu'elle espérait et la luminosité de l'eau lui parut extraordinaire. Il devait bien y avoir huit mètres de profondeur. De grands poissons dormaient sur un fond de galets, ondulant simplement des nageoires et de la queue. Malgré la distance, ils lui parurent si proches qu'elle eut l'impression de pouvoir les toucher. Elle se sentit fabuleusement bien et n'éprouva plus qu'une envie, descendre encore vers ce grand fond où l'eau paraissait magique. Elle ferma les yeux, avança en larges brasses souples et, sans se rendre compte, entra dans le remous. Aussitôt, sans qu'elle puisse esquisser un geste, il l'attira vers le fond avec une force prodigieuse et elle eut beau taper des pieds, jouer des bras pour remonter, elle fut entraînée inexorablement dans l'excavation creusée sous le rocher. Elle cessa alors de lutter, se laissa emporter et s'échoua sous le socle de pierre. prisonnière. Quelques secondes passèrent, durant lesquelles elle n'entendit que son cœur cogner dans sa poitrine. Elle songea qu'elle allait mourir et, son cerveau s'engourdissant peu à peu, tellement elle se sentait impuissante, elle y consentit sans se battre. Puis l'image de Benjamin traversa brusquement son esprit. Un réflexe désespéré la fit se détendre et plonger plus bas, poussée par l'espoir de passer sous le remous. Elle n'y voyait plus. Il lui semblait que du sang avait coulé dans ses yeux. Des sirènes sifflaient près de ses oreilles. Un feu rougeoyait dans sa poitrine.

Puisant dans ses dernières forces, elle poursuivit sa glisse sous le remous dont la houle par instants la frôlait, lutta pour ne pas être reprise malgré ses muscles tétanisés par l'effort. Enfin, quand elle eut épuisé toute son énergie, quand il lui sembla avoir suffisamment progressé vers le milieu de la rivière, elle détendit violemment ses jambes et plaqua ses bras contre son corps pour remonter. Elle eut l'impression, chaque seconde, que le remous allait de nouveau la happer, mais il ne fit que l'effleurer. Elle émergea brusquement dans la lumière et cria. Ayant compris qu'elle était en danger, Vivien était déjà entré dans l'eau, prêt à prendre tous les risques pour lui porter secours. Il nagea vers elle et l'agrippa par sa robe. Unissant leurs efforts, ils réussirent à regagner la rive où elle se laissa tomber, à bout de souffle, le corps moulu.

— Tu es complètement folle ! cria Vivien hors de lui ; tu savais bien que c'était dangereux. Mais qu'est-ce qui t'a prise ?

Elle ne répondit pas, n'en ayant pas la force. Immobile, bouche ouverte, elle sentait la chaleur revenir dans ses joues, ses bras, ses jambes et renaissait lentement à la vie. Un rayon de soleil, jouant entre les branches, caressa ses yeux ; une odeur sucrée de prune chaude fusa au ras du sol. Elle ne bougeait toujours pas, mais son sang de nouveau circulait dans ses veines, et elle respirait à petits coups, redécouvrait le monde et ses menus plaisirs. Que c'était bon la vie ! Elle profitait de chaque parfum, de chaque bruit frémissement de feuilles ou murmures de l'eau, de chaque parcelle de sa peau où la caresse du vent glissait comme une bouche. Elle se sentait plus vivante qu'elle ne l'avait jamais été. Elle découvrait qu'une seule minute de vie valait une éternité et songeait qu'elle partagerait toutes les minutes qu'il lui serait donné de vivre avec Benjamin.

Là-haut, sur les sommets, les sapins projetaient sur le ciel qui rosissait leurs dentelures d'un vert sombre. La nuit allait tomber sur les montagnes d'Auvergne où Victorien et Benjamin marchaient depuis trois jours. Ils avaient pris la décision de remonter jusqu'à la source de la Dordogne à Mauriac, après leur visite chez le marchand de sel Cyprien Sarnel. Ce dernier était un gros homme à moustaches, débonnaire et rieur : il avait promis d'accueillir volontiers les rouliers qui lui livreraient le sel de la part de Donadieu. Il n'avait d'ailleurs exigé aucune garantie : il faisait confiance. Satisfaits de ce nouveau marché scellé par une poignée de main, le père et le fils avaient quitté la ville — en fait un gros bourg aux maisons grises dont les rues sentaient la vache et la cochonnaille — puis ils s'étaient assis un peu plus loin pour déjeuner à l'ombre d'un mélèze.

— Voilà quinze jours que nous sommes partis, avait dit Victorien. Si nous voulons remonter jusqu'aux sources, il faut revenir vers la Dordogne, passer à Bort et prendre la route de La Bourboule ; autant dire encore une semaine de marche.

— Allons-y, père, c'est l'occasion, avait dit Benjamin ; nous ne reviendrons pas ici avant longtemps ; peut-être même jamais.

— Tu as raison, au point où nous en sommes, ce ne sont pas soixante ou cent kilomètres de plus qui vont nous faire peur.

Ils s'étaient remis en route vers l'ouest et avaient retrouvé la Dordogne avant la nuit. A cet endroit de son parcours, elle mesurait entre quinze et vingt mètres de large mais, malgré la sécheresse de l'été, ses eaux demeuraient vives et limpides comme celles d'un ruisseau de montagne. Ils avaient marché le long des rives jusqu'au soir, passé la nuit à la belle étoile sur un lit de fougères, puis, le lendemain, ils étaient arrivés à Bort, une bourgade dont les vieux logis étaient serrés comme un troupeau autour de son église et de sa vieille halle. D'en bas, ils avaient pris le temps d'admirer les orgues, cette succession de roches verticales semblables à de grands tuyaux minéraux, puis, après avoir acheté du pain, du lard et du fromage, ils étaient repartis au début de l'après-midi.

C'était ce jour-là que les forêts avaient changé, les sapins, les pins sylvestres et les épicéas apparaissant peu à peu parmi les hêtres et les bouleaux. Sans le savoir, ils entraient dans les gorges d'Avèze, une vallée sauvage creusée entre des buttes granitiques, des moraines érodées que dominaient des plateaux semés de landes désolées. Serrée dans cette poigne minérale et froide, la Dordogne accélérait sa course, cascadait avec une impétuosité qui l'auréolait d'écume.

Avec la venue du soir, la chaleur tombait rapidement. Il fallait une nouvelle fois s'apprêter à passer la nuit dans la forêt. Cela ne plaisait guère à Benjamin qui ne respirait pas à son aise dans ces creux sans horizon où toute vie semblait avoir disparu et où la sonorité de l'air paraissait dérisoire, chaque bruit, chaque appel de bête demeurant prisonnier des grands fonds. Une odeur de fumée coulant du coteau troubla pourtant la somnolence des deux hommes et leur fit lever la tête.

— On va voir ? demanda Benjamin.

Victorien acquiesça, pas fâché lui aussi de remonter un peu vers les plateaux.

Ils prirent une sente forestière qui était parsemée d'aiguilles rousses et grimpait entre les pins avec des lacets nonchalants. Plus les deux hommes montaient et plus l'odeur de la fumée s'épaississait. Ce fut donc sans surprise qu'au bout de cinq cents mètres ils tombèrent sur un campement de charbonniers : toute une famille occupée à ses travaux autour des fours et des huttes de branchages. Le père, un colosse barbu qui devait avoir la cinquantaine, les accueillit sans aménité, en peu de mots. Il avait près de lui sa femme aux cheveux couleur de paille et presque aussi forte que lui, ses six enfants noirs de charbon, dont une jeune fille de dix-huit ou vingt ans, brune, bouclée, qui ressemblait à Emeline.

Comme la nuit achevait de tomber, le charbonnier alluma un feu au milieu de la clairière et invita ses hôtes à partager leur repas : une soupe de pain noir et des pommes de terre. Victorien expliqua d'où ils venaient, où ils allaient, et Benjamin, en l'écoutant, se rendit compte que la fille ne le quittait pas des yeux. Autour du feu, la nuit s'installait avec des froissements de soie. Les enfants semblaient hypnotisés par Victorien qui leur parlait de bateaux, de ports et de mer, un monde pour eux inimaginable et plein de mystères. A la fin, quand le feu s'éteignit, le charbonnier ne fit rien pour le rallumer. C'était l'heure d'aller dormir. Victorien et Benjamin souhaitèrent une bonne nuit à toute la famille et allèrent s'allonger dans leur couverture au milieu des fougères.

Benjamin s'étendit sur le dos mais ne put s'endormir. Autour de la clairière, on entendait rôder les bêtes nocturnes, on devinait des affûts inquiétants, des luttes furtives, des plaintes étouffées. Une puissante odeur de feuilles et de charbon errait au ras du sol. Benjamin pensait à Marie, à Emeline, à la fille du charbonnier et leurs trois visages se superposaient dans sa somnolence agitée. Au bout de vingt minutes, il entendit comme un gémissement derrière lui dans les bruyères et il se leva pour changer de place. Revenant dans la clairière, il se coucha près de la hutte du charbonnier, sur un lit de mousse et put enfin trouver le sommeil. Ce fut plus tard dans la nuit, beaucoup plus tard, qu'une liane chaude s'enroula autour de son corps et qu'il ne fit rien pour la repousser, au contraire : cette étreinte sauvage dans la forêt le laissa ébloui, au matin, comme au sortir de ces rêves dont on ne sait s'ils n'ont pas été vécus en d'autres temps, lors d'une vie dont les bulles viendraient crever la surface de notre esprit, pareilles à celles des étangs.

Le lendemain, réveillé dès l'aube par son père, il mangea un peu de soupe en compagnie du charbonnier et de sa femme, mais il chercha vainement la fille aux cheveux noirs. Ils redescendirent vers la vallée au-dessus de laquelle des lambeaux de brume s'effilochaient en scintillant sous les premiers rayons de soleil. Comme Benjamin se retournait plusieurs fois, Victorien finit par s'en apercevoir et ne put réprimer un sourire. Avait-il deviné ce qui s'était passé dans l'ombre tiède de la nuit ? Benjamin en douta. D'ailleurs lui-même se demandait toujours s'il n'avait pas rêvé et, songeant à Marie, il n'en concevait pour l'instant pas le moindre remords.

Ils arrivèrent à La Bourboule au début de l'après-midi, après avoir mangé dans une sapinière où poussaient des cèpes qui émergeaient à peine des aiguilles. Dès l'entrée de la ville, des hommes et des femmes élégamment vêtus se hâtaient vers les thermes. Victorien et son fils suivirent la Dordogne qui traversait la ville de part en part, fraîche et vive entre des quais de granit. Ils ne s'attardèrent pas, pressés qu'ils étaient de monter vers Le Mont-Dore et le puy de Sancy où ils trouveraient enfin les fameuses sources dont ils rêvaient depuis si longtemps. Devant eux, des sommets ronds dont les versants viraient du vert au roux entouraient la pointe gris perle du

Sancy, qui déchirait de longs charrois de nuages. Les deux hommes se hâtèrent de reprendre la route pour atteindre Le Mont-Dore avant la nuit. Celle-ci s'écartait légèrement de la rivière et serpentait entre quelques sapins qui ne cachaient rien de l'horizon bleu écru. Ils pressèrent le pas et arrivèrent au Mont-Dore vers huit heures. Sur la place, de nombreuses auberges attendaient le client, toutes portes ouvertes. Pour 20 francs, on pouvait se faire conduire au pied du Sancy en chaise à porteurs. Pour 4 francs, on pouvait louer des chevaux de selle et partir en randonnée une journée entière. La place et les rues bruissaient d'une foule qui, comme à La Bourboule, fréquentait l'établissement thermal et ne se privait de rien. Les deux hommes, intimidés, mal à l'aise, ne se sentaient pas à leur place, eux qui sortaient des forêts comme deux sangliers. Ils s'éloignèrent du centre, trouvèrent une auberge de rouliers à la sortie de la ville et, pour la première fois depuis plusieurs jours, ils purent prendre un vrai repas que Victorien paya 3 francs. Après quoi, rassasiés et fourbus, ils allèrent se coucher dans la paille des écuries et s'endormirent dans la minute qui suivit.

A l'aube, impatients, ils n'attendirent pas les chaises à porteurs dont un palefrenier leur dit qu'elles ne partaient qu'à dix heures. Ce dernier leur expliqua qu'ils retrouveraient là-haut des bergers qui sauraient bien les renseigner. Ils s'éloignèrent donc dans le matin qui avait la clarté d'un lustre d'église. La route, devenue chemin, sinuait dans la vallée où des sapins chevelus escaladaient les versants en pente douce. Quelques chalets montaient la garde dans les prés parsemés de campanules. Là-haut, la crête du Sancy semblait se balancer dans un ciel d'un bleu de mica. La rivière n'en était plus une, mais seulement un torrent où la rocaille provoquait de petites cascades que trouait par instants l'éclair des truites en train de moucher. Il semblait à Benjamin que la montagne reculait au fur et à mesure qu'ils avançaient.

Vers dix heures, ils arrivèrent près d'un bouquet de sapins à l'ombre desquels dormait un chalet à la toiture crevée. Un petit pont de bois permettait de franchir le torrent. En traversant,

Benjamin pensa à Libourne, au grand fleuve que devenait ce torrent dans la basse vallée et il eut l'impression qu'il s'agissait d'un autre monde, trop lointain, trop différent pour pouvoir le retrouver un jour. Passé les sapins, il n'y avait plus de chemin mais une simple sente qui traversait un dernier pré où le ruisseau caressait des capillaires et des gentianes. Plus haut, c'était déjà la tourbe et la rocaille.

Ils finirent par trouver un berger tout en os et aux yeux d'un bleu si clair qu'il semblait regarder en dedans de lui. Une casquette crasseuse s'abaissait jusqu'à ses sourcils fins comme des fils de soie. Ils eurent du mal à se faire comprendre du vieil homme dont les vaches paissaient paisiblement un peu plus bas. Il leur expliqua dans sa langue proche du patois du Quercy qu'il fallait monter encore avant de trouver la source au confluent de deux rus minuscules : la Dore et la Dogne. Le premier jaillissait sous la pyramide terminale du puy de Sancy, le second sourdait un peu plus à l'est. De cascades en cascades, ils se rejoignaient un peu plus haut, là-bas — et il montra, derrière des rochers gris, une sorte d'effondrement où la tourbe tapissait la rocaille.

Les deux hommes repartirent un peu décontenancés : ils avaient imaginé un filet d'eau sortant de la roche, un bassin, un fossé — ils ne savaient d'ailleurs quoi exactement —, mais ils comprenaient que ces montagnes ne livraient pas facilement leurs secrets. Leur déception s'estompa un peu lorsqu'ils arrivèrent au confluent des deux torrents qui sautillaient entre les rochers. La Dordogne naissait là, c'était évident. Ils posèrent leurs sacs et, sans se concerter, prirent de l'eau entre leurs mains, exactement au confluent. Ils la regardèrent un long moment, la portèrent à leurs lèvres avant de la laisser glisser entre les doigts. Victorien dit simplement, dissimulant son émotion :

— Mangeons ici, nous serons bien.

Ils s'assirent sur les rochers, sortirent le pain, le lard, le fromage achetés en chemin. Leurs regards se croisèrent. La complicité dans laquelle ils vivaient depuis leur départ devenait aujourd'hui inoubliable. Ils partageaient la chance de connaître la source de *leur* rivière de la même manière qu'ils avaient partagé sur la route les rencontres, les paysages, les sensations, les émotions. Ils se sentaient plus près l'un de l'autre qu'ils ne l'avaient jamais été, fût-ce dans les moments graves où ils s'étaient trouvés réunis : la première descente de Benjamin, l'arrestation de Vincent, le naufrage de la seconde, le chagrin de Marie, et tant d'autres encore, sur la rivière.

— Tu vois, dit enfin Victorien, notre Dordogne est à la fois torrent, rivière, fleuve et mer.

— C'est vrai, fit Benjamin.

Il y eut un bref silence, troublé seulement par le chuchotement de l'eau.

— On n'oubliera pas, n'est-ce pas ? dit Benjamin.

— Sûrement pas, fit Victorien, qui ajouta : On ne pourra plus dire de nous : « Qui ne connaît pas la source ne connaît pas la rivière. »

Il coupa un deuxième morceau de pain, but un demi-gobelet de vin, reprit :

— On a le temps de monter plus haut ; ce serait dommage de ne pas en profiter.

Benjamin acquiesça de la tête, puis ils ne parlèrent plus jusqu'à la fin de leur frugal repas. Ils repartirent alors, escaladèrent des rochers, montèrent encore et encore en direction de l'endroit où, selon le berger, naissait le torrent de la Dore. Une heure plus tard, ils étaient arrivés près du sommet, sur un plateau marécageux parcouru de nombreux filets d'eau qui descendaient vers un ruisselet central. Ils continuèrent encore jusqu'à ce qu'ils trouvent une courte fente dans le rocher d'où pleuraient quelques gouttes, quelques perles détachées de quelques touffes, de quelques crevasses. Ils étaient au bout. Ils le savaient. Ils se retournèrent : au loin, la vallée semblait onduler dans une brume violette. Au-dessus d'eux, le sommet luisait dans le soleil, comme un diamant.

Ils restèrent un moment silencieux, puis Victorien dit doucement :

— J'ai l'impression de venir d'ici, de ce pays, comme tant de ceux qui sont descendus et ne sont jamais remontés. Aujourd'hui, ils ont fondé des foyers en Quercy, en Périgord, peut-être même à Libourne et Bordeaux.

Il ajouta après un soupir, les yeux pleins de rêve :

— C'est que, vois-tu, petit, les hommes ont beau faire, le cœur va toujours où vont les rivières.

6

Neuf mois avaient passé depuis le long voyage au cours duquel Victorien Donadieu avait réussi à mettre sur pied un réseau commercial. N'eussent été les grains de sable glissés dans les rouages par les marchands de Souillac — et en particulier par Arsène Lombard —, sa satisfaction eût été complète, d'autant que la gabare seconde construite à Sainte-Capraise se comportait idéalement, à la descente comme à la remonte. Benjamin, lui, s'était fait une alliée d'Emeline qu'il rencontrait de plus en plus souvent sur le port, en cachette de son père, car elle jouissait de davantage de liberté depuis la paralysie brutale de sa mère survenue l'hiver précédent. Devant Marie, il justifiait ces rencontres par le fait qu'Emeline lui racontait tout ce qui se disait chez son père et qu'il pouvait ainsi déjouer les pièges tendus par les marchands concurrents. Mais Benjamin, pas plus que Marie, n'était dupe. Même s'il n'osait se l'avouer, il savait qu'Emeline attendait quelque chose en échange et que le moment viendrait où il devrait donner des gages.

C'était le mois de mai. Rendues hautes par les pluies de la quinzaine passée, les eaux étaient marchandes. L'air sentait l'herbe et le lilas. Le long du chemin sur lequel Benjamin se hâtait vers les jardins où Emeline lui avait donné rendez-vous, les couleurs chaudes des fleurs éclataient parmi la verdure. Situés au milieu d'un bosquet de saules et de frênes, les jardins dont était propriétaire Arsène Lombard étaient à peine visibles du chemin, ou plutôt du sentier qui s'enfonçait dans ces halliers touffus. Benjamin, qui se sentait coupable, marchait en se cachant. Une grande curiosité le poussait, mais aussi l'obscur désir de se retrouver seul avec Emeline. Il ne pouvait pourtant s'empêcher de penser à Marie qui lui reprochait ces rendez-vous avec, dans le regard, une telle détresse qu'il eût préféré des plaintes ou des cris. Souvent, il lui disait :

— Qu'aurions-nous fait si je n'avais pas appris assez tôt que les marchands voulaient soudoyer les rouliers pour qu'ils ne travaillent pas pour nous ?

Marie ne répondait pas, sachant qu'il avait raison, puisqu'il avait suffi à Victorien d'intervenir auprès d'un roulier dont il était l'ami fidèle pour retourner la situation à son profit.

— Comment veux-tu qu'elle me fasse des confidences si son père nous voit ? ajoutait Benjamin avec une duplicité dont il souffrait aussitôt.

Alors Marie ne protestait plus, mais son cœur se serrait et elle s'éloignait tête basse, ne trouvant même plus la force de se battre...

Benjamin écarta les branches des saules, se glissa entre les buissons, aperçut le cabanon où le jardinier des Lombard rangeait les outils. Il épia les alentours, écouta, mais aucun bruit ne franchit ces obscures frondaisons, hormis le frémissement des feuilles léchées par la brise. Il s'approcha à pas mesurés, poussa la porte à demi entrebâillée. Appuyée au mur, les mains dans le dos, Emeline l'attendait. Ses dix-sept ans n'avaient pas atténué l'air farouche et fier qui animait son visage, au contraire. Son teint mat et ses cheveux de gitane accentuaient cette beauté sauvage dont Benjamin avait toujours été sous le charme, quoiqu'il s'en défendît. Les yeux d'Emeline ne cillaient pas et leur éclat, grave et profond, demeurait le même depuis l'enfance. Elle devait avoir couru, car sa poitrine se soulevait à un rythme rapide et quelques gouttes de sueur emperlaient son front. Benjamin entra sans un mot, s'appuya au mur de planches, face à elle, fasciné par ce regard ardent qui aurait pu obtenir de lui n'importe quoi.

— Je ne peux pas rester plus de dix minutes, dit Emeline.

Il hocha la tête, pas fâché de savoir que le sortilège s'éteindrait de lui-même sans qu'il ait à se faire violence.

— Il fallait que je te voie aujourd'hui parce qu'il va se passer quelque chose de grave, reprit Emeline.

— Quoi donc ? demanda-t-il, inquiet soudain du ton qu'elle prenait en parlant bas et rapidement, comme si une menace immédiate rôdait au-dessus d'eux.

— Mon père n'y est pour rien, cette fois, dit-elle ; ça vient de Libourne et c'est à cause de Jean Delmas.

Benjamin ne comprenait rien, ne voyait que ce regard qui le transperçait dans la pénombre du cabanon, avait du mal à fixer son attention.

— Explique-toi, dit-il ; qu'est-ce que Jean Delmas vient faire là-dedans ?

— Il a beaucoup d'ennemis à Libourne, parce qu'il est devenu riche trop vite. Alors ils ont acheté un gabarot pour couler un des bateaux de ton père.

— Mais qui ?

— Des marchands de là-bas.

— Quand ? Où ?

— Je ne sais pas. Demain. Après-demain. Dès que vous repartirez, sans doute.

Benjamin avait du mal à croire à ce qu'il entendait tellement la perspective d'un abordage volontaire lui paraissait inconcevable. Il soupira, demanda :

— Et qui va le conduire, ce gabarot ?

— Des Limousins, je crois.

— Ça se passerait donc à Limeuil ?

— Certainement.

Un long silence s'installa. Benjamin réfléchissait difficilement sous le feu ardent du regard où il lisait maintenant une sorte d'ironie amusée. Un bruit dans le jardin attira leur attention, et ils retinrent leur souffle. Benjamin risqua un bref coup d'œil par la porte, aperçut deux chiens qui folâtraient dans une allée et, rassuré, s'adossa de nouveau aux planches. Dans les yeux d'Emeline, la gravité avait en quelques secondes remplacé l'ironie.

— Il y a autre chose, fit-elle.

Qu'allait-elle encore lui annoncer ? Il se demanda pendant un instant si elle ne s'amusait pas de son trouble où il lui était facile de deviner son sentiment de culpabilité.

— Mon père a décidé de me fiancer au fils de Jacques Duthil, le négociant de Libourne.

— Ah ! fit Benjamin, vaguement soulagé.

— C'est tout ce que tu trouves à dire ?

Pris en faute, il détourna son regard, comprenant que le moment qu'il redoutait approchait.

— Ne fais pas l'imbécile, reprit Emeline, et dis-moi ce que tu en penses !

Il hésita, chercha ses mots, éluda maladroitement la question.

— Peut-être que ce serait bien pour toi : tu vivrais dans une grande ville, dans le monde, avec de belles robes, des fêtes tous les jours.

Les yeux d'Emeline semblèrent lancer des éclairs.

— C'est donc ce que tu veux ; que je m'en aille !

— Je ne sais pas, Emeline, je ne sais pas.

Se redressant brusquement, elle jeta d'une voix enflammée :

— Moi, je le sais ce que je veux !

Et, le défiant du regard, elle ajouta, farouche :

— Ce que je veux, c'est toi ; vivre avec toi et tu le sais très bien. Depuis toujours je ne pense qu'à ça, et pour obtenir ça, je suis capable de faire n'importe quoi !

Il y avait maintenant dans sa voix une menace qu'il ne pouvait pas ignorer. Le silence tomba, s'éternisa.

— Tu ne dis rien ? demanda-t-elle.

Il soupira, crut trouver une échappatoire, déclara :

— Tu sais bien que je vais tirer au sort l'an prochain et que je vais sans doute partir pour sept ans.

— J'attendrai ! fit-elle.

Il y avait une telle détermination, une telle violence dans le ton, qu'il fut persuadé qu'elle avait pensé à tout et qu'il ne sortirait pas de ses griffes si facilement. Elle rejeta ses boucles brunes en arrière d'un geste gracieux de la main et se redressa, superbe dans sa robe noire qui laissait découverts ses bras et ses chevilles.

— J'attendrai, répéta-t-elle, et tu ne seras à personne d'autre que moi.

Il eut la sensation précise d'un piège qui se referme, essaya de ne pas trop s'engager, mais suffisamment, cependant, pour ne pas perdre sa confiance.

— Je te remercie, dit-il.

— Et pourquoi donc ?

— Pour tout ce que tu fais pour moi.

Blessée, elle prit une voix dure pour répliquer :

— Je croyais que tu me remerciais pour t'avoir dit que je t'attendrai.

Il ne pouvait plus reculer. Repoussant l'image de Marie, il avala une salive amère, murmura :

— Pour ça aussi, je te remercie, Emeline.

Le sourire qui fleurit sur les lèvres cerise de la fille éclata comme une victoire. Plus belle, plus redoutable que jamais, elle se détacha du mur, lui donnant l'impression de danser en marchant, puis elle s'approcha de lui et, avant qu'il n'ait eu le temps d'esquisser le moindre geste, elle l'embrassa violemment et disparut.

Il demeura un long moment immobile, les yeux clos, respirant ce parfum de violette qui ne la quittait jamais, puis il porta sa main vers ses lèvres, à l'endroit précis où, lui semblait-il, sa peau brûlait. Il rouvrit les yeux après un long soupir, sortit du cabanon, inspecta les alentours puis se faufila entre les arbres. Une fois sur le chemin, il se mit à courir vers le port sans apercevoir les enfants, qui, tapis dans les fougères, étouffaient des rires dans leurs mains.

Le temps s'était remis à la pluie et la Dordogne roulait ses épaules grises sous une bruine qui avait enseveli les rives depuis le matin. Un vent chaud venu du sud soufflait par le travers une haleine qui faisait courir des frissons nerveux sur la peau. Conduit par la capitane de Donadieu, le convoi passait devant le petit port de La Roque-Gageac dont les maisons semblaient fondues dans les falaises. Benjamin se tenait debout près de son père, aux aguets, ne cessant de songer à la révélation d'Emeline la veille au soir. Victorien n'avait d'abord pas voulu croire ce que lui apprenait son fils, et celui-ci avait dû mentir en affirmant qu'il tenait ces renseignements d'Arsène Lombard lui-même surpris en conversation avec l'un de ses associés. Puis Victorien avait admis que Benjamin ne pouvait pas inventer pareille chose, et ils avaient tous deux cherché quels étaient les endroits propices à un abordage volontaire. Limeuil, sans doute, au confluent de la Vézère, mais pouvaient-ils vraiment en être sûrs ? Chaque ruisseau, chaque rivière ne cachait-il pas un bateau fou ? Victorien avait prévenu tous ses matelots avant le départ d'un danger imminent, et lui-même tenait le gouvernail avec toute la vigilance dont il était capable.

Avec la fonte des neiges dans le haut-pays, les eaux, quoique fortes, ne portaient pas comme en automne. Moins vigoureuses, moins puissantes, elles étaient capricieuses, imprévisibles, même pour les bateliers les plus avertis. Victorien devait sans cesse rectifier les écarts de la capitane, tandis que Benjamin et les matelots ne cessaient de surveiller les rives d'où, à chaque instant, pouvait surgir le danger.

— Jamais je n'aurais cru qu'on en arriverait là, soupira Victorien. J'ai quand même peine à croire que des hommes puissent se conduire aussi mal. On ne demande qu'à travailler, que diable ! et sans porter tort à qui que ce soit !

Benjamin eut un vague geste des bras, soupira, mais ne dit mot.

— Enfin, grommela Victorien, espérons qu'ils vont se calmer. Je savais bien que les débuts seraient difficiles ; dans quelques mois, ça ira mieux.

Benjamin pensa que dans quelques mois, justement, il ne naviguerait plus sur la capitane, près de son père, s'il tirait un mauvais numéro. Chaque nuit, l'idée de partir dans l'année qui venait le réveillait, nouait son estomac, et il luttait contre un ennemi invisible jusqu'à l'aube. Sept ans dans la marine ! Sept ans loin du port, loin de Marie, loin des prairies, de la rivière, de Victorien et d'Elina... En aurait-il le courage ? Il s'ébroua, chassa ces funestes pensées de son esprit, passa sur bâbord afin de surveiller le confluent avec le Céou, une rivière à truites venant de la région de Gourdon en Quercy. Nulle barque, nul bateau ne surgit d'entre les yeuses chevelues...

Plus loin, le convoi passa sans encombre sous Castelnaud, Fayrac et Marqueyssac dont les jardins étaient envahis par les buis, puis il se dirigea vers la falaise rousse dominée par Beynac. Ensuite, ce furent Les Milandes, Allas-les-Mines et ses vieilles demeures au pied de la colline, et l'on arriva enfin à Saint-Cyprien où il fallait se méfier du confluent avec la Nauze. Là aussi, pourtant, le convoi passa sans encombre et continua sa descente prudente jusqu'au grand cingle précédant Limeuil, qu'il atteignit une heure plus tard.

La pluie avait cessé aux alentours de Saint-Cyprien. Maintenant les prairies fumaient sous les premiers rayons de soleil et, sur les rives, les arbres s'égouttaient avec de brefs soupirs. L'embellie embrasait la vallée dont les couleurs, soudain, éclataient comme des coquelicots dans les blés. Le ciel, où les nuages s'effilochaient en lambeaux blancs, semblait prolonger la vallée bien au-delà des limites que lui connaissaient les bateliers. Benjamin, de plus en plus nerveux, était revenu sur tribord pour être à même d'apercevoir le débouché du confluent avec la Vézère le plus tôt possible. En abordant le cingle, Victorien s'écarta au maximum vers la gauche pour laisser le passage aux bateaux limousins. La seconde et le gabarot firent de même, fidèles aux instructions reçues dès le départ. Déjà, là-bas, on distinguait des filets de fumée au-dessus des toits de Limeuil et, à moins de trois cents mètres à l'avant du convoi, les eaux sombres de la Vézère dont le bras était encore caché par les saules et les frênes.

Victorien maintenait son bateau le plus possible sur bâbord, mais tout de même dans le courant, de manière à passer le plus vite possible au confluent. Benjamin aperçut en se retournant la seconde qui suivait la même ligne que la capitane et, derrière elle, le gabarot, comme aspiré par son sillage. Les trois bateaux filaient à vive allure sur les eaux devenues musculeuses depuis que la vallée s'était élargie. Cent mètres, maintenant, les séparaient de la Vézère. Bientôt cinquante, puis trente. Le rideau de saules et de frênes s'effaça lentement. Apparut aussitôt un premier gabarot, fragile et incertain dans la lumière du matin. A peine Benjamin l'avait-il désigné du doigt à Victorien que surgissait un second, puis un troisième, enfin un quatrième, tout proches les uns des autres et tous silencieux, sans le moindre appel, le moindre cri, contrairement aux coutumes de la rivière. Lequel portait le danger ? Ni Victorien ni Benjamin n'eurent à s'interroger longtemps car le premier gabarot quitta brutalement sa ligne et fila droit vers la rive opposée. Benjamin vit qu'il était chargé de pierres : un vrai boulet. Sur le pont, un homme vêtu de noir tenait le gouvenail d'une main ferme. Il était seul.

— Père ! cria Benjamin, c'est le premier !

Les matelots de la capitane crièrent aussi, mais leurs cris furent pour la seconde, car il était clair que la capitane, compte tenu de sa vitesse, allait pouvoir passer sans dommage. Vincent Paradou n'avait pas eu besoin des cris pour comprendre que son bateau était la cible. Donnant un grand coup de gouvernail, il chercha son salut dans la fuite et entra carrément dans le courant pour prendre davantage de vitesse. Mais il ne pouvait pas foncer vers Limeuil sans courir le risque de percuter les autres gabarots. Dès qu'il jugea sa vitesse suffisante, il redressa vivement son bateau qui, aussitôt, parut fuser sur l'eau. Il fut dès lors évident qu'il allait passer lui aussi sans encombre. Restait le gabarot. Louis Lafaurie, qui avait repris les voyages depuis que Victorien avait fait reconstruire son bateau, avait manœuvré exactement de la même manière que Vincent Paradou. Il se trouvait maintenant dans la trajectoire idéale du gabarot limousin dont le matelot, après avoir attaché le gouvernail, plongea au milieu de la rivière et disparut. Lafaurie, qui n'avait aucune possibilité de freiner, n'eut d'autre solution que d'obliquer vers la rive opposée, sur bâbord. Ce fut suffisant pour éviter l'abordage, mais pas l'accident, et le choc contre la rive fut d'une violence extrême, quoique moindre par rapport à celui du gabarot fou qui se fracassa contre la berge à moins de trois mètres de sa cible. Les planches et les pierres, projetées en l'air, retombèrent lourdement sur les bateaux, ou ce qu'il en restait.

Les matelots de la capitane et de la seconde, qui ne pouvaient pas s'arrêter en raison du courant, avaient tous assisté à la scène, impuissants. Ils criaient des injures et des menaces à l'adresse des Limousins qui poursuivaient leur route sur tribord, comme s'il ne s'était rien passé. Victorien et Vincent réussirent à accoster trois cents mètres en aval dans une meilhe aux abords dangereux. Dès que les bateaux furent amarrés, les matelots, Benjamin en tête, coururent sur la rive en direction du gabarot. Ils arrivèrent rapidement sur les lieux et comprirent tout de suite que Lafaurie et ses deux matelots étaient blessés, sans doute gravement. Tous les trois gisaient sur le pont où le chargement de merrain s'était renversé. Il fallut les dégager, les allonger dans l'herbe en attendant des secours, qui, heureusement, ne tardèrent pas. Habitués aux nombreux accidents du confluent, les gens de Limeuil arrivaient sur leurs barques de pêche, posant des questions auxquelles Victorien Donadieu refusa de répondre.

On décida de transporter les blessés à l'auberge, où l'on pourrait leur donner les premiers soins. Ils souffraient d'hématomes multiples, de plaies ouvertes, sans doute même de fractures. Aucun d'eux, pourtant, ne se plaignait. Durs au mal, habitués aux difficiles conditions de la navigation, ils gisaient, les yeux clos, silencieux, confiants dans ceux qui les entouraient.

Il fallut près d'une heure pour que tout le monde pût

traverser sur les barques des pêcheurs. Le médecin avait été averti. C'était un vieil homme à l'air las, aux cheveux blancs, portant bésicles et montre à gousset. Selon lui, seul Louis Lafaurie souffrait de fractures, mais il s'inquiéta de possibles hémorragies internes et recommanda de ne pas bouger les blessés pendant vingt-quatre heures. Il pansa les plaies — certaines, profondes, saignaient beaucoup — et réduisit les fractures de Lafaurie en posant une attelle. Tous les matelots attendaient dans le couloir de l'auberge « A l'ancre du salut ». C'était maintenant la colère et le désir de vengeance qui, l'émotion passée, les animaient. Certains voulaient même se lancer à la poursuite des gabarots limousins en menaçant à leur tour de les envoyer par le fond.

— Ça suffit ! tonna Victorien Donadieu ; on réglera les comptes plus tard. Aujourd'hui, il y a mieux à faire.

Puis, après une longue conversation avec Benjamin et Vincent, il décida de laisser là son fils pour s'occuper des réparations et du rapatriement des blessés. En fonction de l'évolution de leurs blessures, ou bien les bateaux les reprendraient en remontant, ou bien Benjamin trouverait des rouliers pour les transporter. Un peu rassuré tout de même sur la santé de ses hommes, Victorien s'en alla avec ses matelots rejoindre ses bateaux mouillés en aval, tandis que Benjamin les regardait s'éloigner, avec, en lui, des questions qui ne cessaient de l'obséder : qui étaient ces misérables qui acceptaient de l'argent pour détruire des bateaux au risque de tuer des hommes ? Qui donnait de tels ordres ? Fallait-il que leur haine fût grande et les intérêts en jeu considérables ! Découragé, il dut faire un effort sur lui-même pour se mettre au travail. Empruntant une barque, il se fit conduire sur le gabarot qui, heureusement, malgré ses avaries, ne menaçait pas de couler. Après avoir recensé les réparations à effectuer, il s'en fut chercher le menuisier et le charpentier de Limeuil et les ramena d'autorité sur le gabarot. Là, en les aidant de son mieux, il pensa à Emeline et se dit que sans elle ç'aurait été la capitane ou la seconde qui s'en serait allée par le fond, là-bas, à l'endroit où les deux flots se mêlaient dans des remous tumultueux. Et il se demanda comment il parviendrait à effacer cette dette dont elle ne manquerait pas de s'inquiéter, au jour et à l'heure qu'elle choisirait.

Huit jours avaient passé. Les blessés avaient finalement été remontés sur les bateaux afin de leur éviter les cahots de la route. Aucun d'eux n'avait fait d'hémorragie, mais leurs plaies tardaient à se cicatriser, et Lafaurie, pour sa part, souffrait beaucoup de ses fractures. A Libourne, Victorien avait appris de Jean Delmas que l'instigateur du guet-apens avait été arrêté. Connu de la police maritime pour des agissements semblables dans la basse vallée, il avait été confondu rapidement. Les vrais responsables, eux, resteraient à jamais impunis. Leurs écus et leurs relations les mettaient de toute façon à l'abri des tracas. Ils sauraient le moment venu récompenser leur homme de main qui ne croupirait pas longtemps en prison. Il n'était donc pas utile de porter plainte. D'ailleurs ce genre d'affaires devait se régler entre gens du même monde. Jean Delmas avait promis de s'en occuper. Victorien Donadieu, lui, devait continuer à travailler sans en appeler à la justice et tout rentrerait dans l'ordre bientôt. Du moins pouvait-on l'espérer.

Victorien et Benjamin avaient tenu à ramener Louis Lafaurie dans sa maison où sa femme, Maria, qui avait été mise au courant par Elina, s'inquiétait beaucoup. Comme ils lui proposaient leur aide, elle refusa simplement. Elle allait pouvoir enfin s'occuper de « son homme » à loisir et n'avait besoin de personne. D'ailleurs, si ce n'avaient été les blessures de son mari, elle eût considéré l'accident sous un jour favorable : il allait cesser définitivement de naviguer, et c'était bien ainsi. Réconfortés par la tournure que prenaient les événements, Victorien et Benjamin oublièrent le piège de Limeuil et il fut décidé que Benjamin mènerait désormais le gabarot remis à flot par les maîtres artisans de la basse vallée.

Une semaine après leur retour, le soleil s'installa pour de

bon. Un matin où le vent du printemps avait troqué ses coups de râpe contre des caresses de plume, Benjamin rejoignit Marie qui faisait la lessive sur la plage de galets, en amont du port. En fait, prenant cette direction, c'était Emeline qu'il fuyait, car il savait qu'il devrait la remercier, sans doute même accepter un nouveau rendez-vous qui le compromettrait davantage. Et, songeant à Marie qui, malgré les précautions que l'un et l'autre prenaient, n'ignorait sans doute rien de ces rencontres, il s'en voulait par avance de ne pouvoir refuser. D'ailleurs, elle était peut-être même déjà au courant . il ne manquait pas de garnements pour jouer à la guerre dans les prairies et épier tout ce qu'il s'y passait.

Il soupira, faillit faire demi-tour, mais il y avait trop longtemps qu'ils ne s'étaient pas trouvés seuls et il savait qu'elle devait en souffrir. A droite du sentier, sur l'eau que le soleil faisait étinceler, les premières éphémères de l'année battaient désespérément des ailes avant d'être emportées par le courant. La lumière du ciel coulait à gros bouillons et se réverbérait sur la rivière avec un éclat digne des glaces d'hiver. Il y avait une telle sonorité dans l'air qu'on entendait les pêcheurs, au loin, jeter l'épervier... Benjamin était arrivé sur la plage de galets où travaillait Marie. Courbée sur son banchou [1], elle frottait les grands draps de chanvre avec un pain de savon noir, se redressait de temps en temps pour attacher ses cheveux sur ses tempes. Une traîne crémeuse fleurissait la Dordogne en aval, dessinant des volutes semblables à ces soieries de nuages qui endimanchent les soirs d'été.

Benjamin s'approcha pour la surprendre, mais son pied glissa sur un galet, et Marie fit brusquement volte-face.

— Tu m'as fait peur, dit-elle, mais avec un sourire qui trahissait son plaisir de le voir.

---

1. Planche inclinée munie d'un support où les femmes s'agenouillent pour frotter le linge.

Elle releva les bras pour rattacher une mèche de cheveux et sentit le regard de Benjamin errer sur ses épaules. Ce fut comme une caresse tiède, une gorgée de miel. Troublée, elle se remit au travail, tandis qu'il s'avançait en disant :

— L'eau doit être froide.

— Non ! fit-elle.

Il s'accroupit, trempa son bras jusqu'au coude, le ressortit aussitôt.

— Fais-moi voir tes mains, dit-il.

Elle refusa, répondit simplement :

— Pour quelques draps à laver, dit-elle, je ne vais pas en mourir.

Il n'insista pas, mais il remarqua qu'elle sortait ses mains de l'eau à intervalles réguliers, le temps de laisser le sang se remettre à circuler et s'estomper la douleur. Comme elle n'aimait pas le sentir dans son dos, elle lui demanda d'aller l'attendre sur la rive et précisa .

— J'aurai fini dans cinq minutes.

Il s'éloigna, sachant que plus il la gênerait, plus il lui faudrait du temps et plus elle aurait froid aux mains. Sur la berge, il s'assit sous un frêne, dans l'herbe haute. Et là, de nouveau, il songea à Emeline et s'en voulut. Marie, elle, ayant terminé de frotter, faisait couler les draps en plaçant des galets par-dessus de manière à les immerger complètement. Enfin elle se releva et vint s'asseoir près de Benjamin qui, aussitôt, lui prit les mains.

— Regarde ! fit-il, elles sont toutes bleues.

Elle haussa les épaules en souriant, se laissa faire un moment, puis elle demanda :

— C'est comme ça que tu les réchauffes, les mains d'Emeline ?

Il la lâcha brusquement, se recula, ne trouva rien à dire pendant un long moment puis, enfin, murmura :

— Tu sais très bien que sans elle on aurait sans doute perdu un bateau ; peut-être même un matelot, ou ton père, ou mon père.

— Je sais, fit-elle, mais est-ce vraiment une raison pour aller s'enfermer avec elle dans son cabanon ?

Il sentit une sueur froide couler dans son dos, se reprocha amèrement son imprudence. Mais que pouvait-il répondre ? Des enfants avaient dû le voir et raconter leur découverte aux frères de Marie.

— Tu ne dis même pas que ce n'est pas vrai, fit-elle avec un brin de lassitude dans la voix.

— Je te jure, commença-t-il...

— Surtout ne jure pas, fit-elle, ça nous porterait malheur.

— Je n'ai rien fait que tu puisses me reprocher, Marie, il faut me croire.

Elle eut un sourire forcé, murmura :

— Toi, peut-être, mais elle, je la connais, tu sais.

Il soupira, leva la tête vers les nuages qui dormaient là-haut, contre le ciel, puis il revint vers elle et fut touché de cette froideur qu'elle lui manifestait soudain et qui lui était si peu familière.

— Marie, dit-il.

Elle ne lui refusa pas son regard, mais elle demeura lointaine et dit rêveusement :

— Si au moins j'étais sûre que c'est bien avec moi que tu veux te marier.

— Comment peux-tu en douter ? s'indigna-t-il ; nous l'avons toujours su, toi et moi, et personne ne nous en empêchera.

— Alors, marions-nous tout de suite ! dit-elle.

Il la dévisagea un instant, ne sachant si elle s'amusait de lui ou si elle était sincère. Mais la gravité qui était incrustée sur son visage lui fit comprendre qu'elle parlait sérieusement. Il lui reprit les mains, lui dit d'une voix qu'il voulut la plus calme possible :

— Tu sais bien que je vais tirer au sort l'an prochain.

— Justement, fit-elle.

— Si je pars pour sept ans, qu'est-ce que tu deviendras toute seule ?

— Je t'attendrai, tiens !

Sa réponse le toucha, car Emeline avait prononcé la même, et avec la même résolution.

— Une femme mariée ne peut pas rester seule pendant sept ans, dit-il.

— Et pourquoi donc ?

— Parce que c'est trop long.

— Il y en a beaucoup à qui c'est arrivé et elles n'en sont pas mortes.

— Tu ne te rends pas compte de ce que ça représente.

— De toute façon, ça ne dure pas sept ans, puisqu'il y a les permissions.

Il comprit qu'elle avait pensé à tout et tenta de trouver d'autres arguments :

— Comment feras-tu pour vivre ?

— Comme aujourd'hui.

— Mais de quoi vivras-tu ?

— Des sous que je gagnerai avec mes bras : je ferai des lessives, je déchargerai le sel, je pêcherai et, s'il le faut, j'irai travailler aux fonderies.

— Et si je ne revenais pas ? demanda-t-il, à bout d'arguments, sentant qu'il devait trouver un terrain plus favorable.

Une incrédulité agacée assombrit le visage de Marie.

— Pourquoi ne reviendrais-tu pas, Benjamin ? demanda-t-elle.

— Il peut y avoir la guerre.

Elle réfléchit un instant, murmura :

— Si un tel malheur arrivait, j'aurais peut-être eu la chance d'avoir avant un enfant de toi.

Il soupira, sa voix se fit plus sèche.

— Je ne veux pas te laisser seule avec un enfant.

— Pourquoi ?

— Parce que la vie serait trop difficile pour toi.

Elle s'écarta brusquement de lui et lança :

— Tu trouves toujours de bonnes raisons, mais la vérité c'est que tu ne veux pas te marier avec moi.

Un lourd silence tomba, qu'il ne se sentit pas la force de briser. Marie, elle, demeura distante et butée. Elle lui en voulait, mais elle s'en voulait aussi de ne pas être assez forte pour le convaincre et se l'attacher définitivement. Pourtant ce n'était pas faute de lutter. Depuis quelque temps, en effet, elle se rendait chaque jour à Souillac pour y aider la gouvernante de l'abbé Pagès, qui était souffrante. Elle s'appelait Antonia, était une amie d'Amélie et s'était naturellement tournée vers elle quand elle était tombée malade. Amélie avait demandé à sa fille de répondre à l'appel de son amie malgré tout le travail auquel, déjà, elle devait faire face. D'abord réticente, Marie s'y rendait maintenant volontiers, depuis que l'abbé Pagès, l'ayant surprise un livre à la main, lui avait proposé de lui apprendre à lire et à écrire. Elle travaillait donc au ménage deux heures par jour et avait droit à des leçons d'une demi-heure ou de trois quarts d'heure qu'elle n'aurait manquées pour rien au monde. Ainsi le sentiment d'infériorité qu'elle nourrissait vis-à-vis d'Emeline s'atténuait, tant elle était consciente de devenir une autre en acquérant un savoir qu'elle dévoilerait un jour à Benjamin pour mieux le conquérir. C'était là son secret, mais aussi son combat qu'elle menait sans faiblesse, avec toute l'énergie dont elle était capable...

Benjamin poussa un long soupir, concéda :

— J'en parlerai à mon père.

— Quand ?

— Attends au moins que la saison se termine. Il a d'autres soucis pour l'instant. Sans compter qu'Angéline se marie au mois d'août ; on ne va pas faire deux noces la même année.

— Faisons donc une noce et deux mariages en même temps, dit-elle, mais sans conviction.

Il ne répondit pas, secoua la tête, attendit un long moment avant de se rapprocher d'elle et de la prendre par les épaules en disant :

— Je tirerai un bon numéro et on se mariera aussitôt après.

Elle soupira, eut un pauvre sourire.

— Si seulement ce pouvait être vrai, dit-elle.

Il serra les mains sur les épaules de Marie, souffla :

— Il faut avoir confiance.

Elle détourna la tête, suivit avec mélancolie le vol d'un milan sur les chênes de la colline, mais ne répondit rien.

— Je te promets de parler à mon père, mais il faut me laisser un peu de temps.

Une brise légère fit trembler les feuilles des frênes et frissonner l'eau entre les galets ; un homme cria, là-bas, sur l'autre rive, sans doute le passeur de Cieurac.

— Je dois aller rincer les draps, fit Marie.

— Il faut que je parte aussi ; mon père doit m'attendre.

— Peut-être quelqu'un d'autre aussi, murmura-t-elle, mais il n'y avait même plus d'amertume dans sa voix.

Il haussa les épaules.

— Tu es trop bête, fit-il.

Puis il sauta par-dessus le talus et se mit à courir en direction du port.

Juillet avait été pluvieux, mais le soleil avait percé les nuages début août et, depuis, c'était un beau temps ininterrompu. Après la Saint-Roch, on avait même eu droit à des soirées lumineuses malgré ces langueurs de l'air qui annoncent le proche automne à la tombée de la nuit. C'était l'un de ces mois d'août où la vie s'appesantit dans la tranquillité, où l'on s'allonge à l'ombre volontiers.

Chez les Donadieu, on en avait profité pour marier Angéline à Valentin Doursat, l'un des matelots de la capitane, un garçon rieur et vif comme un oiseau. Benjamin l'aimait bien et Victorien, quant à lui, le tenait en estime ; aussi avait-il donné son consentement à sa fille et fait en sorte que le mariage fût réussi. Il l'avait été, puisque pendant trois jours les familles et les amis des époux avaient festoyé dans la cour des Donadieu où avaient été dressées des tables qu'on n'avait pas arrêté de servir et de desservir. Tous, grands-pères, grands-mères, hommes et femmes d'âge mûr, jeunes gens, enfants, s'étaient montrés heureux et fiers d'avoir été conviés pour manger, rire et danser toute la nuit à la musique du vielleur et du cabretaïre.

Il y avait une semaine que les noces avaient eu lieu, mais les réjouissances de ce mois d'août n'étaient pas terminées, puisqu'on célébrait en ce dimanche la fête du port. Dans l'après-midi saturé de lumière, Benjamin et Marie marchaient côte à côte au milieu de la procession qui se dirigeait vers la Vierge des bateliers, à Lanzac, à l'autre bout des prairies. En écoutant Marie chanter le *Regina Caeli,* Benjamin songeait à la déception qui avait été la sienne le jour où il lui avait rendu compte de sa conversation avec son père. Elina avait tenté de le dissuader de parler de ce projet à Victorien, mais Benjamin avait tenu à respecter sa promesse. En pure perte, évidemment. Victorien avait été catégorique : un garçon ne se mariait pas avant d'avoir tiré au sort. Il avait tardé à en parler à Marie et il avait eu raison, car sa réaction avait été encore plus surprenante qu'il ne l'avait imaginé :

— Il y a beaucoup de garçons qui ne partent pas et qui se cachent dans les forêts, avait-elle dit. Si tu fais comme eux, je te porterai à manger, je m'occuperai de toi.

— Et si on m'arrête j'irai en prison, avait-il répondu. C'est ce que tu veux ?

— Sept ans, Benjamin, je ne pourrai pas vivre sept ans sans toi ; j'irai plutôt me noyer.

Il avait essayé de l'apaiser, de la réconforter, mais il n'y était pas parvenu. Depuis ce jour, ils évitaient de parler de ce sujet, mais il se sentait d'autant plus coupable vis-à-vis d'elle qu'il avait revu une fois Emeline dans le cabanon. Elle l'y avait attiré en lui promettant des révélations d'une extrême gravité, mais ce n'était qu'un prétexte. D'ailleurs rien n'était venu contrarier le commerce de Victorien depuis l'abordage de Limeuil. Le bois était arrivé à suffisance, les bateaux l'avaient descendu sans encombre, et les rouliers étaient partis sans difficultés vers le haut-pays. Non ! C'était autre chose que désirait Emeline, il le savait maintenant : elle voulait se compromettre avec lui et placer ainsi ses parents devant le fait accompli. Depuis ce jour, Benjamin avait toujours refusé les rendez-vous. Il se contentait de la voir sur le port et d'échanger avec elle des propos les plus anodins possible...

Après les prières d'usage, le cortège retourna vers le port. Benjamin avait hâte d'arriver car il était engagé dans les courses et les joutes et tenait à s'y distinguer, comme chaque année. Il dut pourtant patienter une heure encore, tellement la procession marchait lentement sous le soleil qui, malgré la saison avancée, n'avait rien perdu de sa vigueur. Enfin, dès qu'il fut sur sa barque, il put laisser libre cours à son énergie et jeter toutes ses forces dans la bataille. Il s'agissait de remonter la Dordogne sur deux kilomètres et de redescendre le plus vite possible, tout cela avec une seule rame. Il termina premier et fut fêté sur le port où l'on dansait aussi, au son d'une vielle dont jouait un homme sans âge, à la barbe fleurie. On servait également du vin frais, du poisson frit et des salades sur des tables dressées sur des tréteaux. Benjamin y reprit des forces en compagnie de Marie, avant de se lancer à corps perdu dans les joutes et les courses à la nage. Il y avait beaucoup de monde, des gens de la vallée comme des gens du bourg, et tous dansaient, chantaient, fêtaient les vainqueurs avec des couronnes de fleurs et des verres de vin.

Marie, elle, participa à une course qui obligeait les participants à se mettre à l'eau en face du rocher du Raysse et à remonter jusqu'au port. Comme elle nageait très bien, elle n'eut aucune peine à la gagner et dut embrasser le garçon de son choix. Benjamin n'était pas loin. Ils furent acclamés sur l'estrade du vielleur, où le plus vieux des bateliers les sacra reine et roi de la fête. Puis, les courses et les jeux ayant cessé, tout le monde se remit à danser jusqu'à la nuit qui tomba lentement sur la vallée dorée par les rayons du soleil couchant. Alors on alluma des lampions et l'on continua de danser, de chanter et de boire, tout en s'attablant de temps en temps pour manger des gâteaux de maïs et des tartes. Les jeunes gens inventèrent un nouveau jeu : surprendre un garçon et une fille et, à plusieurs, le jeter dans la Dordogne tout habillé. Cherchant à y échapper, mais aussi et surtout parce qu'ils avaient envie de se retrouver seuls, Marie et Benjamin s'éloignèrent sur le chemin qui longeait le rivage, accompagnés par la musique grinçante de la vielle. Bien que la nuit fût avancée, la chaleur était oppressante. Des bouffées d'air épais arrivaient par vagues, aussi puissantes qu'à la saison des foins, aussi enivrantes qu'un alcool très fort.

L'un et l'autre sentaient que cette nuit-là était unique. Une nuit comme on en vit deux ou trois fois dans une vie. Le temps s'était arrêté. Au-dessus des collines, les étoiles paraissaient crépiter en silence, comme des foyers lointains. Sur la gauche de la rivière, les prairies ondulaient sous le vent tiède avec des murmures de soie. Tout en marchant, Benjamin avait passé son bras autour des épaules de Marie. Ni l'un ni l'autre ne parlait, mais l'un et l'autre pensaient au mariage, à l'avenir, et chacun d'eux le savait. Un parfum de lilas sauvage glissa brusquement sur eux, les faisant frissonner.

— Ne pense à rien, dit Benjamin ; écoute !

La Dordogne chantait sur les galets, contre les berges où les lourds clapotements de l'eau répondaient au murmure des prairies. Un vent coulis haletait dans les branches des frênes. L'air était épais et sucré comme un sirop.

— Allons nous baigner, dit Benjamin, l'eau doit être fraîche.

Marie le suivit sur les galets et ils s'approchèrent à pas prudents de la rivière. Ils entrèrent dans l'eau en se tenant par la main. Elle était tiède avec, seulement par endroits, des courants plus frais. Ils nagèrent côte à côte, à petites brasses, vers le milieu de la rivière, avec la sensation d'être entrés dans un bain de velours. Puis, une fois dans le courant, ils se renversèrent sur le dos, face au ciel, et se laissèrent porter. Cent mètres plus bas, dans une meilhe, Benjamin plongea. Marie l'imita, le rejoignit, le dépassa. Il la rattrapa rapidement et la prit dans ses bras. Ils étaient seuls au monde, loin des vivants, dans une totale obscurité. Au bout de quelques secondes, il se rendit compte qu'elle devenait plus lourde dans ses bras et son instinct l'avertit d'un danger. D'un élan des jambes, il la força à remonter, la tenant toujours serrée contre lui. Ils émergèrent dans un filet de lune, inspirèrent avidement des lampées d'air au goût de feuilles, puis ils gagnèrent la rive où ils se laissèrent tomber dans les hautes herbes. Là, ils demeurèrent un long moment silencieux, occupés à reprendre leur souffle, puis Marie murmura :

— Cette nuit est trop belle. Il aurait fallu ne jamais remonter. On ne trouvera jamais de moments meilleurs, Benjamin, je le sens.

Comme il ne gouvernait ni sa vie ni leur destin, il se savait incapable de lui donner ce qu'elle désirait le plus au monde et il s'en voulait.

— Ne dis pas de bêtises, souffla-t-il, nous avons toute la vie pour etre heureux.

Mais elle semblait soudain terriblement redouter l'avenir, alors que cette nuit dans laquelle montaient les chants de la fête, là-bas, semblait vouloir les protéger. Il trouva d'instinct les gestes qui, une fois qu'ils furent allongés côte à côte, apaisèrent Marie et lui firent oublier toutes ses craintes. Ils se trouvèrent sans se chercher parce qu'au fond d'eux-mêmes, dans leurs rêves les plus secrets, ils avaient déjà vécu ce moment des milliers et des milliers de fois.

7

Benjamin, qui tenait désormais le gouvernail du gabarot, était inquiet. Malgré le faible niveau des eaux, son père avait décidé de partir pour une nouvelle descente, jugeant que ce temps de froid vif et de gel ne durerait pas. Pourtant, dans le matin de cristal, le ciel, comme l'air, comme les rives, paraissait pris par les glaces. Des collines du Périgord jusqu'à l'horizon, la vallée entière resplendissait. A peine si, sur les bateaux, les hommes osaient jeter un regard sur la rivière dont les eaux charriaient des blocs de glace détachés des berges. Haut dans le ciel, des oiseaux fous luttaient contre le vent du nord, mais ils n'avançaient pas et semblaient prisonniers d'une banquise. Le moindre bruit lézardait le silence qui cassait comme un miroir que l'on eût frappé au marteau.

Ce n'était pas tellement la descente que redoutait Benjamin — à partir de Lalinde le tirant d'eau était suffisant quel que fût le temps — mais la remonte qu'il faudrait affronter dans quelques jours, et surtout au-dessus de Limeuil. En attendant, il fallait bien achever ce voyage jusqu'à Libourne et espérer que le temps changerait d'ici là. Les mains protégées par des mitaines, Benjamin tenait fermement le gabarot dans le sillage de la seconde. Le convoi passait à la perpendiculaire de l'église de Saint-Aulaye-de-Breuilh et de son cimetière connu pour sa madone qui veillait sur les bateliers. Sur les rives, les arbres projetaient vers le ciel leurs branches gaufrées par la neige et le givre, glorieux comme des lustres d'église. Malgré l'heure avancée de la matinée, le soleil apparaissait terriblement lointain, comme éloigné à tout jamais dans l'univers. Tout à coup, à l'instant où Benjamin vérifiait le bon fonctionnement de son gouvernail, il y eut un grand cri sur la seconde : un matelot avait glissé et venait de tomber. C'était la mort assurée s'il n'était pas secouru dans la minute qui suivait, et encore fallait-il qu'il fût d'une constitution exceptionnelle.

Benjamin se hissa sur la pointe des pieds et aperçut vaguement une forme noire à vingt pas sur tribord, en lisière du courant. Il donna un coup de gouvernail puis, craignant d'arriver droit sur le matelot, rectifia sa direction pour simplement l'effleurer. En moins de cinq secondes, il ne le vit plus et se dit que le courant avait dû le prendre et le faire passer devant le gabarot.

— Gouvernail à bâbord ! cria le prouvier en lançant une cordelle.

Les mains crispées sur le manche, Benjamin manœuvra aussitôt. Trois ou quatre secondes passèrent, interminables, puis il y eut un cri. Benjamin crut reconnaître la voix de Valentin, le mari d'Angéline, et son cœur s'emballa.

— Cordelle ! cordelle ! cria le mousse qui se trouvait sur bâbord, juste devant Benjamin.

Déjà, c'était trop tard : le matelot n'avait pas pu se saisir de la cordelle du prouvier et le mousse avait eu un réflexe trop tardif. Benjamin, d'instinct, se retourna. Il aperçut le corps ballotté du matelot et, sans réfléchir, donna un violent coup de gouvernail. Le gabarot se tourna en travers, perpendiculaire au courant et manqua de chavirer. Pourtant, malgré cette ultime manœuvre, les cordelles lancées sur tribord et bâbord ne rencontrèrent aucune main. Le matelot avait coulé, et il ne s'était pas passé plus de trente secondes depuis qu'il était tombé. Ainsi, l'accident que redoutait tellement Benjamin depuis le départ de Sainte-Foy-la-Grande était survenu au moment précis où son attention s'était relâchée.

Plus bas, en aval, la seconde et la capitane avaient réussi à accoster dans une meilhe et des hommes couraient sur la rive en criant. Le gabarot gîtait dangereusement. Retrouvant ses esprits, Benjamin le replaça dans le sens du courant et demanda :

— Qui c'était ?

— Je ne sais pas, répondit le prouvier, je n'ai pas bien vu.

Une nausée tordit l'estomac de Benjamin. Couvert de sueur malgré le froid, le visage défait, il vint s'amarrer doucement contre la capitane où son père, immobile, attendait.

— Je l'ai manqué, fit Benjamin, accablé.

Il y avait comme un gémissement dans sa voix.

— Tu as surtout failli chavirer, dit Victorien avec froideur

Et, comme Benjamin semblait étonné par cette remarque :

— Vous étiez trois sur le gabarot ; si tu avais chaviré, ce n'est pas un homme que j'aurais perdu, mais quatre. Est-ce que tu te rends compte de ce que tu as fait ?

— Il fallait le laisser, alors ? répliqua Benjamin.

— Non ! il fallait vite jeter les cordelles des deux côtés et ne pas dévier de ta route ; ensuite, ne plus rien faire.

Benjamin, cette fois, ne trouva rien à répondre. Les yeux gris de son père semblaient l'accuser, le rendre responsable de la mort du matelot. A côté d'eux, le petit mousse, un adolescent de quatorze ans qui avait embarqué pour la première fois à l'automne, pleurait. Victorien s'approcha de lui, passa la main dans ses cheveux et dit :

— J'aurais dû te garder avec moi sur la capitane ; tout ça est de ma faute ; allez, change de bord !

Le mousse s'exécuta sans cesser de pleurer. Benjamin, lui, comprenait peu à peu qu'il n'avait pas manœuvré comme il l'aurait fallu, et le regard impitoyable de son père lui faisait plus mal encore que s'il avait montré de la lâcheté ou de la faiblesse.

— Laisse-nous ! dit Victorien au prouvier, un homme d'une trentaine d'années qui les observait en silence.

Le prouvier passa sur la capitane et s'éloigna. Benjamin et son père se retrouvèrent seuls, face à face.

— Rappelle-toi bien une chose, fit le maître de bateau : pour garder le respect des hommes, on n'a pas le droit à plus d'une erreur dans sa vie. Si on passe ce cap, on ne peut plus commander.

Pour Benjamin, chaque mot résonnait comme un coup sur son corps.

— Regarde-moi, petit ! reprit Victorien.

Benjamin osa enfin affronter le regard de fer qui semblait vouloir le blesser.

— C'est Jean Fauvergue, dit Victorien.

— Oh non ! fit Benjamin ; et, fermant les yeux, il pensa aux huit francs que lui avait donnés ce compagnon fidèle pour payer l'amende des saumons.

— Si ! fit Victorien en sortant de sa poche une petite bouteille d'eau-de-vie qu'il tendit à son fils.

— Bois ! ça te fera du bien.

Benjamin but une gorgée brûlante, toussa, s'essuya les lèvres.

— Ça ira ? demanda Victorien.

Benjamin hocha la tête, inspira profondément, se redressa. Les yeux de son père avaient perdu de leur éclat métallique, mais ils n'avaient pas encore retrouvé leur couleur familière.

— Bon ! fit Victorien, il n'y a pas d'autre solution que de descendre. On s'arrêtera dans les villages en remontant. D'ici là, espérons qu'ils auront repêché le corps.

Cette apparente insensibilité horrifia Benjamin. Il considéra son père d'un regard atterré, lui en voulut, soudain, comme s'il découvrait un autre homme derrière celui qu'il connaissait.

— Il n'y a pas d'autre solution, répéta Victorien ; on ne peut plus rien pour lui.

Et c'était vrai qu'on ne pouvait ni plonger dans les eaux glacées ni les sonder pour retrouver le disparu. Benjamin le savait, mais, pourtant, il ne pouvait s'empêcher de regarder en arrière pour tenter d'apercevoir le corps de celui qui ne partagerait plus jamais le voyage avec eux. C'était la dure loi de la rivière. Nul n'y pouvait rien.

— Allons, petit ! fit Victorien, il faut repartir.

Sa voix avait changé. Il paraissait être redevenu lui-même, sans doute convaincu que la leçon avait porté. Les matelots regagnèrent les bateaux, et pas un ne donna l'impression de trouver ce départ trop rapide. Aussi les trois gabares de Donadieu reprirent-elles leur descente vers Castillon, où il fallut attendre la renverse. Benjamin avait compris qu'il devait taire ses scrupules. A quoi aurait servi de palabrer, de se lamenter, et de rester sur place ? La Dordogne ne rendrait le corps que lorsqu'elle en aurait ainsi décidé, et peut-être à des kilomètres de là. Comme ceux qui naviguaient depuis longtemps, Benjamin savait cela parfaitement, mais, au contraire des vieux matelots, c'était le premier homme qu'il voyait disparaître sous ses yeux. Peut-être même par sa faute. Il sentait confusément que la blessure mettrait du temps, beaucoup de temps, à cicatriser.

A Castillon, les pilotes s'étonnèrent de voir arriver des gabares d'en haut. En raison du faible débit des eaux, il n'en descendait plus depuis trois jours.

— Vous n'êtes pas un peu fous ? lança le pilote qui prit le gouvernail de Benjamin.

— Je crois qu'on le devient, fit celui-ci en s'installant un peu à l'écart pour ne pas avoir à soutenir une conversation.

Le convoi repartit. Les eaux, devenues terreuses, avaient perdu de leur éclat. Elles sinuaient entre des îles aux saules enluminés. Plongé dans ses pensées, obsédé par la disparition du matelot de la seconde, Benjamin regardait sans les voir les villages qui se succédaient : Civrac et, plus loin, dans un cingle où étaient amarrées de nombreuses barques de pêche, les demeures paisibles de Saint-Jean-de-Blaignac. Au fil de la descente, ce furent ensuite Sainte-Terre, Vignonet, la plaine de Saint-Sulpice-de-Faleyrens, la cité médiévale de Saint-Emilion, enfin les deux méandres jumeaux de Génissac et de Condat. Benjamin n'avait maintenant plus qu'une idée en tête : arriver vite à Libourne et repartir le plus rapidement possible pour effacer cette impression d'abandon, de trahison, envers un homme qui méritait le respect de tous.

Le soir, à l'auberge, après avoir déchargé le bois dans les entrepôts de Jean Delmas, l'équipage se sentit comme orphelin, et les langues, enfin, se délièrent. Les hommes parlèrent du disparu à voix basse, racontant les voyages partagés avec leur compagnon. L'atmosphère était lourde. Ils n'avaient pas le cœur à manger ni à boire. Quand ils eurent achevé leur frugal repas, Victorien les réunit tous dans l'arrière-salle, distribua un peu d'alcool de genièvre à chacun et prononça les mots qu'ils attendaient :

— Jean nous valait tous, dit-il. Il connaissait les dangers du tillac[1], de la glace, de l'hiver et pourtant il est tombé. Nous n'oublierons jamais quel courageux compagnon il était. Nous ne rentrerons pas à Souillac sans son corps. Nous attendrons le temps qu'il faudra.

Et il ajouta, comme les hommes demeuraient silencieux :

— Nous l'enterrerons chez lui, dans son jardin. S'il avait eu de la famille, vous savez qu'elle aurait pu compter sur moi.

Ces quelques mots, pourtant dérisoires, parurent réconforter l'équipage. Victorien, une fois encore, montrait à son fils ce qu'était vraiment un maître de bateau. Et quand Benjamin, un peu plus tard, fut couché dans la soupente de l'auberge, il se dit que lui aussi eût aimé parler de cette manière aux hommes pour voir se ranimer, dans leur regard, la flamme chaude et fière qui d'ordinaire y brillait.

Le lendemain matin, il gelait toujours et le vent du nord balayait le port où les matelots de Donadieu, frigorifiés, chargeaient le sel sur les gabares. Benjamin se demanda si les bateaux pourraient passer les rapides de Lalinde et remonter vers Souillac, mais Victorien, lui, ne paraissait pas inquiet. Pourtant l'hiver tenait toujours dans sa poigne de glace la vallée statufiée où, au-delà des maisons, des collines, le ciel s'était refermé comme une cloche de verre. Sur un signal de

---

1. Le pont.

Victorien, la remonte commença, lente, pénible, dangereuse. Les bouviers avaient doublé les attelages, et la respiration des bêtes, comme celle des hommes, montait dans le froid en léger brouillard que, passé la cime des arbres, le soleil dissipait.

Victorien tenait sa promesse : le convoi s'arrêtait à chaque relais de tire et les matelots partaient le long des rives pour demander si l'on n'avait pas retrouvé le corps de leur malheureux compagnon. Dès lors, il fallut plus de trois jours pour arriver jusqu'au village de Saint-Seurin-de-Prats où des pêcheurs avaient retrouvé le corps de Jean Fauvergue dans un estey[1]. Une fois les formalités accomplies, on chargea la dépouille sur la capitane et le convoi repartit. Le soir même, le temps changea et la pluie s'annonça. Elle se mit à tomber le lendemain matin, violente, glacée, mais sans la force de ces pluies lourdes d'automne qui font changer le niveau des rivières en quelques heures. Le convoi dut « attendre l'eau » à Mouleydier, en aval des rapides de Lalinde, car les récifs affleuraient par endroits. Si bien que les bateaux de Donadieu, en cette triste et froide fin de février, mirent plus de dix jours pour ramener chez lui le corps d'un compagnon qui avait aimé le voyage et la rivière jusqu'à en mourir.

Benjamin n'avait pas fermé l'œil de la nuit. Des heures et des heures durant, il avait vu défiler des numéros devant ses yeux clos, et chacun d'eux l'avait condamné à sept ans d'exil. Sept ans dans la marine du roi ! Comment pouvait-on supporter une telle déchirure, sinon en s'efforçant de tout oublier, en rayant de sa vie son passé, sa famille, et tout ce qu'on laissait derrière soi ? N'était-ce pas Marie qui avait raison ? Ne valait-il pas mieux se cacher dans les bois plutôt que de partir ? Toutes ces questions n'avaient cessé de tourner dans sa tête jusqu'à l'aube

1. Large fossé destiné à recueillir le trop-plein des eaux et, dans les bas-pays, celles de la marée.

de ce 7 mars qui allait le voir jouer son destin en quelques secondes.

Dans la cuisine, ni son père ni sa mère n'avaient prononcé le moindre mot, tandis qu'il s'apprêtait à se rendre à Souillac où les autorités formaient le contingent de ce printemps. Que dire ? Que faire ? Victorien évitait son regard, Fantille pleurait dans un coin ; seule Elina tentait de sourire en lui communiquant l'espoir qu'elle portait en elle depuis toujours. Incapable de prolonger ces instants, de cacher plus longtemps sa rage impuissante, Benjamin était sorti sans un mot et s'était mis en route dans le vent âpre de ce début mars, sous la pluie froide de l'hiver qui ne se décidait pas à desserrer sa poigne d'acier refermée sur la vallée.

Passé le pont sur la Borrèze, il avait tout de suite reconnu la silhouette encapuchonnée qui l'attendait sous un gros chêne : Marie. Marie fidèle dans les pires moments de sa vie comme elle l'avait été dans les plus beaux, les plus précieux, ceux qu'ils avaient partagés dans la tiédeur de l'eau ou l'herbe des prairies. Marie qui veillait comme une sentinelle, qui savait le protéger de tout, même de lui. Il s'était lentement approché d'elle, avait murmuré :

— Tu m'avais promis de ne pas venir.

— Je n'ai pas pu.

Elle avait ajouté, levant vers lui son visage mouillé :

— Il m'a semblé... qu'il le fallait.

Il avait caressé les mèches humides qui sortaient de la capuche.

— Et maintenant, avait-il demandé, à quoi ça va nous servir ?

— Tiens, avait-elle répondu, prends ça.

Elle lui avait glissé dans la main l'une de ces médailles naïves que l'on peut acheter dans les foires ou les frairies et que l'on fait bénir dans les églises.

— Que tu es bête, avait-il dit, mais il avait enfoui la médaille dans le fond de sa poche et avait serré Marie quelques instants contre lui.

Ensuite il était reparti, se retournant une fois, une seule, vers la silhouette noire immobile sous le grand chêne, qui lui adressait un petit signe de la main. Pour ne pas se mettre en retard, il avait couru jusqu'à Souillac où il était arrivé un quart d'heure plus tard. Là, sur la place Saint-Martin, se trouvaient de nombreux jeunes gens venus des rives de la Dordogne, comme lui, tirer au sort. Ils avaient attendu longtemps devant l'hôtel de ville, avant qu'on les fît entrer dans une grande salle rectangulaire où des gendarmes et des officiers de marine écrivaient derrière un bureau. Benjamin avait tout de suite remarqué la boîte où, pensait-il, se trouvaient les numéros. C'était une boîte en bois de châtaignier dont la rusticité n'évoquait rien du bonheur ou du malheur dans lequel elle précipitait les hommes. Pourtant, il ne pouvait en détacher son regard et demeurait pétrifié au milieu de la salle où régnait un profond silence.

Il s'avança lentement à l'appel de son nom, et, à l'instant de prendre le morceau de papier sur lequel apparaîtrait son numéro, il pensa très fort à Marie, à son père et à sa mère. Serrant la médaille dans sa main gauche, il puisa dans la boîte de sa main libre puis, poussé par son suivant, il se décala sur sa gauche pour donner son morceau de papier à l'officier qui le déplia et annonça :

— Quatre-vingt-quatre.

Il sembla à Benjamin que c'était un bon chiffre, mais il savait que le conseil de révision refusait toujours deux jeunes sur trois à la visite et qu'il fallait donc tirer un très fort numéro pour échapper au contingent.

L'officier donna le morceau de papier au gendarme qui se trouvait à sa droite, et celui-ci écrivit sur un deuxième registre le numéro qui scellait l'avenir de Benjamin. Ensuite, il fallut attendre que tout le monde eût fini de tirer avant de partir à la visite. Là, Benjamin se rendit compte que les jeunes gens s'épiaient, cherchant à deviner les chances de chacun. Et plus Benjamin observait ses voisins, plus il lui semblait qu'il y en avait de trop maigres, de trop petits, de boiteux ou, au contraire, de suffisamment riches pour avoir pu acheter, avec leurs louis d'or, ces fameux certificats qui exemptaient de service les prétendus malades. Lui, il était l'un des plus grands, l'un des plus forts, et il ne devrait son sort, bon ou mauvais, qu'au hasard du tirage.

Le conseil délibéra longtemps. Benjamin, assis sur un mur, n'eut pas la force de manger le morceau de pain qu'il avait apporté ni de participer à ces bagarres rituelles entre jeunes gens de villages rivaux qui émaillaient chaque journée de tirage au sort. Enfin, vers quatre heures de l'après-midi, on les fit entrer de nouveau dans la grande salle rectangulaire, et un officier de marine se leva pour annoncer que le numéro 78 avait « fermé » le contingent. Benjamin dut se retenir pour ne pas laisser éclater la joie folle dont le flot gonflait dans sa poitrine. Il dut pour cela attendre d'avoir accompli les dernières formalités et d'être libéré par les gendarmes. Alors il refusa de suivre ceux qui, comme lui, avaient eu de la chance et partaient fêter l'événement dans les auberges et, fou de bonheur, d'un bonheur aigu, indicible, il s'élança vers la rivière...

Il courait, il courait, et, tout en courant, criait à pleine voix : « Marie ! Marie ! » comme s'il était sûr qu'elle l'attendait, sur le chemin ou sous le grand chêne où il l'avait laissée au matin. La pluie inondait son visage et pourtant il riait en continuant de courir, brandissant la feuille de papier salvatrice que lui avait remise un gendarme. Marie ! Marie ! Il n'y voyait plus, mais il courait toujours, avec toute la vitesse dont il était capable, comme fou. Il glissa, tomba, demeura un moment immobile, le souffle court, le visage enfoui dans l'herbe de ses prairies qu'il ne quitterait jamais, il le savait maintenant, il en était sûr. Il se releva, repartit avec en lui la conviction que tout était possible désormais, que le monde était beau, sans menaces, et qu'il allait enfin être heureux.

Il trouva Marie à l'endroit exact où ils s'étaient séparés le matin et n'en fut même pas surpris. Dès qu'il l'aperçut, il s'arrêta brusquement, incapable d'avancer ni de trouver les mots. Pendant dix secondes, il se contenta de brandir sa feuille de papier dont elle ne pouvait pas lire la moindre ligne, ne se rendant pas compte combien elle était dévorée par l'angoisse et brûlait de savoir.

— Marie ! cria-t-il enfin, je ne pars pas ! je ne pars pas !

Elle demeura un bref instant sans bouger, ferma les yeux, dodelina de la tête comme si elle n'avait pas compris ce qu'il lui avait dit, puis elle cria à son tour :

— Benjamin ! c'est vrai ? C'est bien vrai ?

Il s'élança vers elle, l'enlaça, ne cessant de répéter :

— Mais oui, c'est vrai, je ne pars pas.

— Oh ! Benjamin, fit-elle, j'ai tellement eu peur !

— C'est fini, dit-il, regarde !

De sa main libre, il lui montrait sa feuille de papier devenue pourtant illisible sous la pluie. Elle riait maintenant, persuadée qu'elle ne rêvait pas. C'était bien Benjamin qui la serrait dans ses bras à lui briser les os. Ils se mirent à tourner comme des danseurs ivres, puis, entraînés par leur élan, ils finirent par tomber sur un lit de fougères où ils demeurèrent allongés un long moment, profitant de ce bonheur tout neuf qui, ce matin de mars, leur était donné.

Lorsqu'ils se relevèrent, de longues minutes plus tard, leurs vêtements étaient transpercés par la pluie. Ce fut Marie qui, la première, retrouva ses esprits :

— Et ton père ? Et ta mère ? Ils doivent attendre, les pauvres !

Ils coururent d'une traite jusqu'à la maison des Donadieu où toute la famille se mourait d'impatience. Cependant, à l'instant même où ils ouvrirent la porte, souriants, chacun comprit que ce jour était un jour de joie et bondit de sa chaise. Elina et Fantille embrassèrent Benjamin, puis Victorien s'approcha.

— Alors, c'est vrai ? fit-il, on te garde avec nous ?

— Oui, père, je ne partirai pas.

— A la bonne heure ! dit Victorien.

Et, pour cacher son émotion :

— Nous allons fêter ça ! Tiens ! Fantille, fais-nous donc des merveilles [1] !

— Voilà une bonne idée, fit Elina en devançant sa fille et en se précipitant vers la maie à farine.

On s'aperçut seulement à ce moment-là combien Benjamin et Marie se trouvaient dans un piteux état. On leur fit place devant le feu, et Benjamin fut invité à raconter par le détail comment s'était passée la journée.

— Tu es bien sûr, au moins ? demanda Fantille quand il eut terminé son récit.

— Tout à fait sûr, répondit-il en riant, regarde ! c'est écrit... là !

Victorien, prenant la feuille de papier, ne parvint pas à déchiffrer les mots effacés par la pluie. Benjamin dut alors reprendre ses explications jusqu'à la fameuse phrase prononcée par l'officier, la répéter, la répéter encore jusqu'à ce que chacun fût convaincu. Il finit par comprendre que c'était par plaisir de l'entendre, de comparer les numéros, de mesurer la chance qui avait été sienne qu'on l'incitait à la parole, et enfin il se tut.

— Marie ! enlève donc ce capuchon et cette veste, je vais les mettre à sécher, dit Elina en la voyant trembler.

Marie ne se fit pas prier car elle ne parvenait pas à se réchauffer. Benjamin s'aperçut alors qu'elle était mouillée jusqu'aux os et il comprit qu'elle l'avait attendu sans bouger sous le grand chêne depuis les premières heures de la matinée. Une bouffée de reconnaissance lui donna la force nécessaire pour demander :

— Père ! vous nous donnerez bien maintenant l'occasion de nous marier, j'espère ?

Surpris, Victorien plissa les paupières, parut hésiter entre la colère et la bonne humeur, puis il déclara :

— Encore faudrait-il que Marie soit d'accord.

Elle se troubla, devint rouge de confusion, bredouilla :

— Vous le savez bien que je n'attends que ça.

---

1. Sorte de beignets.

— Non ! je ne le savais pas, fit Victorien en riant ; personne n'en a jamais parlé et ça ne se voyait pas.

Tout le monde rit de bon cœur et ce fut un moment unique, de vrai bonheur. Un peu plus tard, invités par Elina, Vincent, Amélie et leurs enfants arrivèrent pour fêter l'événement et manger les merveilles. Quand la pâte sucrée fondit dans la bouche de Marie, elle pensa que sa vie avait pris pour toujours ce goût délicieux, et qu'elle n'épuiserait jamais le plaisir de le savourer.

— Ce qui s'est passé à Libourne est très grave pour vous, avait dit Emeline.

Benjamin n'avait pu résister et avait accepté le rendez-vous en se jurant bien que c'était le dernier. En cette mi-avril que réchauffaient à peine les rayons du soleil, il effectuait un long détour avant de revenir vers le cabanon, espérant ainsi n'être vu de personne. Il se méfiait d'autant plus qu'Emeline ne pouvait pas ignorer la nouvelle de son mariage avec Marie fixé à la fin de l'été. Il savait par ailleurs qu'il courait un grand risque, mais, s'il avait cédé, c'était parce qu'elle lui avait paru sincère et, en même temps, préoccupée par la nouvelle qu'elle détenait.

Après avoir parcouru le double de chemin qu'il n'en fallait d'ordinaire, il arriva en vue du cabanon dont la porte était ouverte, longea le jardin en épiant les alentours et entra. Emeline se trouvait là, assise sur des bottes de paille dont quelques brins éclairaient ses cheveux, souriante, une sorte de défi dans le regard. Benjamin eut tout de suite la sensation d'un danger, mais lorsqu'elle se leva pour fermer la porte, de peur de paraître ridicule, il n'osa pas s'y opposer. Ils se trouvèrent face à face dans la demi-obscurité, elle les mains dans le dos, provocante ; lui immobile, glacé, conscient que le piège cette fois, allait se refermer.

— Qu'est-ce que tu voulais me dire ? demanda-t-il d'une voix faussement agressive.

Les boucles brunes jouèrent sur les épaules d'Emeline, ses paupières se plissèrent comme celles des chats.

— Je voulais savoir si c'était vrai que tu allais te marier avec Marie.

Il fit un pas vers la porte, mais elle s'y précipita, lui interdisant le passage. S'il voulait sortir, il fallait qu'il la touchât, et il ne le devait pas, il le savait, car elle n'attendait que ça.

— Laisse-moi passer, Emeline, fit-il d'une voix menaçante.

— Pas avant que tu ne m'aies répondu.

Sa voix était calme, chaude, enjôleuse. Il sentait de nouveau ce parfum de violette qui l'émouvait tant, bien qu'il s'en défendît.

— Le mariage est prévu pour la fin du mois d'août, dit-il.

Elle garda un moment le silence, murmura :

— Tu me l'avais promis à moi, le mariage.

— Je ne t'avais rien promis, Emeline.

— Tu ne t'en souviens pas, de même que tu ne te souviens pas des services que je t'ai rendus.

Sa voix avait changé au fur et à mesure qu'elle parlait. La menace était évidente, immédiate. Benjamin n'avait pas peur, mais il essayait de deviner quelle vengeance avait mûri dans sa tête.

— Je n'accepterai jamais que tu te maries avec une autre que moi, Benjamin, tu le sais bien. Et d'ailleurs dis-moi ce que tu lui trouves, à Marie ?

Il lui tourna le dos, répondit :

— Ça ne te regarde pas.

— Tu la trouves plus belle que moi ?

— Ça ne te regarde pas, répéta-t-il.

— Ce n'est qu'une petite lavandière, fit-elle.

Puis, avec un profond mépris dans la voix :

— Elle est jolie, Benjamin, mais c'est la joliesse des pauvres. Tu mérites beaucoup mieux que ça ; moi, je suis riche et je suis belle.

Elle hésita quelques secondes, ne sachant, devant son silence, si elle l'avait blessé ou convaincu.

— Et moi, comme elle, reprit-elle, je t'ai choisi depuis que nous sommes enfants. C'est pour cela que j'ai les mêmes droits qu'elle.

La colère faisait briller ses yeux, donnant à sa beauté naturelle un charme supplémentaire qui, peu à peu, elle le savait, l'envoûtait.

— Tu n'as aucun droit, dit-il, et encore une fois ce que je pense de Marie ne te regarde pas.

— Parce que tu crois que tu l'aimes ? fit-elle avec un sourire mauvais.

Il ne répondit pas.

— Tu ne l'aimes pas. Ce que tu aimes, c'est qu'elle vive à tes pieds. Elle ne sait pas lire, elle n'a pas de fortune, cllc restera toujours ce qu'elle est : une pauvre fille.

Il ne put se contenir, la gifla violemment. A peine surprise, elle porta une main vers sa joue et continua de sourire.

— La vérité fait mal quand on la découvre ; si tu te maries avec elle, Benjamin, tu resteras toujours petit.

Il tremblait, sentait qu'il allait la frapper de nouveau et que c'était sans doute ce qu'elle souhaitait.

— Laisse-moi passer, Emeline, fit-il.

— Eh bien, passe ! qu'est-ce que tu attends ?

Il fit un pas en avant, et aussitôt elle fut contre lui, le serrant dans ses bras, cherchant à l'embrasser, nouant ses bras autour de sa taille avec une force étonnante. Il la repoussa sans ménagement, et elle recula vers la porte, les cheveux dans les yeux, en ayant perdu son sourire.

— Prends garde, Benjamin ! fit-elle, il s'est passé des choses graves à Libourne et vous allez avoir des ennuis, ton père et toi.

Il inspira profondément, essaya de garder son calme.

— Je ne te crois pas, dit-il, c'est le dépit qui te fait parler.

— Le dépit de quoi ? répliqua-t-elle dans un éclat de rire ; il ne se passe pas un jour sans que mon père et ma mère me présentent un prétendant.

Elle ajouta, volontairement cruelle, après un instant :

— Aucun d'eux ne porte de pantalons rapiécés.

— Et alors, fit-il, glacé, qu'est-ce que tu attends ?

Elle repoussa ses cheveux vers l'arrière, murmura d'une voix subitement changée :

— C'est toi que j'aime, Benjamin, je n'y peux rien.

Ce fut à son tour de prendre sa revanche :

— Il n'y a pas que mon pantalon qui soit rapiécé, il y a aussi ma chemise et mon tricot. Et mes mains ! regarde mes mains, Emeline : elles sont dures, crevassées, est-ce que tu es sûre de les vouloir, ces mains-là ?

Il y eut un long silence, puis elle releva la tête, planta son regard dans le sien et murmura :

— De toi, j'aime tout, Benjamin.

Il fut troublé par son accent de sincérité et se sentit glisser dangereusement dans les mailles d'un filet d'une étrange douceur. Elle reprit en s'approchant :

— J'aime tes mains, ta voix, tes yeux, tes bras, ta bouche...

Elle l'enlaça de façon naturelle, si naturelle que, lorsqu'elle posa ses lèvres sur les siennes, il ne put la repousser. Il réalisa à peine qu'ils basculaient sur la paille et il oublia tout ce qui, jusqu'alors, l'avait empêché de succomber au charme terrible de cette fille qu'au fond de lui, pourtant, il haïssait.

Plus tard, quand ils se relevèrent, elle ne lut pas dans ses yeux les signes de la victoire qu'elle avait espérée ; au contraire.

— Tu n'aurais pas dû, Emeline, dit-il en se détachant d'elle.

Elle voulut revenir contre lui, mais il la repoussa en disant :

— C'est fini ; tu ne me verras plus jamais.

Il devina une ombre de désarroi dans son regard, mais elle se reprit très vite et dit :

— Si tu te maries avec moi, tu n'auras plus besoin de travailler ni de partir sur la rivière dans le froid et la pluie.

Elle se trouvait de nouveau entre la porte et lui ; elle souriait.

— Si tu veux, nous irons habiter à Libourne ou Bordeaux. Nous aurons des bateaux, beaucoup de bateaux ; nous pourrons voyager sur la mer, très loin, vers des pays que l'on ne connaît pas. Si tu préfères, nous ferons construire une grande maison, un vrai château avec un parc et des grands arbres...

Comme il restait silencieux, elle continua, se laissant griser par les mots :

— Je vivrai toujours près de toi ; j'aurai le temps. Tu sais bien qu'il ne manque pas de filles pour entrer au service des gens aisés. Si je le veux, je peux en prendre trois... quatre...

Elle se tut brusquement, réalisant qu'elle venait de commettre une faute impardonnable. Un lourd silence tomba.

— Laisse-moi passer, Emeline, c'est la dernière fois que je te le demande, fit-il d'une voix calme, si calme, si froide, qu'elle n'eut aucune peine à comprendre qu'elle l'avait perdu.

— Attends, dit-elle, encore un mot : réfléchis bien, Benjamin ; c'est vrai qu'il s'est passé quelque chose de grave à Libourne, écoute-moi !

Il comprit qu'elle essayait de gagner du temps, voulut forcer le passage, mais elle lui prit le bras et dit, presque suppliante :

— Ne t'en va pas, Benjamin ; si tu veux, on quittera tout. On partira loin. Sans argent. Je travaillerai.

Sa voix sonnait faux. Elle affronta son regard dans lequel elle put constater sa défaite. Il dégagea violemment son bras, lui fit mal volontairement. Puis il avança d'un pas vers la porte et, comme il s'apprêtait à sortir, il entendit des voix au bout du jardin. Il se rejeta brusquement en arrière, sentit une onde glacée couler dans son dos. Emeline, maintenant, souriait.

— Je crois que c'est mon père et le jardinier, fit-elle sans manifester la moindre surprise.

Elle lut clairement dans ses yeux qu'il allait la frapper et recula d'un pas. Il ne prononça plus un mot, n'esquissa aucun geste, espérant que s'ils n'entendaient pas de bruit les deux hommes s'éloigneraient sans entrer dans le cabanon. Une minute passa. Benjamin et Emeline étaient restés face à face, de part et d'autre de la porte. Il ne la regardait pas, tentait seulement d'interpréter les bruits pour saisir l'occasion de s'enfuir. Les voix se rapprochèrent. Benjamin comprit que les deux hommes parlaient d'outils et qu'ils allaient certainement entrer. Il se déplaça sans bruit pour se cacher derrière la porte si elle venait à s'ouvrir, crut encore un instant pouvoir se sauver, mais il était dit ce matin-là que le piège auquel il avait si souvent échappé devait se refermer sur lui.

Poussée par le jardinier qui tenait à montrer à son maître le bon état de ses outils, la porte s'ouvrit brusquement. Dans le même instant, Emeline, qui avait feint de vouloir se cacher elle aussi et s'était rapprochée de lui, agrippa Benjamin et le fit basculer avec elle sur les bottes de paille en poussant un cri.

Arsène Lombard apparut dans l'encadrement de la porte, énorme, effrayant. Benjamin se redressa aussitôt mais le marchand avait eu le temps d'apercevoir sa fille allongée sur la paille, et l'expression furieuse de son visage fit comprendre à Benjamin que les mots étaient inutiles. Emeline avait imaginé cette vengeance depuis longtemps, sans doute le jour où il avait refusé pour la première fois de la rejoindre dans ce cabanon de malheur. Volontairement, elle ne s'était pas relevée et sa robe était remontée jusqu'à ses genoux tandis que les brins de paille épars sur son corsage et ses cheveux donnaient à croire qu'elle se trouvait là depuis longtemps. Son père la prit par le bras, la mit debout, la gifla. Un sourire de défi éclata sur ses lèvres, et il s'adressait à la fois à Arsène Lombard et à Benjamin.

— Rentre à la maison ! lança le marchand fou de rage ; nous réglerons nos comptes ce soir.

Elle fit voler ses magnifiques cheveux autour de ses épaules, lança un bref regard de victoire à Benjamin, puis elle s'élança en riant comme savent rire les filles lorsque leur orgueil a triomphé.

— Ecoutez, monsieur, dit Benjamin, une fois qu'il se retrouva seul en face d'Arsène Lombard.

— Tais-toi ! fit le marchand, de toute façon je ne te croirai pas ; c'est toi qui vas m'écouter, petit ! Ce que tu as fait, je ne te le pardonnerai jamais ; toi et ton père, bientôt, vous n'aurez plus qu'à mendier sur les chemins !

Devant la menace, Benjamin voulut répliquer, mais il se sentait tellement inférieur, tellement coupable, qu'il murmura seulement :

— C'est elle qui m'a attiré ici ; moi, je ne voulais pas.

C'était si dérisoire qu'il baissa la tête et ne dit plus rien.

— Va-t'en ! fit Arsène Lombard ; la parole des Donadieu n'a jamais rien valu à mes yeux !

Benjamin pensa à son père, pâlit, serra les poings. S'il avait été dans son droit, il eût certainement répondu, peut-être même par la force, mais il y avait entre eux un témoin tout acquis à la cause du marchand, et celui-ci en savait suffisamment pour lui nuire. Il valait mieux se taire et s'en aller. Profondément humilié, il partit en bousculant au passage le jardinier qui, avec son air outragé, préfigurait déjà la gravité des conséquences de cette funeste matinée.

Victorien s'était trompé sur l'heure de la marée, et le convoi risquait de ne pas arriver à Libourne avant la renverse. Lorsque le gabarot conduit par Benjamin passa devant le port de Génissac, tous les matelots présents sur les bateaux avaient pris les rames, car il fallait arriver au plus vite si on ne voulait pas être bloqué par les vagues du mascaret. Benjamin était d'autant plus contrarié qu'il lui tardait de savoir si Emeline avait menti ou non au sujet des graves problèmes survenus à Libourne. Depuis l'épisode du cabanon, il vivait avec la sensation d'une menace perpétuelle suspendue au-dessus de sa tête et il avait failli plusieurs fois en parler à son père. Seule la honte de ce qu'il avait fait l'en avait empêché.

Marie, elle, avec cette prescience, cet instinct des choses qui lui étaient propres, avait deviné qu'un événement grave avait eu lieu, mais elle ne savait où ni quand, et n'en connaissait pas la nature. Elle interrogeait souvent Benjamin qui niait avoir des ennuis, car il était persuadé qu'elle ne lui pardonnerait pas. Il sentait qu'elle souffrait de son silence, de son manque de confiance, mais c'était plus fort que lui : la honte qui l'accablait depuis l'arrivée d'Arsène Lombard dans le cabanon lui interdisait de se confier, et à qui que ce fût. Maintenant, un seul désir, une seule idée l'animaient : arriver à Libourne et apprendre enfin ce qui s'y passait.

Le convoi atteignit les cingles de Génissac et de Condat, puis les toits de la grande ville apparurent à l'horizon. Une demi-heure plus tard, dans l'après-midi déclinant, les bateaux de Donadieu dépassèrent les chais et leur odeur de moût, glissèrent sous la deuxième arche du pont de la grand-route de Bordeaux à Lyon, longèrent les vestiges des remparts et la tour du grand port coiffée d'ardoises bleues, bifurquèrent sur la droite au confluent de l'Isle, après avoir laissé passer les cargos, les bricks, les goélettes, les « mouches » affectées au service du port. Le gabarot s'amarra juste derrière la capitane et la seconde, face à l'entrepôt de Jean Delmas.

Une fois à terre, Benjamin se fraya un passage entre les tonneliers, les débardeurs et les sacquiers pour rejoindre son père. Sans plus attendre, les deux hommes partirent vers les bureaux tandis que les matelots commençaient à décharger la carassonne et le merrain.

Parvenus dans la cour pavée où d'ordinaire Jean Delmas, mystérieusement prévenu, les accueillait comme des amis, ils furent surpris de ne pas apercevoir sa silhouette familière. Ils se rendirent compte que la cour était déserte, alors que d'habitude toutes sortes de gens s'y pressaient. Intrigués, ils entrèrent dans le bureau dont la porte était entrebâillée mais qui, lui aussi, était désert. Victorien appela. Comme nul ne se manifestait, il appela de nouveau et, au bout de quelques secondes, une femme apparut et leur demanda ce qu'ils voulaient.

— Je suis Victorien Donadieu, dit le père, et je voudrais parler à Jean Delmas.

La servante, une petite brune, boulotte, aux yeux éteints, répondit qu'elle allait prévenir sa patronne et disparut. De plus en plus inquiets, Victorien et Benjamin durent patienter deux ou trois minutes supplémentaires avant de voir apparaître une femme vêtue de noir, aux traits délicats, grande et fine, qui approcha avec une sorte d'élégance glacée, bien différente de la bonhomie souriante de son mari. Un petit homme marchait derrière elle, mais ce n'était pas Jean Delmas. Il demeura près de la porte qui communiquait avec les appartements tandis que la femme, elle, s'avançait vers les visiteurs.

— Je suis Victorien Donadieu, dit le père, et j'avais l'habitude de retrouver M. Delmas dans ce bureau dès mon arrivée.

— Oui, dit la femme en s'inclinant légèrement vers lui, ma servante m'a mise au courant.

Et, après avoir pris une inspiration qui parut lui coûter :

— Mon mari est décédé il y a huit jours, monsieur. Il était tombé gravement malade... Le cœur... Complications pulmonaires... Les funérailles ont eu lieu mardi.

Le choc fut si violent que Victorien ne sut que bredouiller des condoléances et des excuses auxquelles elle répondit par un sourire poli. Benjamin, lui, songea aussitôt à Emeline, à ses menaces, et se demanda comment la nouvelle de la mort de Jean Delmas avait été si rapidement portée jusqu'à Souillac. Elle avait dit vrai, pourtant, et peut-être même en savait-elle davantage sur les conséquences qu'allait provoquer ce décès inattendu. Qu'allait-il se passer? Il lui revint alors brusquement en mémoire que son père devait encore l'argent qu'il avait emprunté au marchand lors de la construction de la gabare seconde. Il songea également que Jean Delmas était devenu l'unique réceptionnaire du bois que descendait Victorien. Il entendit à peine la veuve remercier son père et présenter le petit homme qui se tenait près de la porte, une serviette de cuir à la main :

— Mon mari ne me tenait pas au courant de ses affaires. Voici maître Fabrègues, c'est avec lui que vous allez pouvoir régler les problèmes. Je vous prie de m'excuser, mais on m'attend à l'étage et maître Fabrègues saura mieux que moi vous mettre au courant.

Victorien et Benjamin s'inclinèrent avec respect, tous deux intimidés par la froide beauté de cette femme très digne qui faisait manifestement des efforts pour dissimuler son chagrin. Elle s'en alla, les laissant seuls en présence du notaire qui s'assit derrière le bureau et, de la main, leur désigna deux chaises.

Après quoi, il sortit des feuilles de papier de sa serviette et les examina un moment sans rien dire. Benjamin se sentait très mal, mais Victorien, la première émotion passée, avait repris son visage de tous les jours, quoiqu'un peu plus réservé, peut-être, du fait qu'il ne connaissait pas son interlocuteur.

— Voilà, dit enfin le notaire qui avait des yeux très étroits et louchait légèrement, il n'y aura pas de problème en ce qui concerne la marchandise commandée par M. Delmas : je suis chargé d'assurer les affaires courantes et donc de régler les fournisseurs. Cependant j'ai là sous les yeux une reconnaissance de dette de 3 000 francs qui demeure impayée. Il n'y a pas urgence tant que la vente n'est pas réalisée ; après, ma foi, les acheteurs aviseront.

— Quels acheteurs ? demanda Victorien.

— Ils sont plusieurs et la décision définitive n'est pas encore prise. D'ailleurs, depuis qu'ils savent que Mme Delmas a décidé de vendre — ils n'avaient pas d'enfants, comprenez vous ? — je suis sollicité chaque jour.

— Ce sont donc des marchands ?

— Un groupement de marchands, rectifia le notaire ; vous pensez bien que l'affaire de M. Delmas était devenue si importante que son rachat nécessite des fonds qu'il n'est pas aisé de rassembler en peu de temps.

— Ne pouvez-vous pas me dire quel est celui qui a les meilleures chances ? demanda Victorien.

Le notaire réfléchit un long moment, ne sachant s'il pouvait faire confiance à ces bateliers venus de loin et qui semblaient si désemparés.

— Ecoutez, dit-il enfin, si vous me promettez de ne tenter aucune démarche tant que l'affaire ne sera pas conclue, je veux bien vous donner un nom, mais un seul.

Victorien ne voyait pas d'utilité à connaître le racheteur s'il ne pouvait pas intervenir tout de suite auprès de lui, mais il répondit néanmoins :

— C'est entendu, vous avez ma parole.

Le notaire toussota, s'éclaircit la gorge, puis :

— A l'heure actuelle, la meilleure offre est celle de Jean Fourcaud, dit-il.

Et, comme le visage de ses interlocuteurs s'était brusquement assombri, croyant les rassurer :

— Il connaît très bien M. Lombard de Souillac. D'ailleurs, ils sont maintenant associés ; vous pourrez sans doute intervenir là-bas.

Si la foudre était tombée aux pieds de Victorien et de Benjamin, elle n'aurait pas eu plus d'effet. Ils demeurèrent un long moment muets, anéantis, perdus dans leurs pensées.

— Si je comprends bien, dit le notaire, vous êtes dans l'incapacité d'honorer cette créance.

— Pour le moment, fit Victorien, pour le moment.

Le notaire réfléchit, consulta d'autres feuilles de papier, précisa :

— Vous avez quand même un mois devant vous ; les ventes de cette importance ne se règlent pas si facilement.

Il ajouta, ne comprenant pas très bien pourquoi ses interlocuteurs paraissaient consternés de la sorte :

— Rien ne dit que les nouveaux propriétaires ne vous consentiront pas un délai de paiement.

— Non, fit Victorien, en effet.

Puis, revenant à des préoccupations plus immédiates :

— Pour la livraison en cours, qui va me payer ?

— Moi, répondit le notaire ; je vous ai dit que j'assurais les transactions jusqu'à ce que la vente soit devenue effective.

— C'est vrai, fit Victorien, excusez-moi.

— Ce n'est rien, dit le notaire de plus en plus circonspect.

Victorien n'avait plus rien à demander, et pourtant il ne parvenait pas à se lever. On eût dit que le monde entier pesait sur ses épaules. En fait, il songeait à tout le travail effectué depuis deux ans pour fortifier le réseau qu'il avait mis en place avec tant de difficultés, deux ans d'efforts quotidiens qui risquaient d'être réduits à néant en quelques jours. Ce fut Benjamin qui, le premier, réagit. Il se leva, posa sa main sur l'épaule de son père qui parut sortir d'un songe. Ils remercièrent le notaire qui les raccompagna jusqu'au portail, puis le père et le fils retournèrent sur le port. Ils ne se parlaient pas, trop préoccupés qu'ils étaient l'un et l'autre par la nouvelle qui venait de leur être annoncée. Mais Benjamin savait, lui, que la situation était plus grave encore que ne l'imaginait son père. Et s'il ne disait rien, c'était parce qu'il cherchait désespérément comment il allait pouvoir échapper à la vengeance d'Arsène Lombard.

Une fois sur le port, il se mit au travail avec les matelots, essayant d'oublier toutes les idées noires qui ne cessaient de se bousculer dans sa tête. Cependant, surpris de ne pas apercevoir Jean Delmas, les hommes demandèrent des explications à Victorien. Ils étaient en effet habitués à sa silhouette bonhomme, à sa faconde, à ses grands éclats de rire qui faisaient se retourner les débardeurs et les sacquiers. Victorien dut leur expliquer ce qui s'était passé : la brusque maladie du marchand, puis sa disparition tragique alors que rien, un mois auparavant, ne laissait supposer un tel drame. A partir de ce moment-là, les hommes ne parlèrent plus que de cette mort subite, sur le quai comme à l'auberge, le soir, où d'ordinaire ils partageaient le repas dans la bonne humeur.

Même là, dans la tiédeur de l'auberge et la compagnie chaleureuse des matelots, Benjamin ne put oublier Souillac, Arsène Lombard et ses menaces, et il ne trouva pas le courage de prévenir Victorien des dangers qui, tous deux, les guettaient. Une fois couché dans la soupente familière de l'auberge, il rêva qu'il courait sous la menace d'un orage et que la foudre le frappait comme les peupliers solitaires, l'été, au milieu des prairies.

8

Ce matin de juin avait déjà des lueurs de plein été. Tandis que le soleil achevait de boire la rosée, des vagues chaudes descendaient des collines, apportant avec elles des odeurs de rocaille et de bois sec. Parti pêcher au filet à l'aube, Benjamin ne se décidait pas à rentrer. Il savait que Marie, comme chaque jour, lui poserait des questions auxquelles il ne pourrait pas répondre. Et cela durait depuis un mois, exactement depuis ce fameux voyage à Libourne à l'occasion duquel il avait appris la mort de Jean Delmas. Il s'étonnait d'ailleurs qu'Arsène Lombard ne se fût pas manifesté et, loin de trouver dans ce retard des raisons d'espérer, il imaginait d'obscures machinations, toutes aussi redoutables les unes que les autres. Comment dans ces conditions eût-il pu répondre à Marie quand elle lui parlait de leur mariage fixé à la fin du mois d'août ? Chaque fois, quelque chose en lui se nouait, et elle prenait son silence pour une trahison, un refus d'abandonner sa liberté, un manquement à la parole donnée. Il sentait qu'elle s'interrogeait, cherchant quelle faute elle avait commise pour qu'il s'éloignât d'elle ainsi, sans la moindre excuse ni la moindre explication. Elle souffrait sans doute autant que lui, et il se désespérait de l'impossibilité où il se trouvait de lui dire la vérité, étant incapable d'avouer qu'il avait rejoint une fois de trop Emeline dans le cabanon du jardin. Celle-ci ne se manifestait plus. Elle devait savourer sa revanche en apprenant les difficultés dans lesquelles se débattaient Victorien Donadieu et son fils. Dès qu'il pensait à elle, Benjamin revivait ce moment où elle l'avait attiré sur la paille et celui où Arsène Lombard avait surgi dans l'encadrement de la porte. Ce souvenir l'obsédait, assombrissait sa vie au point de lui faire perdre le sommeil. Si seulement Jean Delmas n'était pas mort au moment où était survenu l'épisode du cabanon ! Benjamin avait beau regretter, réfléchir, échafauder des plans, les événements qui se succédaient depuis plus d'un mois paraissaient l'entraîner vers un abîme.

Il ramena son filet à petites mailles d'où il dégagea des gougeons et des ablettes, puis il reprit les rames et partit dans la direction de Lanzac. Il n'avait pas vu Marie sur le chemin, ne l'aperçut qu'à l'instant où elle l'appela en agitant le bras. Son premier réflexe fut de l'éviter, mais il s'en voulut et vint accoster le long du chemin de rive.

— Je vais au bourg vendre ces pigeons, lui dit-elle en approchant sa joue qu'il effleura du bout des lèvres.

En réalité, elle les portait à l'abbé Pagès pour le remercier de la peine qu'il prenait à lui apprendre à lire, mais elle avait décidé de n'en rien dire à Benjamin tant qu'elle ne serait pas certaine de sa réussite. Comme il demeurait lointain et qu'il semblait pressé de s'en aller, elle demanda :

— Tu ne veux vraiment pas me dire ce qui ne va pas ?

— Je t'ai déjà dit cent fois que tout allait bien, répliqua-t-il avec une agressivité qu'il regretta aussitôt, tellement elle en parut blessée.

— Bon ! eh bien, je m'en vais, fit-elle avec une petite moue de tristesse.

Il fut tenté de la retenir, mais qu'aurait-il pu lui dire ? Il la regarda s'éloigner en soupirant, malheureux de ce fossé qui se creusait de plus en plus entre eux.

Lorsqu'elle eut disparu derrière un taillis d'églantiers, il repoussa la barque d'un coup de rame, redescendit le courant jusqu'au port où il accosta près de la capitane. Là, il enfouit ses poissons dans un sac, monta sur le quai, discuta un moment avec des matelots qui graissaient les rames des bateaux, puis il partit. C'est en passant devant la porte de l'entrepôt de sel qu'il se trouva face à Arsène Lombard qui, manifestement, l'attendait.

— J'ai quelque chose à te dire, Donadieu, fit le marchand d'un ton qui n'augurait rien de bon.

Benjamin, surpris, fut d'abord tenté de forcer le passage, puis il songea qu'une altercation valait mieux que cette incertitude, ces menaces obscures qui le rongeaient.

— Viens avec moi, on sera plus tranquilles à l'intérieur !

Et, comme Benjamin hésitait, ne sachant s'il n'allait pas tomber dans un nouveau piège :

— Il vaut mieux pour toi et aussi pour ton père.

Le fait que Victorien fût en cause suffit à le décider : il préférait affronter le danger seul et, si possible, l'écarter avant que son père ne fût directement menacé. Il passa donc devant le marchand, entra dans l'entrepôt qui sentait le salpêtre et l'humidité, puis dans le bureau où il resta debout, face à Arsène Lombard qui referma la porte derrière lui. Une fois seuls, ils se mesurèrent un instant du regard, puis le marchand lança :

— Voilà, petit, c'est tout simple : tu vas quitter le pays le plus tôt possible. Tu n'as pas le choix : j'ai racheté le fonds de Delmas avec mon ami Fourcaud, et j'ai trouvé une créance de 3 000 francs. Si ton père ne me paye pas dans les huit jours, je le fais mettre en prison. Si tu t'en vas, je lui donne le délai qu'il voudra.

Il ajouta, tandis que Benjamin, assommé, tentait de rassembler ses idées :

— Le mieux est que tu t'engages dans la marine. Je sais que tu as tiré un bon numéro, mais tu n'as qu'à te vendre. D'ici que tu reviennes, ma fille sera mariée et elle t'aura oublié.

Il se tut, s'appuya au mur, glacé, implacable, sans que le moindre sourire ne vînt trahir sa satisfaction. Benjamin avait senti son sang refluer de ses mains et de son visage. Il faillit s'élancer pour frapper, mais il pensa à son père, à tous ses efforts vains, et il reprit suffisamment d'empire sur lui-même pour ne pas bouger. Il inspira profondément, murmura :

— Je n'ai jamais voulu me marier avec votre fille.

— C'est pour cette raison que tu la retrouvais dans le cabanon ? grinça le marchand.

Benjamin secoua la tête, essaya de trouver une parade, mais le sourire perfide d'Emeline flotta un instant devant ses yeux et il se sentit totalement impuissant à se défendre. Pourtant il ajouta, comme s'il s'agissait seulement d'un mauvais rêve :

— Je dois épouser Marie Paradou à la fin du mois d'août.

— Ça m'est égal. Tant que tu seras là, ma fille refusera de se marier : je veux que tu partes, et vite !

— Laissez-moi un peu de temps ; je parlerai à votre fille.

— Rien du tout ; va-t'en !

Benjamin se sentit pitoyable. Il serra les dents, essaya de contre-attaquer.

— Votre fille ne vous le pardonnera pas, dit-il.

— Ma fille, je m'en charge ; occupe-toi donc de ton père si tu ne veux pas qu'il aille en prison !

Benjamin eut envie de tuer cet homme qui menaçait ce qu'il possédait de plus précieux. Ses lèvres et ses mains tremblaient, il regardait fixement les yeux du marchand où il lisait à la fois une haine terrible et une détermination irrévocable.

— Vous, les Donadieu, reprit Arsène Lombard qui cherchait visiblement à l'accabler, vous avez toujours voulu être plus forts que les autres ; vous n'avez jamais su rester à votre place. Eh bien, vous allez vous apercevoir que vous n'êtes pas de taille à lutter avec nous : petits vous êtes et petits vous resterez !

A peine le marchand avait-il fini sa diatribe que Benjamin s'élança et l'empoigna au col de sa chemise. Ils roulèrent sur le sol et luttèrent un moment, le souffle court, résolus l'un et l'autre à l'irréparable. Malgré son âge, le marchand possédait une force de colosse, et Benjamin, pour résister, devait utiliser toute son énergie. Il parvint difficilement à desserrer l'étreinte des mains qui l'étranglaient, y réussit au prix d'une manœuvre délicate au terme de laquelle il se retrouva prisonnier du marchand qui l'écrasait de tout son poids.

Ils luttèrent ainsi plus de trois minutes, muets, terrifiants dans leur désir de tuer, avant que deux sacquiers, alertés par le bruit de la lutte, n'interviennent. Il leur fallut un long moment avant de pouvoir séparer les combattants qui semblaient tous les deux être devenus fous. Il était temps : pâles, défaits, tremblants de tous leurs membres, les deux hommes se relevèrent, chacun d'eux maintenu par un sacquier, mais possédés encore par la même rage, la même folie. Benjamin se retrouva coincé dans un angle de la pièce, meurtri mais prêt à reprendre le combat, à tomber sous les coups s'il le fallait pourvu que le marchand, lui aussi, fût atteint. Il essuya ses yeux aveuglés par la sueur. De longues secondes passèrent.

— Va-t'en, petit ! souffla Arsène Lombard d'une voix blanche, va-t'en vite ou tu ne sortiras pas vivant d'ici !

Les deux sacquiers s'étaient rangés à ses côtés. Benjamin eut la conviction que la menace n'était pas vaine. Il pensa à Elina, à Marie, inspira profondément, et les traits de son visage se détendirent.

— Va-t'en loin d'ici et ne reviens jamais ! reprit le marchand.

Benjamin ramassa son sac, se redressa, et, défiant toujours Arsène Lombard du regard, il sortit du bureau tête haute, sans même effacer le sang qui coulait sur ses joues.

En quelques jours, il était devenu complètement imperméable au monde extérieur. Ni le parfum des prairies ni le bleu du ciel de juin ne parvenaient à le tirer de ses méditations. Il ne cessait de penser à Marie, au piège dans lequel il était enfermé, à son père qu'il devait sauver. Que faire ? Il avait beau réfléchir, tourner et retourner le problème dans sa tête indéfiniment, il ne trouvait aucune issue et il lui semblait qu'il devenait fou.

La nuit, sa fenêtre ouverte sur les étoiles, il ne pouvait fermer les yeux et comptait les points lumineux jusqu'à ce que l'aube vienne le délivrer de ses angoisses. Parfois, quand il n'en pouvait plus, il utilisait le chemin si souvent emprunté lorsqu'il était enfant et partait dans les prairies, le long de la rivière où le parfum de l'herbe haute et de l'eau endormait un peu sa douleur. Pendant la journée, il s'appliquait à fuir Marie, ne supportant plus la candeur de ses yeux posés sur lui dans une interrogation muette. Mais le plus pénible, peut-être, c'était, durant les repas, le visage tourmenté de son père que la bonne humeur d'Elina ne déridait même plus. Alors Benjamin s'enfuyait dès qu'il le pouvait vers la Dordogne où il se jetait à l'eau et il nageait, nageait à en perdre le souffle, jusqu'à l'épuisement.

Un soir, Marie le rejoignit sur le rivage et, comme il réprimait difficilement un réflexe de fuite, elle le prit par le bras en demandant doucement :

— Mais qu'est-ce qu'on t'a fait ? Qu'est-ce qui s'est passé ?

Et, dans un sanglot étouffé :

— Je ne te reconnais plus, Benjamin, ce n'est plus toi. Si tu as encore un peu d'amitié pour moi, dis-moi ce qui est arrivé, je t'en supplie !

Comme il demeurait muet, vaguement hostile, elle ajouta :

— Tu sais bien que je peux tout comprendre...

Puis, après un silence :

— C'est à cause d'Emeline ?

Il fit un signe négatif de la tête mais ne répondit pas.

Elle voulait lui poser des questions sur la liste des invités à leur mariage, l'heure de la cérémonie, les musiciens à retenir, mais elle n'osa pas. Espérant provoquer une réaction, elle faillit lui dire qu'elle savait presque lire, mais quelque chose la retint au dernier moment, et elle se tut, désemparée par son silence.

Quelques minutes passèrent, pendant lesquelles ils regardèrent couler l'eau où se débattaient les éphémères, puis elle demanda doucement, dans une ultime tentative pour le ramener vers elle :

— Tu ne veux donc plus me faire confiance ?

Il sentit qu'elle essuyait une larme et dit, incapable de supporter son chagrin :

— S'il te plaît, Marie, laisse-moi seul ; dès que je le pourrai, je reviendrai vers toi.

Elle se leva sans un mot et se fondit dans l'ombre, tandis que, seul près d'un grand frêne, il frappait le tronc avec ses poings nus, se blessant jusqu'au sang.

Il prit sa décision la nuit qui suivit cette triste entrevue. Mieux valait réagir avant que tout fût détruit autour de lui, et cela par sa faute. Ce matin-là, donc, il se leva de très bonne heure pour préparer la barque et le filet et attendit son père sur le port. L'aube de juin coulait des crêtes comme un lait qui déborde, accompagnée par le chant des oiseaux. Quand Victorien le rejoignit, Benjamin comprit que lui aussi avait eu du mal à trouver le sommeil. Ils s'en allèrent en silence vers Lanzac, posèrent leur filet et pêchèrent à la ligne en attendant d'aller le relever. Aussi soucieux l'un que l'autre, ils évitaient de se regarder et feignaient d'être absorbés par leur pêche, pourtant de peu d'intérêt. Benjamin hésitait à parler, car il se demandait maintenant, le jour ayant succédé à la nuit, s'il n'avait pas pris sa décision sous l'emprise d'un abattement passager. Pourtant il eut beau échafauder d'autres plans, se torturer à n'en plus finir, il en revint au point d'où il était parti : il devait agir, ce matin ; maintenant.

Comme ils redescendaient en direction du port, il arrêta de ramer et accosta sur la rive gauche sous de grands peupliers.

— Il faut que je vous parle, père, fit-il d'une voix qui n'était pas aussi bien assurée qu'il l'eût souhaité.

Surpris, Victorien posa son regard d'acier sur son fils qui eut du mal à le soutenir et dit, tournant la tête vers la rive :

— Si nous marchions un peu ?

Victorien ne prononça pas le moindre mot, mais il monta sur la berge, attacha la chaîne au tronc d'un peuplier, et il rejoignit Benjamin qui s'éloignait déjà sur une sente où scintillait la rosée. Ils marchèrent un moment sans parler, tandis que Benjamin sentait une boule se former dans sa gorge en songeant à la gravité des mots qu'il allait prononcer. Après avoir cherché une dernière fois une issue impossible dans sa tête, il se retourna et dit soudainement :

— Père, je vais partir.

Puis, comme Victorien, le visage impénétrable, semblait ne pas avoir compris :

— C'est Arsène Lombard qui a racheté l'affaire de Jean Delmas ; nous allons devoir payer tout de suite.

A la lueur qui passa dans les yeux de son père, il eut la conviction qu'il le savait aussi. Alors, craignant de ne plus en avoir la force s'il tardait trop, il déclara hâtivement, sans reprendre son souffle :

— Je vais chercher un marchand d'hommes et m'engager pour sept ans. Avec les louis d'or qu'il me donnera, vous payerez Arsène Lombard et vous ne devrez plus rien à personne. Quand je reviendrai, je travaillerai avec vous, sur nos bateaux, et nous serons libres.

Voilà ! C'était dit. Benjamin se sentait mieux, soudain, et ne remarquait même pas la pâleur terrible de son père dont les épaules s'étaient affaissées et les mains tremblaient. Il dévisageait son fils avec une sorte de stupeur et semblait tout à coup moins grand, moins fort, un peu comme ce jour d'hiver où la seconde avait coulé au relais de La Roque-Gageac.

— Ecoute, fils, dit-il après un moment, je trouverai cet argent ; il ne faut pas que tu t'en ailles ainsi.

— Si, père, répondit Benjamin, il n'y a pas d'autre solution, vous le savez bien, puisque vous y réfléchissez comme moi depuis longtemps. Songez que lorsque je reviendrai tous les bateaux seront à nous et que nous ferons une fière équipe tous les deux.

Victorien ne trouva rien à répondre sur l'instant. Il s'éloigna de quelques pas, s'appuya au tronc d'un peuplier, regarda s'allumer les prairies, de l'autre côté de la Dordogne qui scintillait sous les premiers rayons du soleil. Il soupira plusieurs fois, ne se sentant pas le droit d'accepter cette proposition qui pourtant, il le savait, le sauvait du déshonneur.

— Ce n'est pas à toi à payer, petit, dit Victorien sans se retourner. Je trouverai cet argent.

— Disons que la seconde sera à moi et que vous la ferez marcher en attendant mon retour, fit Benjamin en s'approchant.

Victorien demeura silencieux un long moment, puis il se retourna enfin et murmura :

— Je te remercie, mais ça n'est pas possible.

— Et pourquoi donc ?

— Parce qu'un père ne peut pas laisser payer son fils à sa place.

Benjamin comprit alors qu'il ne le convaincrait pas sans tout lui dire. Comme il avait longuement pensé à ce moment, même s'il eut l'impression de se jeter du haut d'une falaise, il avoua :

— Je me suis battu avec Arsène Lombard, l'autre jour dans l'entrepôt ; c'est pour cette raison qu'il faut que je parte.

— Et pourquoi donc ? demanda Victorien d'une voix devenue métallique.

— Parce que je n'apprenais pas les nouvelles en écoutant les conversations des marchands ; c'est Emeline qui me renseignait.

Le regard que Victorien adressa à son fils étincela comme une lame de couteau.

— Emeline ? fit-il, sa fille ?

— Il nous a surpris l'autre jour dans le cabanon.

Victorien, stupéfait, paraissait peser un à un les mots qu'il venait d'entendre et Benjamin eut l'impression qu'il ne les comprenait pas. Aussi ajouta-t-il, d'une voix presque inaudible :

— Elle veut se marier avec moi et refuse tous les partis qu'il lui présente. Si je ne m'en vais pas, il va exiger ses écus.

Victorien sembla se tasser sur lui-même tandis que les paroles prononcées par son fils faisaient lentement leur chemin en lui. Benjamin devina que de la déception, mais aussi de la colère bouillonnaient dans sa tête. Mais le plus terrible, c'était sans doute ce silence qui s'éternisait et dans lequel rôdait la menace d'une déchirure. Enfin Victorien parut faire un effort sur lui-même et demanda :

— Tu étais seul avec elle dans le cabanon ?

— Oui, père.

Les yeux gris se voilèrent. Benjamin ne reconnut pas la voix qui lança avec une violence à peine contenue :

— Tu t'es mal conduit.

— Je sais, père.

Qu'aurait-il pu répondre ? Il ne le savait que trop qu'il avait été fou et qu'aucune excuse ne lui ferait trouver grâce auprès de son père. Celui-ci, passé le choc de la déception, s'était repris. Il recula de quelques pas et dit entre ses dents :

— Tu leur as fait du tort.

Et il ajouta plus bas, mais d'une voix qui tremblait un peu :

— On ne se conduit pas comme ça dans nos familles ; on respecte les gens quels qu'ils soient et on se garde d'être malhonnête.

— Je ne l'ai pas voulu, plaida Benjamin.

Victorien parut ne pas l'entendre.

— Tout le monde sur la rivière connaît la droiture et la valeur de la parole donnée des Donadieu ; je ne veux pas que cela change.

Il parut hésiter, buter sur les mots, mais il prit sur lui-même et lança :

— Ou tu te maries avec elle ou tu t'en vas !

Benjamin vacilla sous les mots qui avaient claqué comme un fouet.

— C'est Marie que j'aime, dit-il, et en même temps il sentit combien il était pitoyable.

— Je le croyais aussi ! jeta Victorien de plus en plus hostile. Si tu tiens vraiment à elle, tu l'épouseras dans sept ans, si elle veut toujours de toi.

Il y eut un long silence. Les deux hommes, figés, ne se regardaient pas et c'est à peine s'ils apercevaient la gabare du haut-pays qui, à moins de trente mètres d'eux, glissait sur les eaux transparentes.

— Et pour Marie ? Qui lui dira ? demanda Benjamin au bout d'un instant.

— Ta mère. Je lui expliquerai.

De nouveau ils se turent. Là-bas, de l'autre côté de la Dordogne, des enfants criaient dans les prairies. Plus haut, sur les collines, des perdrix s'appelaient dans les vignes et il semblait à Benjamin que ces bruits familiers n'auraient plus jamais la même importance. Quelque chose, ce matin, avait disparu de sa vie. Une source s'était tarie, sans doute celle de la complicité qui l'avait uni à son père et à laquelle il tenait pardessus tout.

— Allons ! fit Victorien après un soupir.

Et il partit vers la petite baie où était amarrée la barque. Benjamin le suivit en ayant l'impression que c'était un autre homme qui marchait devant lui, peut-être même un étranger. Pourtant, au moment d'embarquer, Victorien se retourna brusquement, arrêtant Benjamin du bras avec cette rudesse qui, chez lui, dissimulait l'émotion. Il murmura, cherchant son regard :

— Tu sais, fils, tout ça me coûte autant que toi.

— Je sais, dit Benjamin, soulagé d'avoir retrouvé le vrai Victorien.

Celui-ci hochait la tête, comme s'il n'arrivait pas à exprimer ce qu'il tenait à dire. Il se retourna brusquement et monta dans la barque en soupirant. Benjamin fit de même en songeant vaguement qu'il ne repartirait peut-être plus à la pêche avec lui avant de longues années. A cette idée, quelque chose en lui se noua douloureusement. Laissant la barque dériver en bordure du courant, ils revinrent vers le port lentement, très lentement, comme s'ils avaient voulu ne jamais arriver.

Benjamin partit le lendemain matin pour Sarlat où habitait l'un de ces marchands d'hommes dont l'occupation principale était de trouver aux fils de familles riches un remplaçant qui, pour quelques pièces d'or, acceptait de partir à leur place. Il faisait toujours aussi beau en ce mois de juin que le soleil auréolait d'une lumière magique, à même puisée, semblait-il à

Benjamin, dans la rosée de l'aube. L'air sentait le bois de châtaignier et la fougère humide et lui rappelait le voyage effectué avec son père dans le haut-pays. Cette lueur du jour, ces parfums si puissants réveillaient en lui des sensations si agréables, si précieuses, qu'il se demanda pourquoi il devait perdre tout cela. Quel crime avait-il commis ? Qui pouvait l'obliger à quitter sa vallée ? Il faillit faire demi-tour, hésita, puis il prit une sente forestière et s'assit sur une souche pensivement. Son regard erra un moment sur les guirlandes argentées des toiles d'araignées suspendues entre les branches des fougères, il respira à pleins poumons l'odeur acide de la mousse, ferma les yeux. L'image de Marie traversa son esprit. Pouvait-il l'abandonner ainsi après l'avoir trahie ? Il chercha encore une fois une solution qui lui permette de ne pas la perdre, mais il se heurta de nouveau à l'idée de son père à sauver et renonça. Allons ! Il fallait repartir et en finir le plus vite possible. Pourtant il attendit encore un instant, comme s'il voulait imprégner à tout jamais ses sens de cette forêt, de cette terre, de ces plantes et de ces arbres dont il allait se séparer, puis, infiniment las, il se leva et regagna la grand-route d'où, par endroits, il devinait le vif éclair de la Dordogne.

Il arriva à Sarlat vers la fin de la matinée et n'eut aucun mal à trouver la maison du marchand qui habitait sur la route du Bugue. Il poussa un portail, pénétra dans une cour entourée de massifs de buis, s'arrêta devant une lourde porte ornée de ferrures. Il s'apprêtait à frapper quand l'image de Marie, de nouveau, se forma devant ses yeux. Il n'en eut pas la force, revint vers la route et tomba sur le marchand qui rentrait chez lui, tenant par la bride un cheval gris attelé à un cabriolet. Celui-ci n'eut pas besoin de demander à Benjamin ce qu'il désirait : il avait l'habitude de ces visites au cours desquelles les détenteurs de bons numéros, la mine fière mais le cœur brisé, venaient se vendre.

— Attends-moi là, petit, dit-il ; le temps de dételer mon cheval et je reviens.

L'homme et l'attelage disparurent derrière la maison et

Benjamin songea que c'était le moment ou jamais de fuir. Il hésita, alla respirer les buis, revint vers le portail, fut tenté de courir et de disparaître, faillit s'élancer, mais la voix du marchand le retint au dernier moment :

— Viens par ici, mon gars ! lança-t-il en lui faisant signe de le rejoindre.

Et, comme Benjamin ne bougeait pas, il s'approcha et le prit par le bras en disant :

— Tu tombes bien ; j'ai un client et il y a un départ dans huit jours.

Benjamin remarqua qu'il était élégamment vêtu d'une lévite noire, d'un chapeau de la même couleur, d'une cravate et d'un gilet à fleurs agrémenté d'une montre à gousset. Il suivit le marchand qui semblait redouter une ultime hésitation de son visiteur et n'avait pas lâché son bras. L'homme le fit entrer dans une vaste pièce très sombre et s'assit derrière un bureau après avoir désigné à Benjamin un fauteuil aux accoudoirs en bois. La discussion fut vive et animée, car Benjamin avait compris que sa visite était providentielle et le marchand, lui, était rompu à ces négociations d'où il avait coutume de sortir vainqueur sans beaucoup de difficultés.

Finalement, après avoir feint à plusieurs reprises de s'en aller, Benjamin obtint exactement ce qu'il était venu chercher : 3 000 francs que le marchand lui paya comptant, certain, sans doute, d'en obtenir davantage de son client, l'un des plus grands propriétaires fonciers de tout le Sarladais. Ensuite, il fallut remplir et signer des papiers — dont une acceptation de rallier Rochefort au plus tard le 20 juin —, demander tous les renseignements nécessaires au voyage et remercier, malgré tout, comme si c'était le marchand qui rendait service et non pas le contraire. Benjamin ne s'y attarda pas. Il enfouit soigneusement les écus et les louis dans sa poche, salua et sortit dans la lumière vive du milieu du jour qui l'éblouit brusquement. Il ne sut si les deux larmes qui coulèrent au coin de ses paupières étaient dues à cette lumière trop vive ou si elles étaient nées de l'humiliation d'avoir vendu sept années de sa vie. Il serra les pièces dans sa poche et se mit en route, désespéré, plein de honte et de colère, pour aller se cacher le plus vite possible dans l'ombre épaisse de la forêt.

Il y demeura si longtemps qu'il arriva seulement chez lui à la tombée de la nuit. Elina et Victorien étaient assis, elle cousant, lui fumant la pipe, et tous deux se levèrent dès qu'ils l'aperçurent. Benjamin posa les louis d'or sur la table, devant Victorien, et s'assit en disant :

— Voilà ! il y a 3 000 francs et je pars demain matin pour Rochefort.

Elina abandonna son ouvrage, jeta un regard insistant à son mari pour l'inviter à intervenir.

— Pourquoi si tôt, petit ? fit ce dernier sans toucher aux louis d'or qui semblaient occuper tout l'espace.

— Parce qu'il y a un départ dans huit jours et qu'il me faudra bien la semaine pour arriver à l'heure à Rochefort.

Victorien soupira, puis il s'assit et murmura :

— C'est peut-être mieux comme ça.

Elina servit son fils qui commença à manger sans lever les yeux de son assiette. Il savait sans la voir que sa mère le regardait. Il releva la tête, vit qu'elle souriait en retenant ses larmes et dit doucement :

— Sept ans, ce n'est pas grand-chose, mère.

Il savait que Victorien lui avait tout expliqué, et elle ne lui avait fait pourtant aucun reproche.

— C'est vrai, dit-elle, et peut-être nous reviendras-tu officier ?

Il la reconnaissait bien là, toujours prête à sourire, toujours confiante, même dans les pires moments de sa vie.

Il y eut un long silence, puis, après un soupir, elle ajouta sans se départir de son sourire :

— Je vais aller préparer tes affaires, puisque c'est pour demain.

A cet instant, on entendit frapper à la porte entrouverte et Marie entra.

— Bonsoir, dit-elle.

Et, aussitôt, comme elle avait perçu la tension anormale qui régnait dans la pièce :

— Je n'ai pas vu Benjamin de la journée et j'avais peur qu'il soit malade.

Ce fut Victorien qui réagit le premier en déclarant, le plus calmement possible :

— Je l'avais envoyé à Sarlat pour nos affaires

— Ah bon ! fit Marie qui sentait encore le malaise qu'avait provoqué son arrivée subite.

Puis, comme tous les trois la dévisageaient avec une insistance qui la mettait mal à l'aise, elle murmura, s'adressant à Benjamin :

— J'avais pensé qu'on pourrait peut-être aller se promener un peu.

Une sueur glacée coula dans le dos de Benjamin. Comment pouvait-il refuser sans éveiller ses soupçons ? D'ordinaire, avant que les événements ne se précipitent de cette manière, c'était lui qui insistait pour l'emmener le soir dans les prairies.

— Nous irons dès que j'aurai fini, dit-il, assieds-toi donc en attendant.

Marie prit place à la droite de Benjamin et s'étonna du silence qui succéda à ces quelques propos. Heureusement Elina entama une conversation ménagère et la fit durer jusqu'à ce que Benjamin eût avalé son maigre repas.

— Allez ! viens ! dit-il en se levant, tu as raison, il doit faire bon ce soir.

Marie embrassa Elina, salua Victorien et suivit Benjamin dans l'ombre tiède de la nuit. Un chien hurlait au loin, et ses abois, portés par l'écho des collines, résonnaient dans la vallée avec une sonorité étrange. Haut dans le ciel, des continents de nuages filtraient la lueur de la lune et la faisaient par moments disparaître comme un montreur de tours derrière son chapeau.

— Que se passe-t-il ? demanda Marie doucement. Vous vous êtes disputés ?

— Un peu, répondit-il, satisfait qu'elle ait d'elle-même trouvé une explication.

Elle sentit qu'il mentait ce soir comme il mentait depuis deux mois. Mais elle ne lui en fit aucun reproche et continua de marcher près de lui, ne s'étonnant même plus qu'il ne la prenne pas par les épaules, comme il en avait l'habitude auparavant. Elle regrettait déjà d'être venue le retrouver et se demandait quelle obscure raison l'avait poussée. Un pressentiment ? Une angoisse soudaine ? Non ! C'était peut-être seulement le désir de marcher près de lui, de l'entendre respirer, de le sentir à ses côtés.

Ils arrivèrent à l'endroit où les femmes faisaient la lessive, au bout de la plage de galets. Elle s'assit sur le tronc coupé qui, d'ordinaire, leur servait de siège, puis, comme il s'asseyait aussi, mais sans l'approcher, elle lui dit doucement :

— Si tu ne veux plus de moi, je ne t'en voudrai pas, mais je t'en prie, dis-le-moi.

Il fut tenté de la prendre au mot, ce qui lui éviterait d'autres questions, mais il ne fut pas certain d'être assez fort pour jouer ce jeu jusqu'au moment de leur séparation. Conscient de ne pas pouvoir rester silencieux trop longtemps, il répondit :

— Il y a un problème grave à Libourne depuis la mort de Jean Delmas.

— C'est si grave ?

— C'est très grave.

— Alors pourquoi ne pas me l'avoir dit plus tôt au lieu de me laisser imaginer le pire ?

— Parce que je ne voulais pas t'inquiéter.

Elle lui fit face, s'avança à le toucher.

— Mais j'étais bien plus inquiète encore ! dit-elle ; j'ai imaginé des tas de choses, tu ne peux pas savoir !

— Si, je le sais, dit-il, mais c'est si grave qu'on ne va pas pouvoir se marier tout de suite. Il faut que j'aille là-bas quelque temps.

Elle se retint de respirer, puis elle se dit qu'elle allait pouvoir profiter au maximum des leçons de l'abbé et qu'ainsi, peut-être, elle saurait lire avant le mariage Quel merveilleux cadeau ferait-elle alors à Benjamin ! Déjà résignée, elle demanda :

— Ce sera long ?
— Un peu, dit-il.
— Un mois ?
— Un peu plus.
— Deux mois ?

L'ampleur de la tâche lui fit comprendre qu'il avait été fou de s'engager sur ce terrain-là. Il ne sut que répondre, murmura seulement :

— Je ne sais pas.

— Mais enfin ! s'exclama Marie, qu'est-ce qui se passe vraiment là-bas ?

— C'est à cause du bateau qu'on n'avait pas fini de payer ; je dois travailler pour rembourser.

— Ah ! fit-elle.

Puis elle ajouta, donnant encore une fois sa confiance avec un tel naturel qu'il eût préféré ne jamais entendre ces mots :

— C'était si simple de tout me dire ! tu sais bien que, s'il le fallait, je serais capable de t'attendre toute ma vie !

Benjamin se sentit accablé par un tel dégoût de lui-même qu'il faillit tout lui dire. Pourtant il murmura simplement, s'efforçant de sourire :

— Si tu peux attendre un peu, ça suffira.

Elle se laissa aller contre lui et il ne se refusa pas à ce contact dans lequel elle le retrouvait tel qu'il était vraiment.

Devant eux la rivière étincelait sous la lune comme un torrent couronné d'écume.

— Tu dois être fatigué, dit Marie, songeant à son voyage de la journée à Sarlat.

— Un peu, dit-il, espérant ainsi écourter son épreuve.

Et il songea en même temps qu'il ne la reverrait peut-être plus avant sept ans. Quelque chose en lui se révulsa brusquement.

— Ça ne fait rien ; marchons un peu, dit-il pour ne pas avoir à la quitter si vite.

— On pourrait plutôt se baigner, fit-elle en cherchant à l'entraîner.

Il hésita, sachant qu'en ce mois de juin l'eau devait être encore froide, puis il se leva, poussé par la pensée que c'était la dernière fois.

Malgré le soleil qui dorait la vallée depuis le début du mois, l'eau, effectivement, était très froide. Elle portait encore des courants qui rappelaient les neiges du haut-pays. Nageant côte à côte comme ils en avaient l'habitude, Marie et Benjamin traversèrent lentement, précipitant leur allure quand le froid les saisissait, reprenant un rythme normal dès qu'ils retrouvaient la température ordinaire de l'été. De l'autre côté, sur la berge tapissée d'herbe, ils s'assirent un moment à l'endroit où souvent ils s'allongeaient face au ciel, mais, ce soir-là, ils ne s'y hasardèrent pas : ils avaient trop froid. Ils marchèrent quelques minutes en silence, puis, d'un accord tacite, ils traversèrent de nouveau, afin de se sécher et s'habiller rapidement. Marie, alors, se serra contre lui si violemment qu'il eut la certitude que son instinct l'avertissait d'un malheur imminent. Il la repoussa doucement en disant :

— Il faut rentrer maintenant ; on prendrait mal.

Elle n'insista pas, lui tint simplement le bras tout le temps qu'ils mirent à revenir vers le port où ils entendaient crier des enfants malgré l'heure avancée de la nuit. Ils s'arrêtèrent sous le grand chêne qui abritait d'ordinaire leurs retrouvailles et leurs séparations.

— Bonne nuit, dit-elle.

Il l'embrassa mais se détacha d'elle aussitôt.

— Bonne nuit, dit-il.

Puis, prenant la tête de Marie entre ses mains, il la regarda un long moment à la lueur de la lune comme pour incruster à tout jamais son visage dans sa mémoire.

— Marie, murmura-t-il, Marie...

Il ne put en dire plus. Conscient qu'il allait se trahir, il fit brusquement demi-tour et s'éloigna en courant, tandis qu'elle le regardait se fondre dans l'ombre, immobile, une folle angoisse en elle, vaguement consciente de le perdre sans en connaître la raison.

Il courut jusqu'à sa maison, entra dans la cuisine déserte où les braises achevaient de s'éteindre dans la cheminée. Il songea que, s'il attendait le lendemain matin, il n'aurait pas le courage de dire au revoir à son père, à sa mère et à Fantille. Peut-être même ne trouverait-il pas la force de les quitter. Il s'assit quelques minutes, attendit dans l'obscurité pour être sûr que Marie fût rentrée, puis, après un dernier regard pour cette pièce chaude où il avait été si heureux, il ouvrit doucement la porte, et, une pince géante refermée sur sa poitrine, il s'en alla lentement dans l'obscurité.

Marie n'avait pas dormi de la nuit. Plus que de la déception de son mariage remis à plus tard, elle n'avait pu se libérer de l'angoisse qui l'étreignait. Car elle avait la conviction que Benjamin ne lui avait pas tout dit et elle sentait rôder au-dessus d'eux une menace. Aussi s'était-elle levée avant le jour pour effectuer les menus travaux domestiques que sa mère, de plus en plus, négligeait.

L'esprit hanté par Benjamin, elle s'occupa à nettoyer la souillarde, à ravauder des vêtements, à préparer le repas, puis elle sortit pour aller chercher du bois dans la réserve. L'aube pointait, légère et fraîche comme les aubes de juin, et le soleil commençait à éclairer, sur la crête des collines, cette frange de ciel par où coule le jour. Depuis les maisons du port jusqu'à celles du bourg, des coqs se répondaient... Mais pourquoi la lumière brillait-elle déjà dans la cuisine des Donadieu ? Sans même s'en rendre compte, comme aimantée par la lueur qui filtrait entre les volets, Marie se mit en marche vers la maison de Benjamin. A mi-chemin, elle aperçut Victorien qui sortait et, l'air préoccupé, prenait la direction du port. Elle pensa à un malheur survenu pendant la nuit, courut jusqu'à la porte, frappa, et, comme nul ne répondait, entra. Elina était assise, très droite près de la cheminée, mais avec un air hagard que Marie ne lui avait jamais vu. Elle eut beau s'essuyer furtivement les yeux et esquisser son sourire familier, Marie vit distinctement disparaître un mouchoir dans sa poche. Et, quand Elina se leva pour l'embrasser, elle serra Marie contre elle un peu plus longtemps qu'elle n'en avait l'habitude. Puis elle s'assit de nouveau, soupira :

— Eh bien, ça y est ; il est parti.

— Ce ne sera pas long, fit aussitôt Marie qui s'étonnait, chez une femme d'ordinaire si forte, d'un si profond désarroi.

— Tout de même, dit Elina, sept ans !

D'abord Marie ne comprit pas. Les mots demeurèrent en dehors d'elle, comme si elle était incapable de les recevoir.

— Sept ans, répéta Elina en hochant la tête.

Un torrent glacé coula sur les épaules de Marie qui eut l'impression que son cœur s'arrêtait. Elle s'assit face à Elina, demanda :

— Comment ça, sept ans ?

— Sept ans, ma fille, dit Elina en posant la main sur son bras.

— Non ! dit Marie.

Mais le regard d'Elina lui fit comprendre que c'était la vérité et que le malheur qu'elle avait redouté s'était bien abattu sur elle pendant la nuit. Elle porta ses mains devant sa bouche comme pour s'empêcher de crier, ferma les yeux, gémit :

— Oh non ! Elina ; dites-moi que ce n'est pas vrai !

Elina, accablée, répondit :

— Si, ma fille, il est parti pour sept ans.

— Mais pourquoi ? cria Marie.

Elina lui expliqua en quelques mots qu'Arsène Lombard menaçait de faire jeter Victorien en prison s'il ne payait pas tout de suite la somme empruntée pour la construction de la gabare seconde, et que Benjamin avait obtenu l'argent nécessaire chez un marchand d'hommes. Elle ignorait l'épisode du cabanon que Victorien lui avait volontairement caché, de même le fait que Benjamin et Lombard se fussent battus dans l'entrepôt. Victorien avait voulu ménager l'avenir et ne pas compromettre la possibilité d'un mariage entre Benjamin et Marie, un jour, quand tout serait oublié.

Celle-ci regardait fixement Elina qui hochait la tête, maintenant silencieuse.

— Il est parti loin ? demanda-t-elle.

— A Rochefort.

— Rochefort... Rochefort, répéta Marie... alors il est dans la marine ?

— Oui, ma fille.

Le premier choc passé, elle comprenait mieux maintenant l'attitude de Benjamin pendant les dernières semaines. Mais, au fur et à mesure qu'elle réflechissait, elle mesurait toutes les conséquences de ce départ si soudain.

— Pourquoi ne m'a-t-il pas expliqué ? demanda-t-elle.

— Si tu avais cherché à le retenir, il n'aurait jamais pu partir ; et il le fallait.

— J'aurais compris et je ne l'en aurais pas empêché.

— Qu'est-ce que ça aurait changé, ma fille ? demanda Elina doucement ; ça n'aurait servi qu'à rendre son départ plus difficile pour tous.

— Peut-être, dit Marie, mais j'aurais tellement aimé qu'il me fasse confiance.

— C'est sans doute en lui qu'il n'avait pas confiance, tu comprends ?

Marie eut un pauvre sourire qui s'effaça très vite.

— Et puis tu sais, reprit Elina, il reviendra peut-être dans trois ans en permission.

Trois ans sans le voir ! Etait-ce possible ? Il lui sembla qu'elle ne pourrait jamais vivre jusque-là et, tout à coup, quelque chose en elle se brisa. Se levant brusquement, elle sortit et s'enfuit dans l'aube en train de naître, taraudée par l'idée qu'il avait gardé tout le poids de sa décision sur lui pour lui éviter de souffrir, alors qu'elle le soupçonnait de ne plus vouloir d'elle.

Une fois sur le port, elle prit sur la droite et continua de courir en direction du Raysse dont la masse grise émergeait de la nuit. Mon Dieu ! Trois ans ! se répétait-elle en songeant à cette façon qu'il avait eue, la veille au soir, de la quitter sans rien lui laisser soupçonner de son départ. Un point de côté la força à s'arrêter. Elle reprit son souffle puis repartit en marchant vers la rive. Là, un vertige la saisit et elle glissa lentement sur l'herbe où elle demeura allongée un long moment. Puis, quand la fraîcheur du matin eut dissipé son malaise, elle se releva et, prenant de l'eau dans ses mains, elle s'humecta le visage et se sentit mieux. Alors, au lieu de revenir vers le port, incapable d'ordonner ses pensées, elle continua de marcher vers le rocher, murmurant :

— Qu'est-ce que je vais faire, moi ?

Et elle répéta plusieurs fois, comme si ces quelques mots avaient seuls le pouvoir de l'apaiser :

— Mais qu'est-ce que je vais faire ?

Une fois parvenue en haut du chemin de rive, elle s'assit juste au-dessus du gouffre, ramena ses jambes sous elle, et, comme elle tremblait, les encercla de ses bras. D'abord elle demeura immobile en évitant de regarder l'eau d'un vert sombre dont le remous bouillonnait contre la falaise, puis son regard y revint malgré elle et, comme cette fois où, malgré Vivien, elle avait plongé dans le gouffre, elle se sentit irrésistiblement attirée. Elle descendit de quelques mètres, se retrouva juste en surplomb du remous, ferma les yeux. Cela suffit à la libérer de l'attraction de l'eau, mais le sortilège l'enveloppa de nouveau dès qu'elle les rouvrit. Heureusement son regard se posa sur la plage de galets où elle s'était échouée après avoir échappé à la noyade et elle se souvint de la fabuleuse impression ressentie ce jour-là : rien ne valait une minute de vie, rien n'était meilleur que de pouvoir sentir, entendre, respirer, vivre enfin comme on devait avoir envie de vivre à dix-huit ans. Au même moment, le soleil surgit au-dessus des collines et la même délicieuse sensation de chaleur sur la peau l'envahit. La rivière se mit à fumer comme un drap ouvert sur un pré, les feuilles des peupliers frissonnèrent, les couleurs de la vallée s'enflammèrent et, d'une colline à l'autre, la rosée de la nuit s'illumina... Marie songea avec une sorte d'apaisement que le bonheur serait de vivre de nouveau cela près de Benjamin. Il suffisait de se montrer patiente, à l'exemple des pêcheurs qui, en amont, jetaient l'épervier inlassablement. Une minute de vie valait une éternité, elle s'en souvenait, et elle était vivante, bien vivante, comme l'était aussi Benjamin qui reviendrait partager des jours, des mois et des années avec elle...

Essuyant ses joues, elle se leva, fit demi-tour en prenant mille précautions pour ne pas glisser, puis elle marcha vers le port où elle aperçut la silhouette de Victorien sur la capitane. Comme il devait lui en coûter, à lui aussi, d'avoir été contraint de laisser partir Benjamin ! Elle s'approcha du bateau, s'arrêta. Il se redressa, lui donna l'impression d'être content de sa présence. Ni l'un ni l'autre n'eut d'abord la force de prononcer le moindre mot, puis, esquissant un sourire, il demanda :

— Ça va, petite ?

Elle eut la certitude qu'il l'avait guettée, là-haut, sur le rocher.

— Ça va, dit-elle d'une faible voix.

— A la bonne heure, fit Victorien qui ajouta, plantant son regard d'acier brut dans le sien :

— Il fait beau le jour où il s'en va, il fera beau aussi le jour où il reviendra...

Et il se remit à l'ouvrage, tandis qu'elle s'éloignait vers sa maison, réconfortée par la conviction qu'elle ne serait pas seule dans l'attente qui venait de commencer ce matin de juin.

Troisième partie

LES RIVAGES LOINTAINS

9

Ce n'était pas la première fois que Benjamin montait en haut du mât de misaine, mais il l'avait toujours fait par beau temps. Or, aujourd'hui, le vieux vaisseau de 80 canons piquait du nez dans une mer monstrueuse dont les embruns atteignaient la dunette et recouvraient le pont tout entier. Là-haut, Benjamin se sentait minuscule sur l'immensité de l'océan qui déroulait des vagues d'un vert sombre dont les creux approchaient les sept mètres. Il évitait de regarder vers le bas, serrait ses doigts rendus gourds par la pluie sur les drisses qui claquaient dans le vent, faisait appel à toute son énergie pour ne pas tomber.

Une déferlante surgit à l'instant même où le *Duguay-Trouin* basculait sur sa proue, et Benjamin eut l'impression terrible, affolante, qu'il ne remonterait jamais. Pourtant, vibrant de toutes ses membrures, rejetant l'eau par ses deux écubiers, le vaisseau refit surface et poursuivit sa route, tandis que Benjamin, le cœur au bord des lèvres, cherchait un secours improbable vers la hune. Il ne parvenait pas à dénouer la drisse qui retenait la voile et se sentait affreusement seul, là-haut, dans la tempête, pour affaler le petit cacatois qui claquait dangereusement dans la tourmente, au risque de se déchirer. Il ferma les yeux, tira de toutes ses forces, parvint à dénouer la corde et, dans un ultime effort, à rabattre la voile sur la vergue où il put enfin l'attacher. Restait à redescendre. Le vieux vaisseau pourfendit de nouveau la mer avec son mât de beaupré, s'enfonça presque entièrement dans les flots, vibra, parut se disloquer mais remonta, rejetant l'eau de toutes parts. Accroché à l'échelle, transi, aveuglé par la pluie, Benjamin descendit lentement, assurant bien ses prises, comptant mentalement les pas qui le séparaient du pont.

A l'instant où il y posa le pied, une vague le cueillit sur son côté et l'envoya cogner contre le mât qu'il heurta violemment. Il porta sa main sur son crâne, essuya le sang, se releva et vint prendre sa place, debout près de l'officier en grand uniforme bleu, hausse-col, gilet pourpre, qui attendait les ordres devant la dunette du commandant. Là, tremblant de froid, Benjamin se demanda s'il allait pouvoir tenir son poste encore longtemps. Il était épuisé, tous ses muscles lui faisaient mal. En effet, il ne grimpait pas seulement au mât, mais il devait aussi assurer les corvées de pont avec la gratte, sous la surveillance du second maître, un homme brutal et redouté de tous, et prendre également part aux exercices de tir, sur la rangée de bâbord, derrière un canon de 36. Premier servant, le canonnier Benjamin Donadieu répétait les mêmes gestes pendant des heures et des heures, sous l'œil inflexible des officiers. Chaque jour qui passait lui faisait détester davantage cette vie qu'il menait depuis plus de deux ans. Heureusement, il y avait les heures de repos qu'il prenait dans son hamac de l'entrepont, et l'amitié qu'il avait nouée avec un Bergeracois, Pierre Bourdelle, un fils d'avocat qui avait refusé d'avoir recours à un marchand d'hommes, malgré la fortune de son père. C'était d'abord cela, sans doute, qui les avait rapprochés, ainsi qu'une certaine idée de la justice et du respect d'autrui. Et quand Benjamin ne parlait pas avec lui, il pensait à sa vallée, là-bas, si loin, à sa rivière qui lui paraissait maintenant beaucoup moins redoutable, à ses parents, à Marie qui l'attendait sans doute, mais comment savoir ? Ces deux années n'avaient en rien atténué les sentiments qu'il lui portait, au contraire · elles n'avaient fait qu'exacerber sa passion pour elle et aviver ses regrets de ne pouvoir vivre en sa compagnie.

Après plusieurs petits voyages le long des côtes, le *Duguay-*

Trouin avait traversé l'Atlantique jusqu'à la Guadeloupe et la Martinique où il avait fait escale pendant trois mois. Il rentrait maintenant à Rochefort où Benjamin comptait d'autant plus obtenir une permission que le prochain voyage devait durer deux ans. Sa destination en était l'île Bourbon[1], dans l'océan Indien, par-delà le cap de Bonne-Espérance, dont les officiers parlaient comme d'un lieu fabuleux.

La tempête prenait de la force. Toujours immobile sous la pluie, Benjamin rêvait à la chaleur des cuisines où les hommes mangeaient dans des écuelles du bouillon et des pommes de terre, parfois des raves qu'accompagnaient un morceau de pain et une timbale de vin. Ce n'était certes pas les galettes de maïs ou les saumons d'Elina, mais c'était au moins un peu de chaleur et de repos au milieu des journées interminables dont il avait perdu le goût... Le commandant ordonna de réduire encore la voilure et de mettre le bateau à la cape. C'était un vieux matelot au visage mangé par les favoris, qui suçait éternellement une pipe au fourneau large comme sa main.

— Affalez les voiles d'artimon ! hurla le braillard[2].

Aux côtés de Benjamin et de l'officier se tenait un garçon brun, frêle et de petite taille, que Benjamin connaissait bien : il s'appelait Jacques Malaurie, était originaire de Siorac, et vivait depuis leur embarquement sous la protection de Benjamin avec lequel il parlait volontiers du pays, de bateaux et de la rivière près de laquelle il avait vécu lui aussi. De faible corpulence, Malaurie souffrait des brimades que lui infligeaient les autres matelots et Benjamin, plus d'une fois, avait dû se battre pour lui, non sans risquer de se retrouver aux fers, à fond de cale, pour huit jours.

— Canonnier Malaurie ! hurla l'officier, au mât d'artimon !

Les trois hommes y voyaient à peine, tellement la pluie et la brume enveloppaient le vaisseau de plus en plus malmené par

1. La Réunion.
2. Sorte de haut-parleur.

le gros temps. Benjamin se dit que jamais son ami ne pourrait affaler les dernières voiles.

— Monsieur, laissez-moi y aller, dit-il.

Le regard froid de l'officier le cloua sur place.

— Canonnier Malaurie, répéta l'officier, exécution !

Jacques Malaurie jeta un regard désespéré à Benjamin, puis il s'élança comme on se jette à l'eau, glissa, tomba lourdement. Une lame l'envoya buter contre des cordages auxquels il s'agrippa et, dès que le bateau se redressa, il se releva, courut vers le mât qu'il atteignit en trois foulées, se mit à monter doucement, puis de plus en plus vite, et subitement, s'immobilisa.

— Affalez la perruche ! hurla le braillard.

Le petit canonnier parut ne pas entendre. Sans doute avait-il regardé vers le bas, et il restait accroché au mât sans bouger d'un pouce, paralysé. Le vaisseau, trop voilé, enfournait de plus en plus par la proue, menaçant de chavirer vers l'avant. « Il va tomber », se dit Benjamin qui, par réflexe, fit un pas en direction du mât.

— Je vous l'interdis ! hurla l'officier en le retenant par le bras.

Plongeant de nouveau dans les flots, le vaisseau, pris par une déferlante, se mit à gîter. Là-haut, Malaurie glissa, se rattrapa un peu plus bas, mais de justesse, avec un seul bras. C'était plus que n'en pouvait supporter Benjamin : repoussant l'officier, il s'élança, eut la chance de passer entre deux lames et atteignit le mât où il commença de grimper en regardant au-dessus de lui. Le froid nouait ses mains sur les drisses, le vent et la pluie battaient son visage, le déséquilibrant à chaque pas.

Enfin, après avoir plusieurs fois repris son souffle en inclinant la tête sur sa poitrine, il arriva à la hauteur de Malaurie, entoura son buste du bras, cria pour se faire entendre :

— Descends un pied... là... doucement...

D'abord Malaurie ne réagit pas, puis, une fois que Benjamin l'eut rassuré, il déplaça un pied, puis un autre, avant de s'immobiliser de nouveau.

— Encore ! dit Benjamin ; n'aie pas peur...

Le petit canonnier poussa un gémissement mais obéit. Alors, lentement, serrés l'un contre l'autre, ils redescendirent.

Une fois en bas, Malaurie s'accroupit, et, aussi pâle qu'un mort, demeura immobile au pied du mât, accroché à l'échelle de corde. Benjamin, lui, remonta pour affaler la voile, la fixa sur la vergue et redescendit, sans illusion sur ce qui l'attendait. Effectivement, dès que ses pieds touchèrent le pont, deux matelots l'encadrèrent tandis que l'officier criait :

— Canonnier Donadieu ! Aux arrêts !

Sans opposer la moindre résistance, il se laissa emmener à fond de cale, près de la poudrière, où le vieux matelot borgne qui vivait là avec ses chats lui passa les fers aux chevilles et aux poignets. Quand ce dernier eut refermé la porte, Benjamin se retrouva seul dans l'obscurité, au milieu d'une puanteur insupportable, dans la compagnie de rats énormes dont les yeux rouges brillaient dans l'ombre. Il se laissa aller contre la coque derrière laquelle battait l'océan en furie, soupira. Décidément, il ne s'habituerait jamais à cette hiérarchie aveugle, à cette violence permanente qui sévissait sur ce bateau. S'il n'était pas monté au mât, Jacques Malaurie serait tombé à la mer, il en était sûr, et ce ne serait pas le premier. Il en avait vu, depuis deux ans, des matelots disparaître dans les flots ou châtiés par la bouline [1] pour n'avoir pas pu monter au mât dans la tempête. Certains, même, par représailles, étaient plongés dans la mer au bout d'une corde jusqu'aux limites de l'asphyxie, et souvent y laissaient leur vie...

Les deux ans qui venaient de passer n'avaient été que deux ans de révolte muette, deux ans de vie perdue. Aussi avait-il décidé qu'au terme de sa première permission, il ne regagnerait pas Rochefort. Tant pis pour les conséquences s'il était repris. Il en avait déjà trop accepté, trop supporté. Personne n'avait le

1. Châtiment corporel qui consistait à faire passer un homme torse nu entre deux rangées de matelots munis de cordages avec lesquels ils le frappaient.

droit de lui imposer une pareille existence pendant sept ans... Inspirant bien à fond, il chercha refuge dans les souvenirs, pensa au port de son enfance, à la vallée, à Marie. Allons ! Il ne fallait pas désespérer ! Dans un mois, peut-être deux, il aurait retrouvé sa maison et la Dordogne, il se cacherait sur les collines où Marie viendrait le retrouver chaque nuit. Apaisé par cette pensée, il s'assoupit et parvint à oublier la tempête qui s'acharnait contre le *Duguay-Trouin* dont les membrures malmenées par les vagues géantes craquaient de toutes parts.

Pour Marie, ces deux ans avaient été interminables. Il ne se passait pas un soir, à la belle saison, sans qu'elle se rendît sur le port ou dans les prairies, aux endroits où Benjamin et elle avaient été le plus heureux. Avec le temps, un peu d'amertume venait se mêler aux regrets : pourquoi n'avait-il pas voulu se marier avant de partir ? Elle était obsédée par l'idée de n'avoir jamais pu s'endormir dans ses bras, de ne s'être jamais réveillée près de lui. Au lieu de cela elle dormait seule, guettait son pas sur les chemins, pensait à cette nuit de septembre où ils s'étaient aimés pour la première fois et, parfois, pleurait de rage. Il était devenu une ombre, un souvenir, alors que c'était d'un corps qu'elle avait besoin, et de deux bras, d'une voix, d'une présence, enfin, qui lui rendît le sourire et le goût de la vie.

Dans la maison, Amélie, sa mère, déclinait de plus en plus. Vivien, à quatorze ans, naviguait maintenant en compagnie de Vincent, sur la seconde. Les autres garçons grandissaient aussi, et, en l'absence du père et de l'aîné, devenaient difficiles à élever. Joseph avait douze ans, et Jean onze. Ils n'arrêtaient pas de se battre, passaient leur temps sur la rivière où ils pêchaient avec des filets aux mailles interdites, revenaient crottés et morts de faim, mangeaient salement, répliquaient à Marie qui s'efforçait de leur apprendre les bonnes manières, repartaient dès que leur estomac était plein sans jamais dire merci. Amélie n'était d'aucun secours à Marie. La pauvre femme perdait un peu la tête et ne cessait de parler de son François disparu tout en restant assise près de la cheminée, le plus souvent vacante et le regard perdu dans les flammes.

Ainsi pour Marie passaient les jours, dans l'attente et les souvenirs, mais aussi dans le travail dont elle ne venait jamais à bout, car elle se rendait toujours à Souillac pour aider Antonia — elle aussi vieillissante et malade — et profiter des leçons de l'abbé Pagès. Son savoir lui avait permis, en l'absence de Victorien, de lire a Elina la première lettre de Benjamin, arrivée il y avait un peu plus de six mois. Elle l'avait apprise par cœur, en connaissait chaque mot, se la récitait sur les chemins, au bord de l'eau, dans sa chambre aussi, la nuit, quand elle se sentait trop seule et ne trouvait pas le sommeil. Elle disait :

« Mes chers parents,

« Je vous écris par un ami, Pierre Bourdelle, qui est de Bergerac, pour vous donner des nouvelles de ma santé, qui est bonne, autant que la vôtre, j'espère. Nous allons appareiller pour l'île de la Martinique, mais je compte bien recevoir une permission à mon retour pour venir vous voir. Ici, il fait du vent et il pleut souvent, mais on mange à peu près à notre faim. Je connais maintenant l'océan où les vagues sont beaucoup plus grosses qu'à Castillon ou à Libourne. Mon bateau s'appelle le *Duguay-Trouin,* et c'est un 80 canons, mais ne vous inquiétez pas : on ne s'en sert que pour les exercices. J'ai avec moi un Malaurie de Siorac. Comme c'est un « pays », je peux parler avec lui de notre Dordogne et je ne m'en prive pas. Beaucoup de ceux qui ont tiré au sort avec moi ont été envoyés à Toulon. C'est beaucoup plus loin que Rochefort ; j'ai eu de la chance de trouver ce marchand d'hommes de Sarlat. J'espère qu'il n'y a pas eu d'accidents avec les bateaux et qu'à Libourne les affaires se sont arrangées pour le mieux.

« Faites bien mes compliments à tous les amis en leur donnant de mes nouvelles, et surtout à Marie. Je me languis beaucoup en pensant à vous et à elle, mais je tâche d'être patient. Je termine en vous embrassant — Marie aussi — et en vous promettant de revenir très bientôt.

« Votre fils affectionné.

« Benjamin Donadieu. »

« Je reviendrai très bientôt... je reviendrai très bientôt... » Marie ne cessait de se répéter ces mots riches de promesses, cet après-midi-là, sur le chemin du bourg, en allant aider Antonia, comme chaque jour. Elle marchait rapidement entre l'or mat des feuilles d'érable et le cuivre des chênes, quand les cloches de l'église se mirent à sonner. Elle n'en fut pas surprise, car elle savait depuis plusieurs jours qu'Emeline épousait l'un des fils de Georges Duthil, de Libourne. Elle se sentait tellement soulagée, tellement heureuse de ce mariage, qu'elle n'aurait pour rien au monde manqué la cérémonie. Ayant peur d'être en retard, elle courut jusqu'aux premières maisons, puis ralentit au fur et à mesure qu'elle approchait de la place, comme si, au dernier moment, elle redoutait d'avoir à affronter encore une fois Emeline.

Elle arriva à l'instant où le cortège sortait de l'église, se mêla à la foule des badauds qui se pressaient à proximité pour admirer les toilettes et féliciter les mariés. On reconnaissait parfaitement les gens de Libourne, mieux apprêtés que ceux de Souillac, à l'exemple du marié et de son père qui portaient des chapeaux hauts de forme, des gilets de soie où brillaient des chaînes en or, des cravates superbement ajustées et des chemises dont le col montait jusqu'aux oreilles. Les femmes, elles, portaient des robes longues aux épaules bouffantes qui laissaient découverts leurs cous parés de bijoux, des pendants d'oreilles, des châles, et, luxe suprême, des éventails qu'elles agitaient de l'air nonchalant, vaguement blasé, de celles dont les vies se rêvent.

Marie observa un moment l'époux d'Emeline qui était plus petit qu'elle et prenait des airs en parlant haut et fort. Elle sourit, sentit des frissons délicieux courir sur sa peau. Elle avait gagné. Même si Benjamin était parti pour sept ans, même si Emeline feignait d'être au comble du bonheur, elle savait qu'elle avait gagné. Cette certitude l'habita tout le temps que durèrent les félicitations d'usage adressées par les invités, les parents et les amis, aux jeunes mariés. Elle fut tentée un instant de se montrer à Emeline, mais elle y renonça rapidement, car il n'avait jamais été dans sa nature de provoquer qui que ce soit. Puis, peu à peu, demeurant cachée dans l'anonymat de la foule, il lui sembla que le monde où évoluaient les mariés lui demeurait lointain, inaccessible, et elle en éprouva un pincement au cœur d'autant plus douloureux qu'elle ne le comprit pas. Certes, elle avait gagné mais, en même temps, elle se sentait petite, toute petite, par rapport à ces gens si élégamment vêtus qui paraissaient tellement fiers d'être admirés, considérés, comme s'ils étaient ducs ou marquis.

Ce fut d'ailleurs ce qu'elle crut lire dans les yeux d'Emeline lorsque leurs regards se croisèrent. « Même si tu as gagné, disait ce regard, quoi que tu fasses tu n'appartiendras jamais au monde qui est le mien, celui que rejoindra peut-être un jour Benjamin quand il aura découvert des pays, toutes sortes de gens, se sera enrichi de mille rencontres, de mille secrets et qu'il reviendra différent, semblable à ceux qui te paraissent étrangers aujourd'hui. » Profondément déçue, furieuse contre elle-même, Marie fit demi-tour et se rendit au presbytère où elle se mit au travail sans plus tarder, avec une vigueur inhabituelle qui finit par consumer sa colère. Pourtant, cet après-midi-là, même la leçon de l'abbé ne lui parut pas aussi profitable qu'à l'ordinaire. Elle repartit tôt, courut pour sortir du bourg comme si elle devait échapper à un ennemi invisible, mais elle fut arrêtée au carrefour de la route de Sarlat par les voitures de la noce. Elle recula, se cacha derrière un mur, subjuguée malgré elle par ce carrousel de breaks, de cabriolets, de calèches décorés de rubans multicolores et conduits par des cochers qui semblaient tout droit venus de la cour du roi. Tout le temps que passa le cortège d'où s'élevaient des cris et des chants, elle se sentit sous une menace dont elle ne connaissait pas la nature.

Quand le cortège eut disparu, elle s'élança vers les prairies avec l'impression de regagner le domaine où elle était à l'abri des dangers. Tout en marchant, et pour parfaire ce sentiment de sécurité, elle pensa que le moment était venu de confier à Benjamin le succès de ses efforts : aujourd'hui, elle savait lire et écrire, et elle allait le lui prouver en lui envoyant une lettre. Elle en avait besoin. Ainsi il n'y aurait plus de différence entre ceux de Souillac et elle, ainsi sa victoire serait totale puisqu'elle comblerait le fossé qui, dans son esprit, l'avait toujours séparée d'Emeline.

Dès son arrivée, elle prit la plume d'oie qu'elle avait dégraissée dans les cendres, un petit encrier et des feuilles de papier achetés en secret à Souillac, et se mit au travail. C'était très émouvant pour elle, ce moment qu'elle avait attendu si longtemps, et elle ne trouvait pas les mots, soudain, alors qu'elle les avait si souvent formulés dans sa tête. Elle s'appliqua de son mieux, recommença plusieurs fois jusqu'à ce qu'elle soit tout à fait satisfaite, put relire, enfin, avec la certitude d'avoir réussi à traduire sa pensée :

« Cher Benjamin,

« Je t'écris ces quelques mots dans ma maison, car aujourd'hui, grâce à l'abbé Pagès, je sais lire et écrire. C'était mon secret depuis longtemps, mais je n'ai pas voulu te le dire tant que je n'avais pas fini d'apprendre. J'espère que tu seras content autant que je le suis. Notre santé est bonne, l'eau est marchande et les bateaux sont partis hier. Je me languis beaucoup depuis ta dernière lettre et je prie tous les jours pour que tu n'aies pas trouvé de tempêtes sur la route de l'île Martinique. Si tu pouvais écrire plus souvent, ce serait bien pour Elina et Victorien qui se font des soucis. Je t'espère pour ces prochains jours ou ces prochains mois, et je veux que tu saches que je suis pour la vie ta Marie affectionnée. »

Elle avait mis plus d'une heure pour écrire ces quelques lignes, mais la fierté l'embrasait. Elle se sentait merveilleusement bien, avait oublié ses impressions désagréables du début de l'après-midi. Ce fut donc avec plaisir qu'elle annonça à Elina, venue prendre des nouvelles d'Amélie, ce qu'elle avait fait. Elina la félicita et demanda :

— Tu lui donnes de nos nouvelles au moins ?

— Bien sûr ; et je lui dis aussi qu'on espère sa venue pour bientôt.

— A la bonne heure ! dit Elina en s'approchant d'Amélie, silencieuse, toujours assise à la même place au coin du feu.

Elle lui prit les mains, ajouta :

— Vous devez être contente que votre Marie sache lire et écrire, maintenant.

Amélie sourit, mais ne répondit pas. Marie se demanda si sa mère comprenait seulement ce qu'Elina lui avait dit. Elle se leva pour lui expliquer, mais, découragée par avance, renonça. S'adressant à Elina, elle demanda doucement :

— Et lui, Elina, croyez-vous qu'il sera content ?

Elina sourit et répondit :

— Non seulement il sera content, ma fille, mais encore il sera fier de toi.

En cet après-midi d'octobre, debout sur la capitane, Victorien Donadieu pensait aux tractations qu'il allait mener avec Jean Fourcaud, le marchand libournais à qui, désormais, il vendait son merrain. La concurrence devenant de plus en plus vive, là-bas, Victorien avait été contraint de signer un contrat, poussé en cela par Ambroise Debord qui avait fait le voyage, l'an passé, sur la capitane, tout heureux de descendre de ses forêts et de visiter les grands ports du bas-pays. Les affaires marchaient d'autant mieux que les risques de la descente se trouveraient bientôt diminués du fait de l'achèvement du canal de Mauzac à La Tuilière. Ainsi éviterait-on les dangers — et les pilotes — des rapides de Lalinde. C'était depuis quelque temps le principal sujet de conversation dans les auberges où les bateliers brocardaient volontiers ces pilotes qui avaient si souvent abusé de leurs prérogatives. On disait qu'une partie d'entre eux trouverait à s'employer aux écluses, mais si on se penchait sur le sort de ceux qui allaient se retrouver sans travail, c'était seulement pour en rire.

A Libourne, le sel blanc du Verdon arrivait beaucoup plus régulièrement en raison du développement de la flotte affectée à son transport, ce qui satisfaisait à la fois Victorien et les grossistes du haut-pays qui préféraient ce sel, d'excellente qualité. Comme les circuits des échanges s'étaient eux aussi améliorés, Victorien regrettait fort de ne pas être secondé par Benjamin pour mener à bien tant d'ouvrage. C'était un jeune homme de trente ans, Ghislain Claveille, qui tenait maintenant le gouvernail du gabarot. Victorien avait pensé le confier à Valentin, le mari d'Angéline, mais celui-ci avait manifesté sa volonté d'arrêter les voyages et s'était engagé comme contremaître aux forges de Cressensac. Ils avaient donc quitté le port, et on ne les voyait pas souvent. Elina, qui prenait régulièrement des nouvelles de sa fille, disait à Victorien qu'Angéline regrettait amèrement son départ, car elle vivait pour ainsi dire séparée de son mari qui travaillait jour et nuit. Même s'il ne l'avait pas montré, Victorien avait été déçu de ce départ. Il n'était pas loin de considérer que son gendre l'avait trahi et qu'il rendrait sa femme malheureuse. Contraint et forcé, il avait donc remplacé Valentin par Ghislain Claveille, un homme brun, aux fines moustaches, aux grands yeux noirs, qui était rentré de Toulon juste après l'engagement forcé de Benjamin. Originaire de Limeuil, celui-ci s'était rapidement intégré à l'équipage à qui sa connaissance de la navigation en haute mer en imposait. En l'écoutant, parfois, Victorien croyait entendre son fils et pensait au temps où il pourrait enfin se reposer sur Benjamin. Il imaginait des vieux jours paisibles, s'occupant du commerce avec le haut-pays, tandis que Benjamin mènerait les convois à Libourne et peut-être Bordeaux...

Dans l'après-midi déclinant, les eaux étaient marchandes

mais basses, la chaleur inhabituelle. Depuis la fin de la matinée les nuages s'amoncelaient au-dessus des roux, des bronzes, des jaunes des arbres encore lourds de leurs feuilles. L'air sentait la terre et le bois. L'orage ne cessait de gronder sur les collines où, de temps en temps, un éclair balafrait l'horizon couleur d'encre. D'épaisses vapeurs se levaient de la vallée et semblaient monter vers les nuages, se fondre en eux, les nourrir de la chaleur dérobée à la terre que les pluies tièdes de la quinzaine passée n'avaient pas suffisamment refroidie.

Victorien jugea qu'il avait le temps d'atteindre Sainte-Foy et le fit savoir à la seconde et au gabarot. Pourtant, plus les minutes passaient et plus le ciel s'assombrissait. Le trafic, lui, était intense, à la descente comme à la remonte, car on naviguait sur les premières eaux marchandes depuis l'été. Le convoi louvoyait entre des îles longues et sablonneuses où poussaient des aulnes, à hauteur du petit village de Gardonne. Des bateaux, on entendait claquer les volets des maisons et crier des hommes dans les prés. A deux cents mètres en aval, des gabarots limousins, lourdement chargés de bois et de châtaignes, traçaient un sillage grisonnant d'écume. Derrière le convoi de Donadieu, deux bateaux d'Angibeau suivaient, à moins d'une centaine de mètres du gabarot conduit par Claveille.

La première goutte s'écrasa sur la capitane avec un bruit mat, aussitôt suivie par plusieurs autres qui se mirent à crépiter comme grêle. En moins de trois minutes, le ciel parut s'ouvrir et le déluge s'abattit sur la vallée. Comme lancé à la poursuite des bateaux, le tonnerre courut sur la rivière noyée sous une gigantesque vague. Victorien, qui n'y voyait plus, cria pour se faire entendre du prouvier. Où se trouvaient les gabarots limousins ? Où était Angibeau ? Impossible de le savoir. C'était à peine si, en se retournant, il apercevait la seconde éloignée de lui de trente pieds. Il avait ordonné d'allumer des fanaux, mais il pleuvait trop et les matelots n'y parvenaient pas. Il savait que le convoi allait entrer dans le cingle du Fleix et qu'on ne pouvait pas s'arrêter sans prendre le risque de s'échouer. Il décida de passer le cingle et d'accoster dans les meilhes qu'il connaissait bien, à moins d'un kilomètre de là. Il transmit la consigne à l'un de ses matelots qui la répercuta à Vincent, sur la seconde. Il n'y avait pas d'autre solution que de gouverner au jugé, aidé par les hommes qui, debout malgré la tempête, guettaient les obstacles sur bâbord et tribord.

Cependant, comme la violence de la pluie augmentait, Victorien essaya d'obliquer vers le rivage pour chercher un passage. La capitane, aussitôt, rencontra des gravières et heurta le fond. Il regagna vivement le milieu de la rivière, suivi par Vincent qui l'avait accompagné dans sa manœuvre. Décidément oui, il n'y avait pas d'autre solution que de continuer vers les meilhes où l'on attendrait la fin de l'orage. En même temps que lui vint cette pensée, il entendit des cris sur bâbord et, quelques secondes plus tard, un choc sourd ébranla la vallée. Sentant le danger, Victorien tenta de se rapprocher de la rive droite, mais la capitane, comme lors de la première tentative, racla les gravières avec une plainte sinistre. Comme Victorien manœuvrait pour redresser son bateau, le prouvier cria :

— A bâbord, toute !

Victorien obéit aussitôt, cherchant en même temps à amorcer une dérive pour ralentir la course de son bateau, mais sa manœuvre n'avait aucune chance d'aboutir : un bateau de remonte, ayant rompu sa cordelle, était venu faucher deux gabarots limousins et formait avec eux un barrage infranchissable. La capitane les heurta par son travers, à peine ralentie par la manœuvre hardie de Victorien. Celui-ci, accroché à son gouvernail, demeura debout et cria pour prévenir Vincent, mais la seconde était trop près. Elle percuta le bateau de remonte avec un craquement d'arbre qui rompt ses racines, augmentant du même coup les dimensions du barrage. Restait le gabarot. Victorien put juger des qualités de Claveille qui, aux bruits, avait anticipé la manœuvre et surgit suffisamment sur bâbord pour éviter l'obstacle. Il passa sur la gauche comme un vaisseau fantôme et disparut en quelques secondes, avalé par la brume et la pluie. C'est alors que Victorien se souvint des bateaux d'Angibeau. Il cria de nouveau, imité par ses hommes qui essayaient toujours d'allumer un fanal. Angibeau, qui était un marin d'expérience, avait compris le danger, mais ses bateaux étaient beaucoup plus lourds que le gabarot de Claveille et ne se manœuvraient pas aussi facilement. Il réussit cependant à réduire sa vitesse en obliquant au maximum vers tribord, cherchant à s'échouer sans trop de mal. Le choc fut un peu moins violent que celui des bateaux de Donadieu sur les Limousins, mais la capitane en reçut tout le poids. Alors, sous le déluge qui continuait, tous les bateaux, comme amarres les uns aux autres, commencèrent à dériver vers l'aval, sans que nul ne connût la gravité exacte des voies d'eau.

Dans la tourmente, les hommes criaient, s'affolaient, et Victorien avait du mal à se faire entendre. L'un des gabarots limousin sombra. Ses matelots réussirent à regagner la rive, agrippés aux planches du chargement. La gabare qui avait rompu sa cordelle gîtait dangeusement. Elle perdait son sel comme un blessé son sang, et celui-ci se mêlait à la terre et à la boue que charriait maintenant la rivière.

Victorien, qui pensait que la seconde était plus gravement touchée que la capitane, cria à Vincent :

— Essaye de te dégager et accoste au plus près, quoi qu'il arrive !

Il valait mieux s'échouer que sombrer. Poussant sur les bergades, les matelots de Vincent parvinrent à prendre suffisamment de travers pour s'écarter des bateaux prisonniers. Victorien eut plus de mal, mais réussit lui aussi à se dégager et à obliquer vers tribord. Après avoir plusieurs fois heurté le fond, il accosta au jugé, au risque de se fracasser sur des rochers. Par chance, la berge était à cet endroit tapissée de bonne terre meuble, et plantée seulement de petits saules cendrés. L'accostage se fit donc en douceur et sans trop de dégâts, sinon pour le fond du bateau que les gravières avaient peut-être crevé.

Il pleuvait toujours. Des hommes arrivaient à la nage, portés par le courant. Les matelots de Donadieu les aidèrent à monter sur la berge puis se regroupèrent. Il fallait décharger le merrain au plus vite. Les hommes se placèrent de manière à former une chaîne et commencèrent à entasser le bois sur la rive. Pendant ce temps, Victorien recensa les blessés dont la plupart souffraient de bosses et de coupures, mais aucun, semblait-il, de fractures. Il aperçut la seconde échouée à une trentaine de mètres, s'approcha et trouva Vincent qui, lui aussi, organisait le déchargement.

— Est-ce que la brèche est profonde ? demanda-t-il.

— Je ne crois pas, fit Vincent ; dès qu'on aura déchargé, j'essayerai de colmater avec de l'étoupe.

Un éclair déchira le ciel, tout près, et la foudre fit éclater une yeuse dans le pré voisin.

— Ne vous mettez pas sous les arbres ! cria Victorien. A découvert ! A découvert !

Ceux qui déchargeaient le merrain, trop absorbés par le travail, ne l'entendirent même pas et continuèrent leur tâche avec la même fébrilité. On entendait crier en aval. Le tonnerre roulait sans interruption, comme si la tourmente prenait un malin plaisir à s'acharner sur ce coin de Dordogne. On y voyait de moins en moins car la brume, qui montait des rives, s'épaississait au fil des minutes. Victorien revint vers la capitane et prêta main-forte à ses hommes, un peu rassuré maintenant, son bateau, allégé de moitié, ne touchant plus le fond.

Quand le déchargement s'acheva, la nuit tombait sur la vallée. Victorien envoya un homme au village pour y chercher le charpentier. On avait pu enfin allumer quelques fanaux. Après inspection, il semblait que la capitane souffrît de deux fissures longues mais peu larges, sans doute aisément colmatables. La seconde, elle, présentait une brèche beaucoup plus importante, et il faudrait attendre le jour pour effectuer les travaux avec l'efficacité nécessaire.

Après avoir protégé le chargement au moyen du pralin, les matelots confectionnèrent de petites tentes avec les bâches disponibles. Il n'était pas question de se rendre au village, car il fallait veiller sur les bateaux qui risquaient de ne pas résister à la crue. La pluie tombait maintenant avec moins de violence, mais avec une régularité monotone et têtue. On entendait bouillonner la Dordogne dont les eaux gonflaient de minute en minute. Victorien envisagea un instant d'aller voir où se trouvait le gabarot, mais il pensa qu'il avait sans doute accosté après le cingle. C'était beaucoup trop loin et d'ailleurs Claveille devait s'être mis de lui-même à la recherche du convoi. Victorien se réfugia lui aussi sous un abri où il distribua de l'eau-de-vie à ses hommes transis. Certains essayèrent d'allumer un feu mais n'y réussirent pas. Les matelots s'apprêtèrent donc à passer une longue nuit de veille, accroupis dans le froid, tenus constamment en alerte par le crépitement de l'eau au-dessus de leur tête.

Quand le jour se leva, la pluie avait cessé depuis une heure. Les trois hommes du gabarot surgirent de la brume, conduits par Claveille qui s'empressa de rassurer Victorien : le bateau était amarré dans une meilhe calme à l'abri du danger. Un brouillard humide et sale recouvrait la vallée où l'on entendait ruisseler d'innombrables rus creusés par le déluge. C'était comme si les champs et les prairies chantaient. Leur fredonnement ininterrompu soulignait le roulement terrible de la Dordogne dont les eaux pâteuses charriaient des branches et des troncs arrachés par la crue. Les hommes avaient enfin allumé du feu et, serrés autour du foyer, ils buvaient du vin chaud en se brûlant les doigts. Précédé par le matelot dépêché par Victorien la veille au soir, le charpentier du Fleix arriva sur un char à bancs tiré par un cheval bai. Aidé par l'équipage, il se mit ausitôt au travail, afin de renforcer le colmatage de fortune effectué la veille. Il semblait maintenant que ni la capitane ni la seconde ne fussent réellement en péril. L'arrêt de la pluie et le lever du jour invitaient les matelots à plus d'optimisme. Aussi, deux heures plus tard, quand les travaux furent achevés, Victorien donna-t-il sans hésiter l'ordre de charger le merrain, d'autant que le tirant d'eau était suffisant pour gagner le lit de la rivière sans toucher les gravières. A midi, tout était terminé.

Le convoi repartit après que l'équipage eut pris un rapide repas sans redescendre des bateaux. Ce fut à l'instant où les bergades repoussèrent la capitane vers le large que Victorien pensa brusquement à Benjamin. L'idée qu'il fût parti inutilement pour sept ans fit couler des gouttes de sueur glacée sur son dos. Quelle catastrophe si les bateaux avaient coulé ! Alors, pour la première fois, il se demanda si, malgré sa passion pour la Dordogne, il n'était pas fou de lui consacrer toute sa vie.

Quand la porte de la soupente s'ouvrit, Benjamin fut à peine surpris de voir apparaître Pierre Bourdelle. Ce n'était en effet pas son premier séjour chez le borgne, loin de là. Ses idées originales, son caractère rebelle, son refus de toute hiérarchie lui avaient déjà fait encourir les foudres des officiers. C'était précisément cette révolte qui, au départ, l'avait rapproché de Benjamin. Ensuite, une fois qu'ils eurent fait connaissance, la Dordogne avait cimenté cette amitié naissante, avant de la fortifier encore en suscitant des souvenirs, des récits dont Pierre, qui habitait à Bergerac l'une des grosses maisons bourgeoises du port, face au faubourg de la Madeleine, n'était pas avare...

Le borgne lui passa les fers, grogna, prononça quelques mots incompréhensibles et referma la porte. L'obscurité se fit, isolant les deux hommes qui se faisaient face sans se voir.

— Qu'as-tu fait ? demanda Benjamin.

— C'est comme ça que tu me remercies ? plaisanta le Bergeracois. On dirait que tu n'es pas content de me voir.

— Bien sûr que si, je suis content ; mais ça finira par te coûter cher... Dis-moi ce qui s'est passé.

— Eh bien ! le pauvre Malaurie a eu droit à la bouline et j'ai tout simplement refusé de frapper. Dès qu'il sera sorti des griffes du médecin, il ne tardera pas à nous rejoindre.

— Pauvre Jacques ! fit Benjamin.

— Tu sais, reprit Bourdelle, je crois qu'on va pouvoir dire adieu à notre permission.

— Tu crois vraiment ? fit Benjamin.

— Il vaut peut-être mieux pour toi. Avec ton idée de déserter, tu serais repris aussitôt et tu te retrouverais dans un cachot pour longtemps.

Il ajouta, comme pour atténuer le découragement qu'il sentait monter chez Benjamin :

— Ne t'en fais pas ; la Dordogne ne s'arrêtera pas de couler.

Benjamin ne répondit pas. Il songeait que s'il ne pouvait pas quitter Rochefort avant le départ pour l'île Bourbon, il devrait patienter plus d'un an avant de revoir les siens. A cette idée, tout son être se révulsait et il se disait qu'il ne le supporterait pas.

— Je te répète une nouvelle fois, reprit Bourdelle en renouant le fil d'un discours qui lui tenait à cœur, que nous aurons beau déserter, nous cacher, nous ne serons jamais libres tant que nous ne vivrons pas en république.

Il avait étudié dans un pensionnat jusqu'à l'âge de dix-sept ans et il avait lu en cachette Montesquieu, Voltaire et Diderot. De la révolution de 1789, il n'avait retenu que la Déclaration des droits de l'homme et la proclamation de la République. Il prétendait qu'elle seule viendrait à bout de l'oppression, des inégalités et de la misère des petites gens.

— Réfléchis un peu ! disait-il souvent à Benjamin : 1815, 1830 ; nous n'avons guère que quatre ou cinq ans à attendre pour que le feu reprenne. Et cette fois, ce sera la bonne !

— J'espère bien que dans quatre ans je serai sorti de ce piège depuis longtemps, répliquait Benjamin qui ne savait trop ce que signifiait révolution et république et, comme son père, tenait toujours l'Empereur comme le plus grand des Français.

— Tu es bien du peuple, toi ! grinçait Bourdelle : vous ne savez que défendre ceux qui vous saignent aux quatre veines et vous envoient crever sur les champs de bataille.

C'était ainsi depuis le début d'une amitié qui ne cessait de grandir avec le temps, magnifiée par la lecture des mêmes livres et des discussions qui en résultaient. Pierre avait en effet emporté avec lui l'*Esprit des lois* de Montesquieu, un volume de l'*Encyclopédie* de Diderot et *L'Essai sur les mœurs,* de Voltaire. C'était d'ailleurs avec ces livres-là que son père l'avait instruit, quand il avait été renvoyé du pensionnat pour avoir tenu des propos offensants envers Louis-Philippe. Au début, Benjamin en lisait une page, parfois deux, perfectionnant les notions que lui avait données Victorien, le soir, sous la lampe, puis il s'était vite passionné, à mesure que Pierre lui expliquait ce qu'il ne pouvait pas comprendre. Ainsi de la séparation des pouvoirs législatif, exécutif et judiciaire qui ne devaient pas être tenus par une seule main ; ou encore du principe selon lequel « la liberté étant un présent du ciel, chaque individu de la même espèce a le droit d'en jouir aussitôt qu'il jouit de la raison ». Pierre prenait le temps de disséquer chaque phrase, de les commenter en faisant des projections sur l'avenir qui, par leur intelligence et leur nouveauté, éblouissaient Benjamin. Celui-ci, sans qu'il s'en rendît compte, s'imprégnait peu à peu de ces idées, en venait à haïr Bonaparte et Louis-Philippe.

Il s'étonnait maintenant que sa mère, Elina, ne sût pas lire ni écrire, parce qu'il était admis dans la vallée que les femmes n'avaient pas les mêmes facultés ni les mêmes besoins que les hommes. Mettre au monde des enfants, faire la cuisine et s'occuper de leur maison devaient suffire à leur bonheur. Le peu de savoir que détenait Victorien lui venait de son père, mais il n'avait jamais songé à le faire partager à sa femme. Et si Benjamin mettait en cause tout ce qui lui avait paru évident jusqu'alors, c'était parce qu'il devenait un autre homme, s'enrichissait chaque jour au contact de celui qui, par amitié, était venu le rejoindre dans la cale du *Duguay-Trouin.*

— Crois-tu que nous soyons loin des côtes ? demanda-t-il.

— On a passé les Açores depuis quatre ou cinq jours, répondit Pierre ; il nous reste donc deux semaines de mer, peut-être même plus ; cela dépend du vent, tu le sais bien.

Benjamin soupira, mais ne fit aucun commentaire, car un bruit de pas et des jurons résonnèrent dans l'escalier. Quand la porte s'ouvrit, trois chats en profitèrent pour se glisser à l'intérieur. Jacques Malaurie apparut ensuite, soutenu par le borgne qui le lâcha brusquement. Il tomba aux pieds de ses amis qui étaient impuissants à intervenir, gémit, provoquant les sarcasmes du borgne qui, en lui passant les fers, ne fit rien pour le ménager malgré ses blessures.

— Merci pour lui ! dit Pierre.

— Ta gueule ! répliqua le borgne en rappelant ses chats.

Et il sortit en proférant des menaces, comme à son habitude. La porte se referma, l'obscurité tomba sur les trois hommes qui, pour supporter la sensation d'isolement qu'elle suscitait, avaient besoin de parler.

— Ils t'ont drôlement arrangé, dit Benjamin.

— C'est rien, gémit le petit canonnier.

Et, avec un rire bref qui s'acheva dans une plainte :

— Vous connaissez le remède ; alors, qu'est-ce que vous attendez ?

Tous trois savaient en effet qu'ils ne trouvaient la paix que dans l'évocation de leur vallée, de leur rivière. Les souvenirs leur faisaient tout oublier de leur vie quotidienne, des rats qui grouillaient autour d'eux, de la discipline de fer qui avilissait les matelots déjà amoindris par la faim, le froid, l'humidité et les châtiments physiques.

Benjamin raconta la descente au cours de laquelle s'était produit l'abordage du gabarot limousin, à Limeuil, puis il parla de son voyage avec Victorien dans le haut-pays, d'Ambroise Debord, des forêts, des sources de la Dordogne où ses deux compagnons n'étaient jamais allés. Immobiles, les deux autres écoutaient en silence, avant de prendre le relais et d'évoquer, pour Pierre le port de Bergerac, pour Jacques les pêches miraculeuses grâce auxquelles les siens vivaient beaucoup mieux que de la culture de trois pièces de terre louées à ferme par son père au bord de la Dordogne.

Au terme de ces récits, ils retrouvèrent naturellement leur sujet de discussion favori qui opposait Pierre à ses deux compagnons : Benjamin et Jacques étaient d'accord pour déserter à la première occasion ; le Bergeracois, lui, essayait toujours de les en dissuader :

— Si vous êtes repris, dit-il, ce n'est pas dans un an que vous reviendrez chez vous, mais dans cinq.

— De toute façon, maintenant, après ce qui vient de se passer, il est sûr qu'ils ne nous lâcheront pas, dit Benjamin. Et si nous ne sortons pas de nous-mêmes, nous ne sortirons peut-être jamais.

— D'ailleurs nous ne serons pas les premiers, renchérit Jacques ; tu sais bien que dans toute la vallée il y en a au moins trente sur cent qui désertent.

— Je suis sûr que tu viendras avec nous, reprit Benjamin en s'adressant à Pierre.

— Attendez ! soyez patients ! répondit celui-ci ; il y a beaucoup de gendarmes et de mouchards dans la vallée. Mon père a secouru des dizaines de pauvres bougres qui ont été arrêtés sans même savoir qui les avait trahis !

— Attendre ! attendre ! fit Benjamin, tu ne comprends donc pas qu'ils nous considèrent comme des rebelles et que nous ne verrons peut-être plus jamais notre village !

Un bruit, dans l'escalier, les alerta. Ils se turent. C'était le borgne qui leur portait de l'eau et un morceau de pain bis. Il enleva leurs fers un par un, les servit en maugréant, les rudoya par habitude, comme s'il y prenait plaisir. Ils mangèrent rapidement, burent un gobelet d'eau, tendirent leurs mains sur lesquelles le borgne referma de nouveau les bracelets de fer, se retrouvèrent seuls dans l'obscurité maintenant familière. Des coups de canon retentirent sur le pont : les exercices avaient repris. Ils auraient au moins échappé à ça.

— Je vous ai déjà expliqué que la seule solution était d'attendre la révolution qui ne va pas manquer d'arriver, reprit Pierre. C'est notre seule chance. La vraie. La bonne. Celle qui durera et fera de nous des hommes libres.

— Dans vingt ans, peut-être, fit Benjamin.

— Mais non ! fit Pierre d'une voix excédée ; je te l'ai déjà dit : voilà deux fois que la bourgeoisie récupère les barricades à son profit. La dernière fois, le 30 juillet, alors que le peuple tentait d'instaurer la République à l'Hôtel de Ville, les députés libéraux sont arrivés avec le duc d'Orléans, l'ont fait monter au balcon avec La Fayette, lui ont mis dans les mains le drapeau tricolore. Le tour était joué. On avait trouvé le « roi des barricades », et pour le défendre on a créé la Garde nationale. Si bien que le dimanche, on peut voir parader des centaines de pauvres bougres qui n'ont même pas le droit de voter ! Tu ne crois quand même pas qu'ils réussiront à dépouiller le peuple de sa victoire une nouvelle fois ?

Pierre Bourdelle n'attendait pas de réponse : il s'enflammait tout seul, reprenait le cours d'une argumentation que Benjamin suivait mal, car son esprit s'évadait malgré lui. Il pensait à son père qui n'avait jamais voté et qui, sans doute, s'en moquait ; à Elina et à Marie qui avaient sûrement d'autres soucis en tête que l'avènement de la République. Est-ce que Marie saurait patienter le temps qu'il faudrait ? Avait-elle appris ce qui s'était réellement passé avec Emeline et son père ? Ce genre de questions ne cessaient de trotter dans sa tête, parfois tempérées par l'espoir qu'une lettre l'attendait peut-être à Rochefort. Que n'aurait-il pas donné pour pouvoir lire quelques mots écrits par Victorien, caresser la feuille de papier qui sentirait peut-être la fumée de la grande cheminée, savoir enfin ce qu'ils devenaient, comment vivait Marie, se rapprocher d'elle l'espace d'un instant, la toucher, lui parler ! Il fit un tel effort de mémoire qu'il parvint fugacement à retrouver des sensations familières : celle de l'eau de la rivière contre son torse et ses cuisses, l'éclair de la lumière en émergeant des grands fonds, le parfum des prairies, le goût sucré des lèvres de Marie... Voilà ce qu'aurait dû être sa vie, la vraie vie, le bonheur fou de la vie.

Il ferma les yeux pour arrêter les deux larmes qui venaient d'y éclore, mais elles débordèrent et coulèrent sur ses joues. Dans l'obscurité du fond de cale, personne ne les vit. Il s'empressa de les faire disparaître d'un coup de langue et recommença d'écouter Pierre qui discourait toujours, avec la même fougue et la même passion.

10

Ce mois de mars était très froid et prolongeait l'hiver jusque dans ses moindres souffles de vent, même au milieu du jour. Une pluie glacée noyait les prairies sous des averses aussi violentes qu'imprévisibles. Marie, qui revenait du bourg où elle avait aidé Antonia, fut obligée de s'arrêter sous un chêne pour s'abriter. C'était celui sous lequel elle avait l'habitude de retrouver Benjamin, celui-là même où elle l'avait attendu, le jour du tirage au sort. Trois ans, déjà ! Trois ans et une seule lettre ! Trois ans et pas le moindre espoir de voir arriver Benjamin dans les prochains jours ni les prochaines semaines ! Pendant combien de temps trouverait-elle la force de continuer à faire comme si elle ne pensait jamais à lui, à dormir seule, à vivre seule, à travailler seule, incapable qu'elle était de prêter attention à d'autres êtres que lui ?

Elle se laissa aller contre le tronc humide, soupira, essuya son nez qui recevait les gouttes de sa capuche trempée, ferma les yeux. C'était la même odeur de l'air — celle de la fumée de bois —, la même morsure du vent sur sa peau, la même humidité pénétrante, et, le temps d'une brève seconde, ce fut aussi le même bonheur que ce 7 mars où Benjamin était rentré du bourg après avoir tiré au sort. Pendant une seconde le temps fut aboli et Benjamin fut là, comme avant, comme s'il ne s'était rien passé. Ce fut si bon, si merveilleux, qu'elle tenta de retenir son souffle en espérant retenir le temps. Hélas ! ce fut aussi très fugitif et elle reprit pied dans la réalité avec l'impression de sombrer dans une eau glacée.

Elle allait devoir repartir seule, toujours seule, même parmi les hommes de la famille pour qui, de plus en plus, elle devenait une servante, une ombre, un fantôme. Amélie, elle, ne descendait même plus dans la cuisine, demeurait couchée dans sa chambre, et c'était pitié de la voir ainsi s'éteindre sans pouvoir lui apporter le moindre secours. Quand il ne naviguait pas sur la seconde, Vincent, lui, passait toutes ses journées dehors, parlait peu, ne manifestait plus rien de cette affection dont Marie avait tant besoin et que seule, Elina, aujourd'hui, lui donnait...

Lorsqu'elle ouvrit la porte de sa maison, les hommes, attablés, l'attendaient. Elle lut dans leur regard un reproche muet car elle était en retard. Elle feignit de ne pas le remarquer, se débarrassa de son manteau et de sa capuche, aperçut alors un matelot qui ne lui était pas inconnu.

— C'est Claveille, dit Vincent ; il va manger avec nous et aussi coucher quelque temps.

Et, comme Marie n'avait pu dissimuler sa surprise, il ajouta :

— Il n'a plus de logement pour le moment, mais ça ne saurait tarder.

Ghislain Claveille s'était levé à l'entrée de Marie et paraissait gêné.

— Excusez-moi pour le dérangement, mademoiselle, dit-il avec un trouble manifeste dans la voix ; mais c'est votre père qui a insisté, sans quoi je me serais arrangé.

— Ce n'est rien, répondit sèchement Marie qui n'aimait pas être prise ainsi au dépourvu ; une assiette de plus ou de moins, vous savez...

Puis elle se tourna vers la crémaillère et versa le bouillon que les hommes avaient mis à réchauffer sur le pain qu'elle avait pris la précaution de couper avant de partir. Quand la soupe fut prête, elle la porta sur la table, donna la louche à Vincent qui servit Claveille, puis ses enfants. Ensuite elle reprit la soupière, se servit et commença de manger, debout devant la cheminée, tournant le dos à la table. Elle avait toujours vu sa mère servir ainsi les hommes et elle l'avait remplacée tout naturellement, sans rien changer aux coutumes de la maison. D'ailleurs, toutes les femmes de la vallée agissaient de la sorte, alors pourquoi aurait-elle remis en question ce qui était la loi communément admise ?

Ce soir, pourtant, elle était contrariée par la présence de cet étranger qui entrait chez elle sans qu'elle en eût été avisée. Elle en voulait à son père d'avoir pris une telle initiative et reconnaissait bien là sa manie de s'entourer d'amis, de compagnons de pêche près desquels il passait la plupart de ses journées. Elle se retourna brusquement car les garçons se disputaient et Vincent, comme à son habitude, ne s'en souciait même pas. Elle devait intervenir chaque fois, mais avec de moins en moins de succès au fur et à mesure que ses frères grandissaient. Ce soir, cependant, elle ne réagit pas et se contenta de soupirer en haussant les épaules.

— Ça suffit ! dit Vivien qui essayait d'aider sa sœur de son mieux.

Les garçons se turent car ils craignaient leur aîné qui n'hésitait pas, lui, à employer à leur égard la manière forte. Au reste, il y avait toujours eu une grande complicité entre Vivien et Marie, surtout depuis qu'elle avait remplacé Amélie et pris, en quelque sorte, la place que devait occuper une mère dans un foyer. Vivien était devenu peu à peu le seul allié sur qui elle pût vraiment compter, et la confiance qu'ils avaient l'un en l'autre lui était précieuse.

Elle se dépêcha de finir sa soupe et porta un reste de ragoût sur la table. Elle-même n'en prit pas, car il n'y en avait pas assez pour tous. Elle se contenta d'un morceau de gâteau de maïs qu'elle mangea rapidement en s'occupant à d'autres tâches ménagères dans la souillarde.

— Claveille était dans la marine, dit brusquement Vincent qui avait deviné la contrariété de sa fille ; approche-toi donc, Marie, il va nous raconter ça !

— J'ai à faire, dit-elle, mais vous pouvez parler, je ne suis pas sourde.

En réalité, elle était déçue de ne pas pouvoir débarrasser rapidement la table et monter dans sa chambre pour lire le livre que venait de lui prêter l'abbé. Chaque soir, en effet, elle avait pris l'habitude de retrouver le monde imaginaire qui prolongeait ses rêves, la délivrait du quotidien, de cette attente interminable où se consumait le meilleur de ses forces. Pourtant, tout en vaquant à ses occupations, elle ne put s'empêcher d'écouter Claveille qui parlait de l'océan et de ses tempêtes.

— Et ton bateau ? demanda Jean avec des yeux brillants d'excitation, c'était un trois-mâts ou un quatre-mâts ?

Un trois-mâts, répondit Claveille : le mât de misaine, le grand mât et l'artimon ; sans compter le mât de beaupré sur la proue.

— Et les canons, reprit le garçon, t'en es-tu servi ?

Claveille sourit, précisa :

— Tous les matelots apprennent à se servir des canons.

— Tu as tiré sur des ennemis ?

— Non ! on n'était pas en guerre, heureusement !

Il y eut un bref silence. Si elle n'avait jamais prêté beaucoup d'attention aux récits de Vincent ou de Victorien, Marie, aujourd'hui, trouvait dans les paroles de Claveille un intérêt qu'elle n'eût jamais soupçonné. Car ce monde dont parlait le matelot c'était aussi celui de Benjamin, et elle avait besoin de le connaître pour mieux imaginer la vie de celui qui lui manquait tant. Mais comment pouvait-elle poser des questions au matelot sans manifester à son égard un intérêt sur lequel il aurait pu se méprendre ? Elle n'en eut pas besoin, car la curiosité de ses frères était sans limite. Claveille leur expliqua qu'il dormait dans un hamac, mangeait de la soupe, du pain dur comme du bois, des ragoûts, beaucoup de poisson, mais quasiment pas de viande. Il décrivit la tenue des officiers : uniforme bleu, gilet rouge, hausse-col et poignard à la ceinture.

— Nous, les canonniers, ajouta-t-il, on portait une redingote bleue et un chapeau de cuir bouilli. Entre les exercices et les corvées de pont, on n'avait guère le temps de penser à nos belles !

Tout le monde se mit à rire, à l'exception de Marie, qui, au contraire, se sentit blessée par cette réflexion. Vincent crut bon d'apporter la précision qui, à l'avenir, éviterait ce genre de malentendu.

— Marie est la promise du fils de Donadieu, dit-il ; voilà trois ans qu'il est parti pour Rochefort.

Il y eut un long silence. Marie se refusait à se tourner vers la table et se sentait mal. C'est à peine si elle entendit Claveille murmurer avec une sincérité évidente dans la voix :

— Excusez-moi ! Je ne le savais pas.

Elle consentit enfin à faire face au matelot et lut dans les yeux noirs bien plus que de la sincérité.

— Ce n'est rien, dit-elle, troublée malgré elle par l'éclat profond du regard qui s'attardait, cherchait à retenir le sien.

Rompant aussitôt le contact, elle ouvrit la porte du buffet et prit une assiette de fromages qu'elle porta sur la table. Elle revint ensuite dans la souillarde et entendit avec soulagement reprendre la conversation. Ghislain Claveille parlait maintenant de la Martinique, du cap de Bonne-Espérance, de l'océan Indien, de l'île Bourbon, de ses habitants à la peau noire, des volcans, des forêts immenses, et Marie imaginait Benjamin sur ces rivages lointains en se disant qu'il ne pourrait jamais combler tant de kilomètres, survivre à tant de dangers. En même temps, cependant, la voix qui montait dans la cuisine tiède lui paraissait occuper tout l'espace, suscitait des sensations aussi précieuses qu'au temps où Benjamin se trouvait là, discutant avec Vincent de la pêche du lendemain. Contrairement à ce qu'elle avait redouté, la soirée finissait par devenir agréable et elle se félicitait de s'être assise en bout de table au lieu d'être montée dans sa chambre.

Bientôt, pourtant, le murmure des voix s'éteignit. Elle tressaillit, se leva, envoya ses frères se coucher et dit avant de monter elle aussi :

— Bonne nuit.

— Dors bien, petite, à demain ! répondit Vincent qui ne

paraissait pas décidé à rompre si tôt la conversation entamée avec son invité.

— Bonne nuit, Marie, fit celui-ci, ajoutant aussitôt : Si vous permettez que je vous appelle Marie.

— Bien sûr, dit Vincent, bien sûr.

Mais elle ne répondit pas et monta dans sa chambre avec l'impression curieuse d'une délivrance. Une fois dans son lit, le visage de Ghislain Claveille vint se superposer à celui, confus et lointain, de Benjamin. Elle mit longtemps à trouver le sommeil et n'y rencontra pas la paix à laquelle elle aspirait. Au contraire, une voix enjôleuse parla contre son oreille toute la nuit et ne s'éteignit qu'à l'instant où elle ouvrit les yeux, la tête douloureuse et les membres rompus.

Lorsqu'elle se leva, il y avait en elle une sorte d'amertume et comme la sensation d'une faiblesse coupable. « Coupable de quoi, grand Dieu ? » se demanda-t-elle en faisant sa toilette, furieuse contre elle-même et sans savoir pourquoi. Elle descendit, alluma le feu, entendit des pas dans l'escalier. Ce n'était pas son père, comme elle le crut d'abord, mais Claveille, qui s'approcha en disant :

— Bonjour, Marie !

— Bonjour ! répondit-elle sans la moindre chaleur.

Il ajouta, tandis que la porte de Vincent s'ouvrait à l'étage

— Excusez-moi encore pour hier soir.

Puis, avec une gravité un peu forcée dans la voix :

— Il a beaucoup de chance, Benjamin.

L'entendre prononcer le nom qui ne devait appartenir qu'à elle la surprit si désagréablement qu'elle répliqua avec une agressivité inhabituelle :

— D'être si loin des siens ?

Comme Vincent descendait l'escalier, Claveille ne put répondre et garda en lui l'impression d'une souffrance si aiguë qu'il comprit que personne n'avait la moindre chance de la guérir un jour de ce mal-là.

Une pluie fine et glacée s'acharnait sur les coteaux de Saintonge et fouettait les deux hommes couverts de hardes qui marchaient l'un derrière l'autre en courbant la tête. Cela faisait quarante-huit heures que Benjamin et Jacques Malaurie s'étaient enfuis de Rochefort à l'occasion d'une corvée dans la campagne. Ils avaient volé de vieux vêtements dans une ferme déserte, sous lesquels ils avaient dissimulé leur uniforme de canonnier. Ils avaient également dérobé des pommes de terre et un petit sac de farine qui leur avaient permis de manger, la veille au soir, dans une cabane des marais de la Charente.

Ce qui les surprenait le plus, c'était que ce pays, à l'intérieur des terres, était beaucoup moins boisé que la vallée de la Dordogne, le Périgord et même le Quercy. Les habitations isolées étaient rares. Au demeurant, il n'était pas question d'entrer dans les villages à cause des gendarmes, quoique le risque fût grand de s'égarer et de manquer de nourriture. Ils avaient choisi cette route au lieu de descendre droit vers l'estuaire où ils auraient pu trouver un bateau pour remonter le fleuve jusqu'à Libourne, car ils savaient que la vallée de la Dordogne regorgeait de mouchards, d'agents de l'administration fluviale, de gendarmes habitués à reconnaître les déserteurs dans ces pauvres hères affamés qui regagnaient leur milieu naturel comme des guêpes leur essaim. Ils avaient donc décidé de descendre vers le sud par l'intérieur des terres, comptant sur la clémence du ciel pour leur rendre supportable la longueur de la route. Mais le vent du nord et la pluie semblaient se liguer contre eux pour leur interdire le passage...

La nuit tombait et ils n'apercevaient aucun village à l'horizon, pas la moindre fumée, pas le moindre signe de vie. Seuls quelques bosquets de chênes tranchaient sur l'uniformité des collines rabotées par l'hiver. Benjamin, qui marchait devant, bifurqua vers l'un d'eux dans l'espoir de s'abriter un peu. Bien lui en prit : sous le plus grand des chênes, un berger avait construit une cabane de branches et de feuilles assemblées par une sorte de torchis. Ils y entrèrent, la trouvèrent assez grande pour y passer la nuit. Alors ils s'installèrent, allumèrent du feu dans un petit foyer bâti avec des pierres plates, purent ainsi se réchauffer et faire cuire des pommes de terre dans les cendres. Ils se débarrassèrent de leurs hardes, les mirent à sécher, gardèrent leurs uniformes qui commencèrent à fumer avec une bonne odeur, celle des jours de pluie passés près de la cheminée familiale. Benjamin frissonna de bien-être, se tourna vers son compagnon qui tremblait :

— Ça va pas ? demanda-t-il.

— J'ai froid.

— Mange un peu ; ça passera.

Ils grignotèrent leurs pommes de terre, puis Benjamin fit déshabiller son ami, glissa de la paille sous sa chemise, le fit rhabiller, le couvrit de sa capote qu'il boutonna soigneusement, nettoya la terre battue près du feu pour qu'il puisse s'allonger.

— Ne t'en fais pas, dit-il ; demain, ça ira mieux.

Puis il remit le bois restant dans le foyer et se coucha lui aussi.

Malgré la fatigue, il ne put trouver le sommeil, tellement le mauvais temps l'inquiétait. Si le vent ne tournait pas, si le froid et la pluie continuaient, ils ne pourraient jamais couvrir les kilomètres qui les séparaient du Périgord. Pour se donner du courage, il pensa à la lettre de Marie qu'il avait lue à Rochefort, à son retour de la Martinique. Quelle surprise cela avait été pour lui ! Et quel bonheur aussi ! Voilà qu'elle savait désormais lire et écrire ! L'émotion avait été si violente que l'absurdité de la vie qu'il menait loin d'elle lui avait été, dans l'instant, insupportable. C'est ce jour-là, après avoir lu et relu la lettre, qu'il avait pris la décision de déserter à la première occasion. Les paroles pleines de bon sens de Pierre Bourdelle n'avaient servi à rien. Benjamin était au-delà de la raison. La troisième année qu'il venait de passer sur son bateau pour avoir trop hésité un an auparavant avait rompu ses dernières digues de prudence. Il éprouvait le besoin vital de revoir les siens, Marie, la Dordogne, sa vallée, de revenir vers ces lieux qu'il n'aurait jamais dû quitter...

Il s'endormit vers le matin, tandis qu'au-dehors la pluie se transformait en neige, et put ainsi oublier le froid qui l'avait pénétré jusqu'aux os. Ce fut la toux de son compagnon qui le réveilla. Il s'ébroua, frissonna dans ses vêtements qui avaient gardé leur humidité, se leva pour rallumer le feu, se souvint qu'il n'y avait plus de bois.

— Comment te sens-tu ? demanda-t-il à Jacques.

— Un peu mieux, répondit celui-ci d'une voix altérée par la fièvre.

Benjamin poussa la porte, aperçut la neige, eut un long frisson qui lui donna la sensation d'avoir marché sur de la glace. La couche n'était pas très épaisse, mais l'immensité blanche des coteaux et des vallons lui paraissait, dans l'aube blême, infranchissable. Fallait-il repartir ou attendre une éclaircie ? Il referma la porte, se retourna vers Jacques Malaurie qui lui parut encore plus fragile qu'à l'ordinaire.

— Il a neigé, dit Benjamin. Tu veux qu'on attende un peu avant de repartir ?

— Je sais pas ; j'ai froid.

Ils mangèrent les pommes de terre cuites la veille, et Benjamin se dit qu'il était absurde de rester dans cette cabane sans feu.

— Il faut partir, dit-il.

Jacques hocha la tête, mais une quinte de toux le fit se plier sur lui-même et le laissa sans forces. Benjamin l'aida à changer la paille et bourra de nouveau sa chemise, sur la poitrine et dans le dos. Ils sortirent. Le vent était un peu tombé, mais des flocons tourbillonnaient sous un ciel d'ardoise où courait le troupeau fou des nuages. Ils se jetèrent dans l'espace découvert comme on se jette à l'eau, trouvèrent un peu d'abri en descendant au fond d'un vallon où coulait un maigre ruisselet, puis ils remontèrent de l'autre côté le long d'un chemin de chèvre. En haut, l'air leur parut si froid que Benjamin se demanda s'il ne valait pas mieux retourner dans la cabane. Il continua néanmoins, poussé par l'espoir de trouver une ferme isolée où ils pourraient passer la nuit prochaine.

Ils marchèrent toute la matinée, évitant les villages dont les cheminées fumaient, suscitant en eux des rêves de joyeuses flambées. A la mi-journée, ils durent s'arrêter, Jacques étant épuisé. Ils s'abritèrent entre les murs d'une grange en ruine, réussirent à allumer un peu de feu et à faire cuire deux pommes de terre. Ils repartirent au bout d'une heure, sous la pluie qui avait succédé à la neige. Bientôt une brume épaisse recouvrit les collines, leur dissimulant l'horizon et étouffant les bruits. Ils durent faire plusieurs haltes pour essayer de se repérer et écouter les alentours. Il fallait chercher un abri au plus vite, car la nuit approchait. Ils trouvèrent une grange bâtie à flanc de coteau, bizarrement encastrée dans la terre. Le risque était grand de s'arrêter là, car on sentait la présence d'un village proche. Cependant, comme ils n'avaient pas le choix, ils y entrèrent et comprirent qu'elle était régulièrement visitée. Il n'y avait pas de bois pour faire du feu, mais le fenil contenait suffisamment de foin pour se protéger du froid. Ils se couchèrent sans manger, serrés l'un contre l'autre, leurs vêtements remplis de foin. Jacques, pourtant, ne cessait de trembler. La fièvre l'avait repris, il toussait de plus en plus, et bientôt il se mit à délirer, prononçant des phrases inintelligibles qui devaient traduire son horreur de la mer et des bateaux. Que faire ? Où trouver de l'aide ? Benjamin essaya de lui faire boire de l'eau, de lui parler, de le soulever pour l'aider à mieux respirer, mais tous ses efforts étaient dérisoires par rapport au mal qui minait son compagnon. Epuisé lui aussi, frigorifié, il finit par s'endormir, sourd aux quintes de toux qui, près de lui, faisaient tressauter le corps de son ami.

Il s'éveilla brusquement au premier chant d'un coq, comprit que le village était encore plus proche qu'il ne l'avait imaginé. Il essaya de parler à Jacques, mais celui-ci ne répondit pas. Persuadé que son état avait empiré pendant la nuit, Benjamin décida d'aller chercher du secours. Il se leva, ouvrit la porte. L'aube était là, blafarde et humide, rampant à flanc de coteau. Il y voyait assez ; il pouvait partir.

— Ne bouge pas, dit-il à Jacques, je reviens tout de suite.

Il partit, parcourut à peine trois cents mètres, arriva au

sommet de la colline, entendit le coq derrière un bosquet de chênes. Il descendit, aperçut les toits : ce n'était pas un village mais un hameau de trois maisons. La pensée de son compagnon en danger abolit ses ultimes hésitations. Il s'approcha de la première maison, frappa à la porte qui s'ouvrit aussitôt sur un homme trapu et noir, aux traits lourds, coiffé d'un chapeau troué. Benjamin s'expliqua, demanda une brouette pour aller chercher son ami malade, et n'essaya même pas de dissimuler son uniforme de canonnier. Pour le moment, seule la vie de Jacques lui importait.

L'homme appela son fils, un grand gaillard aux cheveux roux, aux yeux fuyants, et l'envoya avec Benjamin chercher le malade.

— Vous vous réchaufferez en revenant, dit-il. Moi je vais quérir le médecin au village.

Benjamin n'avait pas d'autre solution que de lui faire confiance. Il partit avec le fils du paysan qui lui posait des questions auxquelles il ne répondait pas.

Dix minutes plus tard, ils ramenaient Jacques qui délirait de plus en plus, l'installaient près du feu, s'asseyaient à côté de lui. La femme du paysan apparut, toute menue, coiffée d'un chignon, avec des yeux vides, semblables à ceux des statues qu'on voit dans les églises. Elle fit boire au malade un peu de lait chaud, mais il le rejeta en toussant. Benjamin tenta à son tour de le faire boire, vainement. Il semblait maintenant que Jacques n'eût même pas la force de se plaindre. De longues minutes passèrent, durant lesquelles Benjamin s'abandonna à la chaleur et au repos. Dans la maison, personne ne parlait et il sentait planer une méfiance qui le mettait mal à l'aise. Pourtant, il ne se leva même pas quand il entendit des pas de chevaux sur le chemin. Aussi ne fut-il guère surpris au moment où les quatre hommes entrèrent : le paysan d'abord, puis le médecin portant une sacoche de cuir, et, fermant la marche, ni pressés ni particulièrement menaçants, les deux gendarmes avec leur grand chapeau, leur habit à queue, leurs buffleteries jaunes croisées sur la poitrine.

Amélie était morte début avril. Passé le premier choc, Marie avait plutôt éprouvé le sentiment d'une délivrance et, s'il lui arrivait de pleurer encore en pensant à cette disparition, c'était avec une sorte de soulagement. En effet, avoir passé tant de jours à s'occuper de sa mère, l'avoir vue s'éteindre peu à peu, l'avaient insensiblement préparée à cette fin survenue une nuit, pendant le sommeil. Le jour de l'enterrement, dans le petit cimetière blotti au cœur des prairies, Marie s'était surprise à moins souffrir que lors des obsèques de François et en avait été secrètement troublée. Elle ne savait pas que les premiers chagrins de la vie sont toujours les plus douloureux et que le temps apprivoise aussi bien la souffrance que le bonheur. Le plus difficile, en fait, cela avait été le départ des bateaux : elle s'était retrouvée seule dans la grande maison avec ses plus jeunes frères, et la vie avait repris son cours comme s'il ne s'était rien passé. Mais quelle vie désormais ? Elle ne pouvait compter que sur l'espoir d'un retour rapide de Benjamin et sur l'affection d'Elina qui, pendant les jours de deuil, lui avait été d'un grand secours.

Un mois avait passé et l'on était en mai. Marie revenait de chez Elina : celle-ci l'avait appelée pour lire la lettre de Benjamin dont les mots dansaient devant ses yeux sans qu'elle pût se résoudre à les croire. Il était en prison et ne reviendrait pas avant de longs mois. Tout cela pour avoir voulu retrouver les siens sans autorisation et parce que, comme elle, il n'en pouvait plus d'attendre et se désespérait. Combien étaient-ils, pourtant, ceux qui désertaient ou se cachaient dans les forêts ? Des centaines ? Des milliers ? Car des familles entières étaient frappées par le sort et privées de leurs enfants. Combien, au juste, revenaient, après sept ans d'absence ? Parfois aucun, s'ils étaient envoyés en Afrique où les soldats mouraient beaucoup depuis quelques années. Marie connaissait bien la complainte qu'on entendait chanter parfois sur les places publiques :

Combien de temps encore à la France guerrière
L'Afrique servira de vaste cimetière ?

Elle en voulait au monde entier, ce matin où les premières couleurs du printemps, succédant enfin à l'hiver, réveillaient les oiseaux, les insectes et les arbres. Des bouffées tièdes descendaient des collines, portant des parfums de granges ouvertes. Marie avait cru que Benjamin serait près d'elle pour profiter de ces journées où la vie reprend ses droits, où tout recommence, où tout s'illumine. Une rage sourde l'habitait. C'était trop injuste ! Comment pouvait-on jeter en prison un homme qui n'avait ni tué ni volé ? Il avait écrit qu'il ne reviendrait sans doute pas avant trois ou quatre ans. Comment allait-elle pouvoir vivre jusque-là ?

Elle soupira, poussa la porte, entra. Les garçons l'attendaient en réparant un vieux filet. Comme ils lui réclamaient à manger, elle fit un peu de cuisine, les servit et s'assit en bout de table sans trouver le courage de répondre à leurs questions. Dès qu'ils eurent fini, ils partirent vers la rivière en lui promettant du poisson pour le soir. Une fois seule, elle s'assit devant la cheminée, vacante et découragée, et se surprit à regretter l'absence de Ghislain Claveille qui, parfois, lui semblait-il, comblait le vide laissé par Benjamin. Elle avait pris l'habitude de l'écouter, le soir, parler du grand large et des îles lointaines, jetant sans le savoir un pont entre elle et celui qui était parti un matin sans lui dire au revoir. Pourtant, même si elle ne se l'avouait pas, elle savait depuis le premier jour que la présence du matelot dans sa maison constituait un danger. Leurs relations reposaient sur un équilibre fragile : il était évident, et elle ne pouvait l'ignorer, qu'il avait pour elle plus que de l'amitié. Elle se sentait assez forte pour ne pas faire le geste — ou prononcer le mot — qui eût rompu ce fragile équilibre, mais elle redoutait de se retrouver seule avec lui, car elle se demandait souvent s'il était capable de deviner ses pensées comme Benjamin savait si bien le faire. Persuadée que le danger allait grandir, elle se proposait de demander à son père d'éloigner le matelot, un jour, plus tard. L'instant d'après, furieuse contre elle-même, elle se refusait à ne plus entendre la voix chaude qui parlait si bien de la mer, des bateaux, des voyages, cette voix qui, avec le temps, avait fini par ressembler étrangement à celle de Benjamin...

Elle soupira, se leva. Il était temps de partir à Souillac où elle retrouverait Antonia et l'abbé Pagès qui, seuls, désormais, éclairaient ses journées. Après les grands froids d'un hiver qui avait paru interminable, la tiédeur de l'air lui donna l'envie de suivre la Dordogne dont les eaux semblaient de verre. Gonflées par la fonte des neiges, elles bouillonnaient comme ces torrents de montagne qu'on ne peut jamais regarder bien longtemps sans frissons. Marie s'arrêta un instant en bordure de la plage de galets et les souvenirs affluèrent aussitôt, si précis qu'elle préféra s'enfuir. Elle courut, puis marcha, mais très vite, comme si elle était poursuivie par des ombres redoutables.

Une fois au presbytère, elle embrassa Antonia qui, de ses yeux d'un bleu de porcelaine, n'eut aucun mal à lire en elle et à comprendre qu'elle n'allait pas bien.

— Ça ne va pas, petite, dit-elle. Allez, raconte-moi !

Et Marie parla de la lettre reçue le matin, de Benjamin en prison, de son retour impossible avant plusieurs années.

— Il ne faut jamais désespérer, dit Antonia ; je suis sûre que si tu sais parler au bon Dieu, il t'écoutera et te rendra ton Benjamin.

Puis, comme Marie ne retrouvait pas le sourire pour autant, elle ajouta, un brin de mystère dans la voix :

— M. l'abbé a demandé à te voir ; je crois qu'il a quelque chose à te proposer.

— Quoi donc ? fit Marie, intriguée.

Antonia plaça son index devant sa bouche, souffla :

— Chut ! Va donc ! Il t'attend.

Marie la remercia, prit le couloir qui menait vers le bureau de son protecteur où celui-ci, en effet, l'attendait. Elle le salua avec toute la déférence qu'elle lui avait toujours témoignée, s'assit à la place qu'elle occupait pour écouter ses leçons, rencontra le chaud regard qui savait si bien la rassurer et retrouva confiance : ce visage rond qui, sous les cheveux blancs soigneusement séparés par une raie, gardait, malgré l'âge, une sorte de jeunesse, avait-il jamais exprimé autre chose que de la bienveillance ? Elle avait toujours su qu'une heure passée en compagnie de cet homme suffisait à lui faire oublier ses tracas et à l'aider à repartir d'un bon pied.

— Marie, dit-il, il fallait que je te voie, ma fille.

— Nous nous sommes vus hier, monsieur l'abbé.

— Certes, certes, fit-il, mais depuis hier, vois-tu, j'ai reçu une visite.

Il souriait, se réjouissant par avance des mots qu'il allait prononcer.

— Savais-tu, Marie, reprit-il enfin, que j'ai une sœur beaucoup plus jeune que moi et qui vient me voir de temps en temps ? Eh bien, cette sœur, qui m'est très chère et s'appelle Jeanne, vit à Bordeaux où elle est mariée à un notaire, maître Lassalle. Tous deux ont trois enfants — trois filles — dont l'aînée a treize ans et la dernière neuf. Figure-toi, Marie, que la gouvernante va les quitter pour aller à Paris. Jeanne m'a donc demandé si je ne connaissais pas quelqu'un de bonne éducation qui puisse s'occuper de ses filles ; et j'ai tout de suite pensé à toi.

— A moi ? fit Marie, stupéfaite.

— Oui, à toi, fit l'abbé en s'efforçant de rendre naturelle une proposition si peu ordinaire. Cela te surprend ?

— C'est que..., fit Marie, je ne sais pas si...

— Si tu en seras capable ?

— Oui, c'est un peu ça.

— Même si, moi, je juge que tu en es tout à fait capable ?

Elle ne répondit pas sur-le-champ car elle ne savait pas ce qui, au juste, dans cette perspective lui paraissait irréalisable.

— J'ai déjà refusé une fois de partir chez les autres, dit-elle enfin, mais sans être certaine que le problème se situait là.

— Je le sais, tu me l'as déjà dit, mais c'était comme servante, pas comme gouvernante dans une grande ville où tu rencontreras d'autres gens, où tu fréquenteras un autre milieu, où tu pourras acquérir d'autres connaissances, enrichir ton esprit, vivre une autre vie, en somme.

Il ajouta, comme elle demeurait pensive et sur la réserve :

— Je ne te l'aurais jamais proposé si ta maman était encore en vie, bien sûr.

Elle hocha la tête, comprit enfin ce qui, dans un éventuel départ, lui paraissait impossible : c'était d'abandonner ses frères et Vincent qui, elle en était persuadée, ne sauraient pas se passer d'elle.

— Je ne peux pas vous répondre, dit-elle ; vous comprenez, c'est si brusque, si inattendu...

— Je comprends, fit-il, mais il ne faut surtout pas t'inquiéter, tu as tout le temps devant toi : la gouvernante ne part qu'en septembre.

— Merci, dit-elle, merci beaucoup, mais...

— Non ! ne dis rien, l'arrêta-t-il, et réfléchis bien avant de me donner une réponse.

Elle acquiesça de la tête, ne bougea pas, indécise et troublée par cet horizon qui s'ouvrait grand devant elle, alors qu'elle n'avait jamais aperçu que celui de sa vallée. L'abbé Pagès l'invita à se lever en disant :

— Il fait beau, tu devrais aller te promener, je suis sûr que ça t'aiderait à réfléchir.

Et il ajouta, avant de la libérer, conscient de jouer de son influence :

— Vois-tu, Marie, une vie, c'est fait pour s'augmenter, pour apprendre, pour découvrir. N'oublie rien de cela, quand tu prendras ta décision.

Elle le remercia, le salua, rencontra Antonia tout sourire dans le couloir, qui demanda :

— Alors ? n'est-ce pas merveilleux ce qui t'arrive, ma petite ?

Elle approuva d'un signe de tête, lui dit au revoir et partit, pressée soudain de se retrouver seule pour mesurer, avec un peu de recul, ce qui venait de se passer en cet après-midi de printemps.

Tout en marchant vers les prairies, elle songeait qu'elle

n'avait jamais imaginé, même dans ses rêves les plus secrets, de quitter un jour la vallée où elle était née. Et voilà qu'aujourd'hui on lui donnait la possibilité de partir pour Bordeaux, la grande ville inconnue, dans une famille dont elle ignorait encore l'existence deux heures auparavant. Que se passait-il donc, soudain, dans sa vie ? Allait-elle résister à ce flot qui avait débordé des rives paisibles où elle avait vécu sans le moindre désir d'autres lieux, d'autres gens ? Elle avait peur, et, en même temps, quelque chose venait de naître au plus profond d'elle, une sorte d'espérance, un foyer ardent qui l'emplissait d'une joie un peu folle, inconnue, dangereuse.

Parvenue au bord de la plage de galets, au lieu de revenir en direction du port, elle prit sur sa gauche le chemin de berge et remonta vers Lanzac. Toutes sortes de pensées affluaient dans son esprit, se bousculaient, l'étourdissaient. Que deviendraient les hommes de la maison si elle partait ? Bien sûr, ils avaient besoin d'une femme, mais était-ce à elle de laver leur linge, faire leur cuisine, tenir leur maison ? N'avait-elle pas le droit de vivre aussi pour elle-même ? D'ailleurs, ils partiraient tous bientôt sur la rivière et peut-être que certains ne reviendraient jamais. Quant à Benjamin, s'il revenait, lui, ce ne serait pas avant quatre ans, et il aurait sans doute terriblement changé. Ne devait-elle pas changer elle aussi ? Si elle restait ici, à l'attendre, un fossé ne risquait-il pas de se creuser entre eux ? Elle s'était trop longtemps sentie inférieure à Emeline, aux gens du bourg, avait trop subi d'humiliation pour ne pas éprouver le besoin de fortifier des positions difficilement acquises. Elle voulait devenir forte, sûre d'elle, capable de combattre et ne plus jamais subir. Car elle avait toujours su qu'elle n'avait aucun goût pour la passivité ou le malheur, au contraire. Alors ? Une occasion comme celle qui se présentait aujourd'hui n'était-elle pas celle dont elle rêvait sans le savoir ? Elle découvrait, stupéfaite, que la petite Marie qu'elle connaissait si bien n'existait plus. Elle avait commencé à mourir avec le départ de Benjamin, s'était éteinte en même temps que sa mère, ce dernier mois d'avril. C'était une autre Marie qui, cet après-midi de mai, s'éveillait sous le soleil dont les rayons réchauffaient son visage et ses bras découverts. C'était une autre Marie qui, ayant lu la lettre de Benjamin ce matin, avait décidé de ne plus attendre sans se battre, sans saisir à pleines mains sa part d'existence...

Elle s'assit dans l'herbe, se pencha, entoura ses genoux de ses bras, soupira de bien-être. Devant elle, des poissons mouchaient dans l'eau d'un éclat aveuglant. Derrière elle, les branches des saules et des frênes craquaient sous la montée de la sève. Des parfums violents fusaient au ras du sol comme des sources captives que la chaleur aurait brusquement délivrées. Marie se sentait jeune. Pleine de vie. Pleine d'espoir. Elle le savait maintenant qu'elle allait partir, que rien ni personne ne pourrait l'en empêcher. C'était nécessaire. C'était évident. Elle s'allongea face au ciel, roula sur elle-même puis s'immobilisa, les yeux grands ouverts sur le bleu lumineux où lui semblait écrite en toutes lettres la certitude que le meilleur, dans une vie, est toujours à venir.

A la fin du mois de juin, les jeunes gens du port décidèrent de fêter la Saint-Jean dans les prairies, au lieu de se rendre sur la place du bourg comme c'était la coutume. Pendant la semaine qui précéda l'événement, Marie et ses frères apportèrent leur contribution à l'édification du bûcher qui, pour que l'honneur fût sauf, devait dépasser celui de Souillac. On accumula donc des troncs, des fagots, des planches, toutes sortes de pièces de bois que coiffa une vieille charrette sans ridelles et sans roues, les brancards fièrement dressés vers le ciel.

Les eaux n'étant plus marchandes depuis déjà huit jours en raison de la sécheresse, les bateliers étaient tous présents et ne mesuraient pas leur peine pour gagner cette bataille — au demeurant pacifique — de la Saint-Jean d'été. Si bien qu'à l'heure convenue il y avait foule près du gigantesque bûcher dont les cinq mètres donnaient une idée effrayante du foyer qui allait embraser la nuit. Marie se rendit sur les lieux avec un plaisir non dissimulé, car elle espérait secrètement retrouver la douceur des nuits de juin passées près de Benjamin. Elle s'aperçut que les femmes avaient dressé des tables sur lesquelles elles avaient posé des verres et des gobelets destinés à étancher la soif que ne manquerait pas de provoquer la chaleur. A cet effet, deux barriques de vin juchées sur des tréteaux trônaient à quelques pas de là, mises en perce depuis le début de l'après-midi par les hommes qui avaient baptisé le bûcher à leur manière.

L'abbé Pagès avait promis de venir le bénir et il tint promesse avec son aménité coutumière. Cependant il ne s'attarda pas, car on l'attendait au bourg pour les mêmes raisons. Dès qu'il fut reparti, Vincent mit le feu à la paille qui s'embrasa aussitôt avec un grondement de vent prisonnier d'un grenier. Très vite les fagots crépitèrent et une immense lueur monta au-dessus des prairies, illuminant la vallée et projetant sur le sol l'ombre fantomatique des grands arbres qui changeaient de couleur. Le ciel parut s'ouvrir et les étoiles s'éteignirent. Alors les premiers chants montèrent dans la nuit léchée par des langues d'une lumière magique :

Ô ma Dordogne, ô mon pays
Que j'aime tant
Sur tes rives je veux venir
Vivre et mourir...

Ils continuèrent un long moment, dans un recueillement et une ferveur qu'exaspéraient les couleurs violentes du brasier. Il ne fallut guère plus d'un quart d'heure aux flammes pour atteindre la charrette qu'elles caressèrent avant de l'envelopper. Quand elles atteignirent le faîte des grands arbres, il y eut un instant de silence entre deux chants, comme si les participants eussent craint de voir la vallée entière s'embraser sous leurs yeux. Passé ce moment de délicieuse angoisse, les chants reprirent et les hommes commencèrent à se lever pour boire. Ce fut alors d'incessantes allées et venues, des bousculades, des rires et des chutes qui perturbèrent un peu l'harmonie des voix, mais attisèrent la gaieté ambiante. Les jeunes formèrent une ronde autour du foyer fumant et crépitant. Marie ne tenait pas à danser mais elle fut soulevée malgré elle, se mit à tourner follement, et s'aperçut qu'elle donnait une main à Vivien et l'autre à Ghislain Claveille.

— Chante ! Marie, chante ! lui dit Vivien en riant.

Elle se laissa gagner peu à peu par la joie communicative et, comme les autres, elle tourna, dansa, chanta à en perdre la voix ces refrains si souvent entendus depuis l'enfance :

Quand dans le ciel brille l'étoile
Que le jour nous dit adieu
Que la lune toute rousse
Se prélasse dans les cieux...

Marie riait, retrouvait son entrain, sa bonne humeur naturelle, allait boire un gobelet de vin, revenait dans la ronde, grisée, heureuse comme ces grands malades qui redécouvrent le soleil et renaissent aux plaisirs oubliés. Combien de temps cela dura-t-il exactement ? Elle ne s'en soucia guère et sauta à plusieurs reprises par-dessus le foyer, toute seule, sans l'aide de Vivien ni de Ghislain qui pourtant, sans qu'elle s'en aperçût, ne la quittait pas des yeux. Elle était devenue une autre, ne se reconnaissait pas dans cette fille qui dansait follement, prenait le bras des garçons sans façon, le visage illuminé par un bonheur trop intense, presque douloureux.

Des hommes étaient allés chercher une autre barrique de vin et chacun se servait sans compter, soucieux seulement de prendre sa part d'une fête qu'il fallait prolonger le plus possible. Quand la lueur du foyer diminua, les femmes ramassèrent des tisons qui étaient censés protéger les maisons des incendies et de la foudre. Après quoi, le vielleur de Lanzac, qui avait assisté à la veillée, ne se fit pas prier pour se mettre à jouer, et l'on dansa dans la nuit qui s'était de nouveau épaissie et où traînaient des odeurs de bois chaud, de braises rougeoyantes. Dès que la musique grinçante s'éleva, une chape de tristesse tomba brusquement sur Marie qui s'éloigna vers les prairies en longeant la Dordogne. Elle venait de se souvenir de la nuit qui avait succédé au mariage d'Angéline lorsque, en compagnie de Benjamin, ils avaient traversé la rivière et s'étaient couchés dans l'herbe, là-bas, de l'autre côté. Et c'était aujourd'hui la même nuit, les mêmes parfums d'herbe coupée qui fusaient sous ses pas, tandis que près d'elle les arbres se balançaient avec des murmures, caressant ses cheveux.

Elle marcha un long moment puis s'approcha de l'eau qui, bien qu'il n'y eût pas de lune, scintillait sous les étoiles. Des bouffées tièdes venues de nulle part surgissaient comme des fantômes, puis s'en allaient après avoir frôlé sa peau. Marie avait très chaud, essuyait par instant la sueur sur son front et respirait difficilement. « J'ai trop bu, pensa-t-elle, je suis folle. » Mais c'était si bon de voler ces instants à la solitude qui était sa seule compagne depuis si longtemps ! C'était si bon de profiter enfin de cette jeunesse qui bouillonnait en elle et l'embrasait, souvent, pour rien, pour personne ! La musique coulait jusqu'à elle, comme la nuit d'après la noce d'Angéline et, comme cette nuit-là, le temps semblait s'être arrêté.

Elle leva la tête vers les étoiles, inspira profondément, tourna sur elle-même, dansant seule, les bras croisés sur sa poitrine, les yeux mi-clos, incapable, soudain, de savoir ce qu'elle faisait là et pourquoi elle dansait comme une sorcière sous la lune, une nuit de sabbat. Emergeant brusquement de cette fièvre, il lui vint le vague désir de retrouver ce qu'elle avait vécu avec Benjamin. Elle marcha aussitôt vers l'eau, y entra, et nagea vers la rive opposée avec le plaisir qu'avait toujours provoqué en elle la caresse de l'eau sur sa peau. Une fois de l'autre côté, quand elle émergea, l'odeur poivrée des foins fraîchement coupés la submergea. Ivre de bien-être, elle s'allongea dans les andains, ferma les yeux un moment, respirant délicieusement tous les parfums qui affluaient maintenant au ras du sol, laissant le vent jouer sur la peau de ses jambes et de ses bras humides. Elle ne sursauta même pas quand une voix, tout près, l'appela :

— Marie, c'est moi.

Comment aurait-elle eu peur de cette voix qui, dans la

maison, parlait si bien de l'océan, des bateaux, des îles lointaines et du cap de Bonne-Espérance ? Elle se blottit dans les bras de l'homme qui s'allongeait près d'elle, se laissa emporter par un flot de souvenirs si précis, de sensations si violentes qu'elle perdit totalement la notion du temps. Aussi, quand il le désira, elle s'abandonna sans songer à se défendre et, les yeux clos, murmura :

— Benjamin, tu es là, tu es là...

Le lendemain matin, lorsqu'elle se réveilla, la tête douloureuse et les membres moulus, elle eut du mal à se souvenir précisément de ce qui s'était passé la veille. Elle se rappela simplement avoir beaucoup bu, beaucoup dansé, et avoir traversé la Dordogne pour aller se coucher dans l'herbe où quelqu'un, lui semblait-il, l'avait rejointe. Ce fut seulement à l'instant où Ghislain Claveille s'adressa à elle dans la cuisine qu'elle comprit : il l'avait suivie, avait profité de l'état de faiblesse où elle se trouvait et en parlait ce matin avec des mots qui la blessaient, la dévastaient. Ce fut si douloureux qu'elle lui dit, avec une violence dont elle n'avait jamais été capable :

— Qu'est-ce que vous faites là ? Partez ! Vous avez suffisamment abusé de notre bonté !

Et, comme il demeurait pétrifié, ne comprenant rien à cette brusque colère :

— Vous n'entendez pas ? Partez, je vous dis ! Tout de suite !

Vincent, qui revenait de la remise les bras chargés de bois, demanda, stupéfait :

— Marie ! Voyons ! Qu'est-ce qui se passe ?

— Il se passe que ce monsieur devait rester chez nous quelques jours et qu'il est encore là !

Elle se tut, le temps d'aider son père à décharger son bois, puis elle reprit avec la même hostilité farouche dans la voix :

— Je veux qu'il s'en aille !

Vincent, abasourdi, ouvrit la bouche mais aucun son n'en sortit : il ne reconnaissait plus sa fille, soudain, et cherchait ce qui avait bien pu se passer pour la faire entrer dans une telle fureur.

— Laissez, Vincent, dit Claveille, Marie a raison ; je vais aller rassembler mes affaires.

— C'est ça, dit-elle, et faites vite, s'il vous plaît !

Vivien était entré lui aussi dans la cuisine et avait entendu les derniers propos de Marie. Il paraissait moins surpris que son père qui s'exclama, tandis que Ghislain Claveille montait l'escalier :

— Enfin, Marie ! qu'est-ce qui te prend ?

— Elle a raison, père, intervint Vivien, laissez-le partir.

A l'instant où leurs regards se croisèrent, Marie comprit qu'il savait et ce fut comme si la culpabilité s'en trouvait aussitôt aggravée. Elle détourna la tête, s'accroupit pour allumer le feu. Vincent, lui, écarta les bras en signe d'incompréhension et sortit en soupirant. Vivien le suivit et Marie lui sut gré de la laisser seule, meurtrie et honteuse, mais au moins délivrée de sa présence, de son regard qui, un instant, malgré leur complicité, leur estime réciproque, l'avait jugée.

Il ne fallut pas plus de dix minutes à Ghislain Claveille pour redescendre, un sac de toile sous le bras. Il s'arrêta derrière Marie qui feignit d'être occupée.

— Alors, au revoir, fit-il, puisque c'est ce que vous voulez.

— Partez ! dit-elle sans se retourner, et sachez bien que je vous déteste et ne veux jamais plus vous revoir !

Il hésita, faillit ajouter quelques mots, puis il eut un bref haussement d'épaules et sortit. De nouveau, elle fut seule et put enfin se laisser aller, effaçant furtivement les quelques larmes qui, malgré ses efforts, débordaient de ses yeux. Elle avait trahi Benjamin, avait perdu le droit de se marier un jour avec lui. Elle se débattit toute la matinée avec cette idée d'une faillite complète de sa vie et finit par s'enfuir dans les prairies où, du moins, elle pouvait se cacher. Mais la douleur ne s'estompa guère, au contraire. Tapie en elle, elle s'avivait par instants, lui donnant l'envie de disparaître, de partir loin de ces lieux où elle avait été heureuse avec Benjamin, loin de Vivien qui savait tout, d'effacer ainsi de sa mémoire cette folle nuit de Saint-Jean. Alors, si elle n'avait jamais réussi jusqu'à ce jour à annoncer son départ pour Bordeaux à son père et à ses frères, elle déclara d'une voix blanche, une fois qu'ils furent réunis autour de la table, à midi :

— M. et Mme Lassalle, qui sont notaires à Bordeaux, m'ont demandée comme gouvernante. J'ai accepté et je partirai en septembre.

Un lourd silence succéda à cette nouvelle, tandis que les hommes relevaient la tête, interdits, se demandant s'ils avaient bien entendu la même chose. Puis, après avoir interrogé les autres du regard, Vincent murmura :

— Enfin ! Marie ! tu n'y penses pas ?

— Si ! père, répondit-elle, j'y pense depuis un mois et je veux partir. J'en ai le droit. Je veux gagner ma vie, connaître autre chose, d'autres gens. Je ne veux plus vivre ici.

— Enfin ! Marie ! répéta Vincent, tu n'es donc pas heureuse chez nous ?

— Non, père, fit-elle.

Et, comme Vincent, pâle, défait, la dévisageait avec stupeur, elle ajouta, d'une voix qui tremblait un peu :

— Vous me manquerez beaucoup, père, mais c'est décidé : en septembre, je partirai.

Les trois mois de prison passés dans la solitude, sans la présence de Pierre Bourdelle ni celle de Jacques Malaurie, avaient paru durer une éternité à Benjamin. Enfermé dans un cachot, au pain noir et à l'eau, il avait eu le temps de regretter de n'avoir pas écouté son ami et d'avoir entraîné le pauvre Jacques dans une aventure qui lui avait coûté la vie. Cela, il ne l'avait pas appris dans son cachot, mais le jour de l'embarquement, de la bouche même de l'officier qui l'avait dégradé.

Aujourd'hui, redevenu simple matelot, Benjamin n'avait même pas la possibilité d'approcher Pierre Bourdelle, et il passait son temps à nettoyer le pont, avec la gratte et le faubert[1]. Oui, Jacques était mort trois jours après leur arrestation d'une double pneumonie, et Benjamin ne cessait de s'en faire le reproche. Mais le pire était peut-être de savoir qu'il n'aurait pas de permission avant la fin de son engagement, et il se débattait chaque jour avec cette pensée, courbé sur son ouvrage entre la dunette d'artimon et le gaillard d'avant, pareil à ces prisonniers condamnés aux travaux forcés à qui l'on interdit de relever la tête.

Il n'avait pas reçu de lettre de Marie. Sans doute avait-elle écrit, mais, étant au secret, il ne pouvait rien recevoir de l'extérieur. Aujourd'hui, les lettres devaient être perdues. Il eût pourtant tellement aimé recevoir de ses nouvelles, mais aussi de ses parents, des bateaux, de la Dordogne ! Il lui arrivait de fermer les yeux et de s'imaginer sur le pont de la capitane, doublant le confluent de la Vézère, à Limeuil, ou passant sous le pont qui, à Bergerac, séparait le quartier du port de celui de la Madeleine, accostant enfin à Libourne dont la rade, aujourd'hui, dans son souvenir, lui paraissait minuscule en comparaison de celles qu'il avait visitées... Mais à quoi cela servait-il de se désespérer ? Il fallait lutter pour rester en vie, pour les revoir un jour, tous, là-bas, à Souillac, pour plonger de nouveau dans les eaux de velours, pêcher les saumons dans les grands fonds, et sentir, l'été venu, l'odeur humide des prairies ou, descendue des collines, celle des vignes hautes embrasées par le soleil...

En cette soirée de juillet, après avoir passé le cap de Bonne-Espérance par beau temps et fait une courte escale aux îles Crozet, le *Duguay-Trouin* remontait vers le nord de l'océan Indien. Un vent frais s'était levé, qui creusait une houle profonde dont profitait au maximum le vaisseau, toutes voiles dehors. La nuit allait bientôt tomber, et Benjamin, qui achevait sa corvée à l'arrière de la dunette, n'avait qu'une hâte : manger et aller s'allonger dans son hamac pour dormir un peu.

---

1. Balai de vieux cordages.

Soudain, il y eut des cris sur bâbord, des bruits de lutte, puis la voix de la vigie annonça qu'un homme était tombé à la mer. Benjamin courut au bastingage, et, sans réfléchir, sans penser au danger, poussé par un réflexe acquis sur la Dordogne, plongea.

Ce fut seulement au moment où il émergea qu'il se rendit compte de sa folie : porté par un fort vent de sud-ouest, le *Duguay-Trouin* se trouvait déjà à plus de cent mètres. Le corps du matelot, lui, flottait à dix mètres en arrière de Benjamin qui se mit à nager dans sa direction, retrouvant naturellement les gestes et les sensations de son adolescence et par là, malgré le danger, le même plaisir. Bien que la houle fût contraire, il rejoignit rapidement le matelot, qui, en fort mauvais état, était sur le point de couler. Il s'aperçut alors qu'il ne s'agissait pas d'un simple canonnier mais de l'officier nouvellement arrivé sur le *Duguay-Trouin,* plus redoutable encore que celui dont Benjamin, parfois, rêvait encore la nuit. C'était un homme large et trapu, aux cheveux frisés et au visage anguleux, un second maître implacable et exigeant, qui prenait manifestement plaisir à avilir les matelots. Benjamin pensa qu'ils avaient dû se mettre à plusieurs pour lui faire payer ses brimades et ses humiliations. Effectivement, du sang recouvrait son visage et il parvenait à peine à se maintenir à la surface, ayant sans doute une épaule démise. Aussi, quand Benjamin lui souleva la tête pour la poser sur son épaule gauche, l'officier pesa de tout son poids et ne réagit plus.

Benjamin se retourna alors dans la direction du navire, pour juger de la distance à parcourir, et son cœur s'emballa : le *Duguay-Trouin* avait disparu. Il eut un bref moment de panique, faillit lâcher l'officier, puis la houle les souleva et lui permit d'apercevoir enfin le bateau qui, lui aussi, remontait d'un creux. Benjamin retrouva alors toute son énergie et continua de nager lentement afin de ne pas s'épuiser dans un océan qui, heureusement, portait beaucoup mieux que l'eau douce de la Dordogne. Remontant une nouvelle fois en haut d'une vague, il eut l'impression que le navire s'était encore éloigné et se demanda pourquoi le commandant n'avait pas donné l'ordre de mettre les chaloupes à la mer. Pensait-il que c'était inutile et qu'il valait mieux continuer sa route ? Benjamin, soudain, eut très peur Qu'avait-il fait là ? Pourquoi s'était-il jeté à l'eau sans mesurer les risques de la vitesse prise par le bateau et le refus fréquent des commandants de virer de bord pour secourir les matelots ? Il se vit perdu, tout à coup, et l'image de Marie passa devant ses yeux. Il la repoussa farouchement, songea que c'était un officier qui était tombé à la mer et non pas un simple matelot et, aussitôt, reprit espoir. Nageant plus vite, il se hissa au sommet d'une vague crêtée d'écume et aperçut enfin le *Duguay-Trouin* qui tirait un bord difficile à l'ouest, presque vent debout, et tentait de revenir dans leur direction. L'instant d'après, il devina une chaloupe très loin, là-bas, devant lui, que le navire avait dû larguer avant de virer de bord. Soulagé, Benjamin s'accorda un moment de répit et se laissa porter, battant simplement des pieds pour avancer. Quand il regarda de nouveau vers l'ouest, il comprit que le vaisseau avait renoncé, car il ne distingua que la poupe. Cependant, s'étant replacé vent arrière, il avait affalé ses voiles pour avancer le moins possible.

L'officier, qui reprenait ses esprits, ouvrit la bouche pour crier, avala de l'eau, s'étrangla, ce qui le réveilla tout à fait.

— La chaloupe arrive ! cria Benjamin en ne lui maintenant plus que la tête hors de l'eau.

Puis il aperçut des oiseaux qui tournaient au-dessus d'eux en criant et en battant des ailes dans un vacarme qui dominait celui de la mer et du vent. Il pensa alors aux requins et se mit à nager en brasses régulières en direction de la chaloupe qui se trouvait maintenant à moins de deux cents mètres de lui. Se tournant de côté, il en aperçut une seconde qui, à l'est, filait sous le vent, et passerait sans doute trop loin. Au-dessus des deux hommes, les oiseaux paraissaient plus nombreux de minute en minute. Benjamin, qui redoutait de ne pas être vu, cria et agita les bras du haut d'une vague. La chaloupe venait droit vers lui. Bien qu'il fît de plus en plus sombre, il avait pu distinguer les matelots qui tiraient sur les avirons et, à l'arrière, l'uniforme de l'officier qui commandait la manœuvre. Dans sa hâte à les rejoindre, cependant, il s'épuisait, le second maître ne lui étant d'aucun secours à cause de son bras démis.

Du haut de la vague suivante, il lui sembla que la chaloupe s'était écartée. Il chercha à rectifier sa direction et, comme elle avait fait de même, leurs routes se rapprochèrent. Pourtant, au premier passage, le bateau, déséquilibré par une vague, manqua les naufragés. Il dut virer de bord un peu plus loin au risque de chavirer, puis il revint vers les deux hommes avec le vent portant. Benjamin saisit alors la corde et se laissa haler, maintenant toujours l'officier épuisé. Deux minutes plus tard, les matelots le hissaient dans la chaloupe où il bascula, le souffle court, exténué. Il ferma les yeux, se jura que jamais plus il ne se jetterait dans une tentative aussi folle, fût-ce pour porter secours à son ami Pierre qui l'accueillit à son retour sur le *Duguay-Trouin* avec un air épouvanté

Cela faisait trois mois que Marie habitait la rue Sainte-Catherine, à Bordeaux, sous le toit de M. et Mme Lassalle et de leurs trois filles. Il lui avait été très difficile, au début, de s'habituer à l'absence d'horizon, à ces grandes avenues parcourues d'omnibus à cheval, de charrettes, de diligences et de cabriolets ; à cette foule sur les trottoirs, sur l'esplanade des Quinconces et dans le jardin public où, chaque fin d'après-midi, Marie emmenait les trois filles en promenade.

Mme Lassalle était une belle femme aux yeux noirs dont la gentillesse n'avait d'égale que l'autorité qu'elle manifestait en toute chose. La position qu'elle occupait dans cette grande ville lui avait fait oublier depuis longtemps ses origines modestes. Elle tenait avec diplomatie mais efficacité la maison de son mari qui recevait beaucoup. Aussi gardaient-ils à leur service, en plus de la gouvernante, trois servantes et un cocher qui logeaient sous les toits, tandis que Marie, elle, dormait dans une chambre à l'étage de ses maîtres et prenait le soir ses repas avec eux. Maître Lassalle était plus âgé que sa femme. La cinquantaine l'avait nanti d'un embonpoint qui l'inclinait à l'indolence. Il abandonnait sans remords la direction de ses affaires à sa femme, aussi facilement que celle de sa maison. Il passait le plus clair de son temps dans son cabinet de lecture, ou en ville, à son cercle situé à côté du palais de justice, laissant les cinq clercs de son étude travailler pour lui.

Les trois filles, elles, n'étaient pas de caractère facile. En outre, la stricte éducation reçue de leur mère, la conscience qu'elles possédaient d'appartenir au meilleur monde, le léger mépris nourri à l'égard de Marie n'avaient pas facilité les premiers contacts. Celle-ci avait usé de son savoir pour établir entre elles une distance qui la protégeait des humeurs et des basses vengeances dont les filles étaient coutumières. C'était avec la plus jeune, Elise, qu'elle s'entendait le mieux. Cette enfant de neuf ans, brune et fine, possédait de grands yeux clairs pleins de gaieté. La cadette, Laure, était la plus falote, la plus effacée, bien qu'étant aussi capable de dissimulations et de troubles desseins. L'aînée, Clothilde, ressemblait à sa mère aussi bien au physique qu'au mental. De caractère énergique, elle voulait toujours avoir raison, ordonnait, décidait, si bien que les heurts étaient devenus fréquents avec Marie qui n'arrivait pas toujours à se faire obéir.

Chaque fois qu'elle pouvait s'échapper, Marie courait jusqu'aux quais pavés des Chartrons qui descendaient en pente douce vers les trois-mâts, les morutiers retour de Terre-Neuve, les barques sardinières, les cargos, les chaloupes de déchargement. Elle demeurait là immobile à respirer les odeurs fortes qui affluaient vers elle et dans lesquelles elle reconnaissait celles du bois, du vin, des épices, du poisson et du sel. Devant elle, la Garonne roulait ses eaux terreuses, chargées d'herbes et de limon. Des voiles claquaient dans le vent, des drisses cliquetaient, des oiseaux blancs traversaient le fleuve jusqu'aux quais de la Bastide, là-bas, où l'on entreposait le bois venu du haut-pays. Marie se disait que ce bois avait peut-être transité par Souillac, que peut-être Vincent l'avait descendu sur son bateau jusqu'à Libourne, et c'était un peu comme si elle retrouvait sa vallée.

Parfois aussi, elle se promenait en remontant vers le pont, longeait les quais des Salinières, de la Grave, de Sainte-Croix, de Paludate, et s'émerveillait de la vie qui bouillonnait en ces lieux, de tous ces bateaux parmi lesquels elle cherchait ceux de la marine du roi, s'imaginant apercevoir celui qui lui ramènerait un jour Benjamin. Cette espérance folle mourait avec le soir mais renaissait chaque matin, l'aidait à s'habituer à sa nouvelle existence.

N'ayant personne à qui se confier, Marie avait noué des liens d'amitié avec Juliette, la cuisinière, en cachette de Mme Lassalle. Elle la retrouvait parfois dans sa chambre, sous les toits, le dimanche, quand le notaire et sa femme étaient de sortie, car Mme Lassalle n'eût pas toléré que sa gouvernante fréquentât l'une de ses servantes. Juliette était née dans le quartier de Bacalan où son père était docker. Elle aimait la Garonne de la même manière que Marie aimait la Dordogne, et c'est ce qui les avait tout de suite rapprochées. Ce fut donc à Juliette que Marie se confia, lorsque les craintes qui étaient nées en elle au début de septembre se confirmèrent. Car Marie avait suffisamment assisté aux transformations physiques de sa mère enceinte pour savoir reconnaître en elle les premiers signes d'une maternité. D'abord elle s'y était refusée, pleurant de rage la nuit, sous ses draps, appelant à son aide tous les saints du paradis. Puis devant l'inéluctable, l'inavouable, elle avait cherché du secours auprès de Juliette. Celle-ci, compatissante, lui avait avoué que dans une semblable situation elle avait eu recours aux services d'une femme qui habitait dans la rue du Mû. Marie avait cru trouver là une solution à cette impossibilité de mettre au monde un enfant qui ne fût pas de Benjamin. La honte l'accablait tellement qu'elle avait songé à deux ou trois reprises à aller se jeter dans la Garonne, là-bas, au bout du quai de Bacalan où personne ne se soucierait d'elle. Désespérée, elle finit par accepter l'offre de Juliette de prendre pour elle rendez-vous chez cette femme qu'il faudrait payer pour...

pour... Elle ne réussissait pas à prononcer les mots qui heurtaient si profondément sa conscience et salissaient encore plus l'image qu'elle se faisait d'elle-même.

Au jour et à l'heure convenus, pourtant, incapable de porter son fardeau jusqu'à la délivrance, elle se rendit dans la rue du Mû en dissimulant son visage. Mais dès qu'elle pénétra dans l'immeuble sordide et qu'elle monta les marches branlantes de l'escalier où régnait une insoutenable odeur de pourriture, quelque chose, en elle, se noua. Au deuxième étage, porte de droite, elle frappa timidement et attendit un long moment avant que la porte ne s'ouvre. Une grosse femme aux cheveux sales, bizarrement fardée, le regard mort, la fit entrer, la conduisit dans une chambre crasseuse, lui demanda de se déshabiller et de s'allonger sur un châlit occupé par trois chats aussi galeux que leur maîtresse. A l'autre extrémité de la pièce, des bouteilles de vin vides occupaient toute la surface d'une table vermoulue. Dans un coin, une masse confuse de déchets et d'objets divers s'amoncelait sur le plancher crevé. Soudain, cette laideur et cette misère révulsèrent Marie. Elle se vit dans le même instant laide et misérable, vaincue et indigne des siens, et un sursaut la fit se révolter. Qu'était-elle venue faire ici ? Elle se précipita vers la porte, sortit et se mit à courir pour s'éloigner le plus vite possible de ce lieu de malheur.

A partir de ce jour, cependant, elle vécut avec l'idée de plus en plus précise d'en finir avec la vie, d'oublier définitivement le cauchemar dans lequel elle ne cessait de se débattre. Aussi, un soir, à bout de forces, elle partit et marcha sur les quais encombrés de charrettes et de tonneaux en direction de Bacalan. Les dockers et les hommes de peine, surpris, se retournaient sur son passage, l'apostrophaient, mais elle ne les entendait même pas et courait presque, oubliant tout du passé, du présent, qui elle était et où elle se trouvait.

La nuit était venue lorsqu'elle arriva à l'extrémité des quais sombres où les docks et les navires enchevêtrés paraissaient monstrueux. Il tombait une petite pluie fine qui huilait les carlingues et les mâts. Elle eut un long frisson, chercha dans sa mémoire encombrée quelle nécessité terrible l'avait poussée là, puis elle commença à descendre le quai en pente douce vers la Garonne qui jetait des reflets lourds sous la lune. Quand ses pieds touchèrent l'eau, Marie eut un sursaut et s'arrêta. L'instant d'après, ayant apprivoisé la fraîcheur du fleuve, elle avança de quelques mètres, jusqu'à ce que l'eau atteigne ses genoux. Alors, tout à coup, ce contact sur sa peau réveilla des sensations qui montèrent du fond de son être et déferlèrent en vagues d'une poignante douceur. Ah ! Sentir un jour de nouveau la caresse des eaux de la Dordogne ! Revoir l'éclair du soleil en émergeant des profondeurs ! Plonger dans les grands fonds et se laisser porter par les courants d'une exquise tiédeur ! Pourquoi fallait-il renoncer à tout cela ? La vie était encore possible pourvu que le temps pût couler sur ses plaies. La vie et tout ce qu'elle portait en elle de menus bonheurs : un parfum de fumée de bois, la chaleur des draps passés à la bassinoire, une lumière fraîche de printemps, des merveilles qui fondent dans la bouche, des gouttes de rosée dans la transparence de l'aube, le goût des prunes chaudes, celui des premières cerises, des raisins éclatés sous la dent... Fallait-il perdre à tout jamais ces infimes et merveilleux trésors qui illuminent l'existence ? Elle eut comme un gémissement, un long frisson la secoua. L'image de Benjamin surgissant de la Dordogne, un saumon dans les mains, trembla devant ses yeux. Elle recula, fit demi-tour, s'éloigna du quai, rencontra deux agents de ville qui commençaient leur ronde de nuit. Quand ils lui demandèrent ce qu'elle faisait là, elle s'effondra lentement sur les pavés mouillés.

Une fois qu'elle eut retrouvé ses esprits, ils s'offrirent à la raccompagner. Se sentant incapable de revenir seule dans la rue Sainte-Catherine, elle accepta, vaguement soulagée de n'avoir pas à parcourir seule le trajet dans la nuit. Une demi-heure plus tard, lorsqu'ils furent arrivés devant la maison de maître Lassalle, les agents voulurent s'assurer que c'était bien chez elle et firent appeler la maîtresse de maison. Celle-ci, qui s'inquiétait de l'absence injustifiée de la gouvernante au repas du soir, remercia les agents et fit venir Marie dans le petit salon où, devant son visage ravagé, elle exigea des explications. Marie était trop faible et trop désespérée pour mentir.

— J'attends un enfant, madame, dit-elle d'une voix accablée.

Mme Lassalle ouvrit la bouche, écarquilla les yeux, bredouilla d'un air outragé :

— Ça ! Oh ça, alors !

Puis, se dressant brusquement comme si elle était assise sur un nid de serpents :

— Mais c'est absolument impossible, ma pauvre enfant !

Marie hocha la tête et affirma de la même voix désincarnée :

— Si ! madame Ça s'est passé avant que je vienne à Bordeaux.

Et elle ajouta, dans un effort de sincérité pitoyable :

— Je vous promets que je n'en savais rien avant d'accepter d'entrer à votre service.

— Encore heureux ! s'exclama Mme Lassalle ; vous ne vous rendez pas compte dans quelle situation vous me mettez !

— Oh si ! madame, croyez bien que pour moi aussi...

Elle chercha les mots mais ne parvint pas à traduire en paroles ce qu'elle éprouvait vraiment en cet instant. Mme Lassalle fit le tour du salon, s'arrêta devant la fenêtre, regarda un moment la rue, puis revint vers Marie et lança :

— Ecoutez, mon enfant ! Tout cela n'est pas admissible. Comment vais-je pouvoir expliquer à mes filles ce qui vous arrive ?

Elle soupira, demanda :

— Vous en êtes sûre, au moins ?

Marie fit un signe affirmatif de la tête, tandis que Mme Lassalle la dévisageait comme si elle était brusquement devenue criminelle. A cet instant, on entendit des pas dans le couloir et la porte ne tarda pas à s'ouvrir, poussée par le notaire qui tirait avec volupté sur sa dernière pipe de la journée. Marie tourna la tête de côté, s'essuya furtivement les yeux.

— Nous en reparlerons demain, fit Mme Lassalle. Vous pouvez aller vous coucher, Marie !

Celle-ci prit rapidement congé, sortit, se réfugia dans sa chambre, se déshabilla et s'allongea sur son lit. Elle essaya d'abord de repousser les images du quai de Bacalan et celles, plus terribles encore, de Mme Lassalle qui allait sans doute la chasser, puis elle se recroquevilla, les genoux touchant son menton, comme elle aimait le faire, là-bas, à Souillac, lorsqu'elle était enfant. Mais personne ne vint à son secours : ni Amélie ni Vincent, encore moins Benjamin qu'elle avait perdu à jamais.

11

Depuis le sauvetage de l'officier, la situation de Benjamin avait évolué favorablement. Non seulement il n'était plus considéré comme une forte tête à surveiller, mais son geste courageux lui avait valu une faveur. Parmi les opportunités qui lui étaient offertes, il avait choisi celle de passer le permis maritime une fois le *Duguay-Trouin* revenu à Rochefort. Le commandant ayant exaucé son souhait, il n'avait pas failli dans son entreprise et pouvait admirer chaque soir le précieux document qui l'emplissait de fierté. Encore deux ans et, de retour chez lui, il conduirait les bateaux jusqu'à Libourne et Bordeaux sans l'aide des pilotes de Castillon. Se souvenant de la promesse faite à son père, un jour, après une entrevue orageuse avec Jean Fourcaud, il s'était empressé d'écrire à Souillac pour annoncer la nouvelle. Depuis, il se sentait un peu réconcilié avec une vie qui, aujourd'hui, lui paraissait moins vaine.

C'est qu'il en avait vu des pays, dans la compagnie retrouvée de Pierre Bourdelle ! A commencer par l'île Bourbon, ses forêts, ses cascades, ses pitons rocheux, ses tribus d'hommes et de femmes à la peau noire. Ensuite, après avoir longé les côtes de Sumatra, Java, Bali et Timor, le *Duguay-Trouin* avait fait escale en Australie, avant de passer dans la mer de Corail. Après une nouvelle escale en Nouvelle-Calédonie, où venaient de s'établir des colons français, le *Duguay-Trouin*, contournant l'Australie par la mer de Tasmanie, était revenu vers l'océan Indien, avait doublé les îles de la Désolation [1], le cap de Bonne-Espérance et longé les côtes d'Afrique. Plus d'un an de voyage, puis six mois d'escale mis à profit par Benjamin pour obtenir le fameux permis, et nouveau départ pour des manœuvres en direction des Açores.

Aujourd'hui, lorsqu'il pensait à la Dordogne, à son petit port natal, c'était avec moins de crainte pour les bateaux conduits par Victorien. Il avait beaucoup changé, en somme, comme changeait sans doute Marie qui (il l'avait appris dans une lettre qui l'attendait à Rochefort) était partie comme gouvernante à Bordeaux, chez un notaire. A la réflexion, même s'il s'inquiétait vaguement des rencontres possibles dans cette grande ville, il se disait que c'était bien ainsi. Elle avait eu raison de ne pas l'attendre sans chercher à s'instruire, à rencontrer des gens différents, à acquérir des connaissances qui leur seraient bien utiles, plus tard, quand il faudrait commercer avec les grands marchands bordelais. Il gardait un souvenir assez flou de ses yeux verts, de ses longs cheveux, de son sourire et, sa voix s'étant effacée avec le temps, elle lui paraissait terriblement lointaine. Aussi parlait-il souvent d'elle à Pierre Bourdelle qui l'écoutait patiemment. Leur amitié avait été fortifiée par la séparation qui leur avait été imposée après la désertion de Benjamin. Le Bergeracois était passé maître canonnier et s'en glorifiait malgré les railleries de Benjamin :

— Je sais bien sur qui je les pointerai mes canons ! assurait-il. La République aura besoin d'hommes, d'armes, et de canons aussi bien que de fusils !

Au cours de leurs interminables conversations, Pierre lui avait enseigné tout son savoir en matière politique. Désormais, les orléanistes, les légitimistes, les bonapartistes, les républicains n'avaient plus de secret pour Benjamin qui, par ailleurs, était révolté, comme Pierre, par l'esclavage qui régnait dans les

1. Aujourd'hui Kerguelen.

îles malgré la Déclaration des droits de l'homme, malgré les idées nouvelles répandues par la Révolution et toutes les voix, aujourd'hui bâillonnées, qui s'étaient élevées pour les défendre. Cependant, il s'agissait d'une indignation qu'ils exprimaient uniquement lorsqu'ils étaient seuls, ou la nuit, dans leurs hamacs rapprochés, car ils se méfiaient des dénonciations qui eussent réduit à néant leurs efforts pour vivre en paix.

Ce matin-là, le vent portant gonflait les voiles du vaisseau qui filait à bonne allure sur une mer d'huile. Le temps était clair, mais une dépression approchait par l'ouest, dont on sentait les premières turbulences. Le *Duguay-Trouin* achevait ses manœuvres au large du golfe de Gascogne, avant de revenir vers Rochefort où il ferait escale pour deux mois. Les tirs duraient depuis plus de trois heures et Benjamin avait hâte de pouvoir se reposer. Il comprenait à des hésitations et à des lenteurs que la fin était proche et se demandait quel serait le menu de midi. Il se trouvait sur tribord, près du mât d'artimon, s'apprêtait pour un nouveau tir, sans doute le dernier.

— Bouchez la lumière ! hurla le braillard.

Benjamin obéit de façon mécanique, sans penser vraiment à ce qu'il faisait.

— Ecouvillonnez ! La gargousse dans le canon ! Refoulez ! Le boulet dans le canon ! En batterie ! Pointez !

Il y eut alors un éclat gigantesque de métal et de feu qui le projeta violemment vers l'arrière, l'envoyant cogner contre le mât près duquel il s'affaissa, sans connaissance, après avoir pensé, comme dans un rêve, que le canon avait explosé et qu'il allait mourir déchiqueté. Il ne sentit pas la douleur tout le temps qu'il demeura évanoui. Ce fut seulement lorsqu'il revint à lui, beaucoup plus tard, qu'elle lui parut occuper chaque parcelle de son corps et lui arracha des gémissements. Autour de lui, c'était l'horreur : il y avait du sang partout, des hommes criaient, d'autres, comme lui, gémissaient, tandis que le chirurgien s'affairait de l'un à l'autre, impuissant.

— Ne t'en fais pas, souffla une voix près de Benjamin. Tu t'en sortiras.

Il battit des paupières, demanda :

— Qu'est-ce que j'ai ? Il faut me le dire, Pierre.

— Ne t'inquiète pas. On s'occupe de toi.

Benjamin fit un violent effort pour se redresser, mais la souffrance fut telle que, de nouveau, il perdit connaissance.

Il ne se souvint pas des heures qui suivirent, car il oscilla entre la vie et la mort, luttant de toutes ses forces contre la douleur qui irradiait de ses terribles blessures : fracture du bras et de la jambe gauches, perforation du ventre, éclats de métal fichés dans tout le corps. De sombres rêves déferlaient en lui, dans lesquels il reconnaissait Emeline, Arsène Lombard, l'officier despotique de son premier voyage en mer, et le plus souvent le borgne qui le frappait avec une bouline tandis que des rats aux yeux rouges rongeaient ses chairs.

Des trois servants du canon qui avait explosé, deux étaient morts. Benjamin était le seul survivant, mais dans un état si pitoyable que le chirurgien le considérait comme perdu et s'occupait d'abord des blessés qui étaient couchés dans l'entrepont. Le soir de l'accident, pourtant, Pierre étant intervenu auprès du commandant, le chirurgien daigna se pencher sur le mort vivant qui gisait dans un coin, couvert de sang. Il lui fit d'abord boire un demi-litre de rhum, puis, assisté de Pierre qui s'était porté volontaire, entreprit d'extraire les éclats un à un, de réduire les fractures, et de soigner le ventre dont l'horrible blessure bâillait. Il fallut assommer Benjamin avant de le recoudre, brûler la blessure à l'alcool, le bourrer de quinine, enfin, avant de le panser et de l'immobiliser. Cette nuit-là, Pierre ne le quitta pas une seconde. Il lui parla, au contraire, essayant de le rassurer sans être certain que Benjamin l'entendît. Au matin, pourtant, Benjamin recommença de gémir et Pierre essaya de se convaincre que le plus difficile était passé.

Comme le bateau ne se trouvait qu'à deux jours des côtes, le commandant décida de ne pas faire route vers Rochefort, mais plutôt vers Bordeaux en remontant l'estuaire de la Gironde. Ainsi les blessés graves arriveraient-ils plus rapidement à l'hôpital militaire où l'on avait l'habitude de soigner ce genre de blessures. Les quarante-huit heures qui s'écoulèrent alors furent autant de moments d'espoir et de doute pour Pierre qui ne quittait pas l'entrepont. Il se sentit seulement rassuré lorsque le *Duguay-Trouin* fut amarré au quai de Bordeaux et que les blessés furent transportés par charrette à l'hôpital où de nouveaux soins leur furent donnés.

Benjamin assistait de très loin à ces manœuvres. Il ne se rendait même pas compte que la gangrène le guettait et que les chirurgiens bordelais envisageaient de l'amputer. Ils hésitèrent plusieurs jours, puis l'infection parut se résorber. La robustesse de Benjamin, qui était habitué depuis son plus jeune âge aux durs travaux dans le froid et la pluie, venait de le sauver. Il souffrit un peu moins à partir du moment où tous les éclats, ou presque, furent extraits de son corps, et ses fractures consolidées. Un matin, en s'éveillant, il pensa pour la première fois qu'une centaine de mètres, peut-être, le séparaient de Marie. Dès lors, il ne pensa plus qu'à guérir pour la retrouver le plus vite possible.

Pourquoi avait-elle décidé de l'appeler François ? Pour faire revivre ce frère mort dont elle s'était occupée comme une mère ? Pour donner une justification à cette naissance ? Elle ne cessait de le regretter chaque jour et, chaque jour, elle parcourait le chemin de croix qui avait été le sien depuis la terrible soirée du quai de Bacalan.

— Voilà ce que nous allons faire, avait décidé Mme Lassalle : dès que votre grossesse sera apparente, vous partirez. Je ne veux pas que mes filles vivent avec l'exemple quotidien de votre inconduite sous les yeux. Je vous trouverai une chambre où vous accoucherez ; ensuite, vous mettrez votre enfant en nourrice. Je la trouverai aussi. Vous devez savoir, Marie, que notre maison ne peut pas abriter ce genre de scandale, et croyez bien que si je montre tant de mansuétude à votre égard, c'est par pure charité et pour l'affection que je porte à mon frère. Comprenez-moi bien : je ne vous demande pas d'abandonner votre enfant, mais il est tout à fait impossible qu'il vive sous notre toit. Ce serait pour nous tous, pour mes filles, pour mon mari, un fardeau qu'ils ne méritent pas... Voilà ! c'est à prendre ou à laisser ! Est-ce que vous acceptez ou est-ce que vous préférez partir ?

Marie, qui s'était déjà imaginée à la rue, sans ressources et sans abri avec la charge d'un enfant, avait répondu :

— Je vous remercie, madame, ce sera comme vous voudrez.

Ainsi avait-on fait. Dès que sa grossesse avait été visible, Mme Lassalle l'avait emmenée dans une chambre située sous les toits de la rue Poitevine, renouvelant sa promesse de la reprendre une fois l'enfant placé chez une nourrice. Pour Marie, une existence solitaire avait alors commencé, égayée seulement par les visites de Juliette et la lecture des livres prêtés par ses maîtres. Le temps lui avait paru bien long et elle n'avait cessé de se poser des questions sur l'utilité d'une telle retraite. Ne valait-il pas mieux rentrer chez elle où, sans doute, Vincent et ses frères sauraient la comprendre et l'accueillir ? Elle essayait de s'en convaincre jusqu'au moment où elle pensait à Benjamin et à son retour. Alors quelque chose se nouait en elle, et elle se résignait à vivre jusqu'au bout son calvaire.

Elle avait écrit deux lettres, l'une à Vincent, l'autre à Elina et Victorien. Elle y racontait sa vie à Bordeaux, y parlait de ses maîtres, de leurs filles, de son travail, se disait heureuse de son existence et réclamait des nouvelles. Elle avait fait connaissance avec l'une de ses voisines de palier, Roseline Coustou, dont le mari travaillait aux Salinières, et qui l'aidait beaucoup. Pourtant, les quatre mois qu'elle avait passés dans la chambre sous les toits lui avaient paru interminables. Privée de soleil, de liberté, elle s'était fanée comme une fleur en automne, songeant inlassablement aux étés lumineux de là-bas, aux aubes claires, au long miroir des eaux, aux plongées fabuleuses dans les grands fonds.

Aux premières douleurs, Roseline Coustou était allée prévenir Juliette, rue Sainte-Catherine, qui était elle-même allée chercher la sage-femme, une dame d'une cinquantaine d'années, énergique et autoritaire, qui s'appelait Mme Chambeaudie. Marie, qui était prête aux pires souffrances pour sortir enfin de cette chambre où elle vivait prisonnière, s'était livrée avec confiance aux mains expertes de la sage-femme. Elle ne se doutait pas que son calvaire devait durer douze heures, au terme desquelles elle avait fini par perdre conscience. Il avait fallu retourner l'enfant qui se présentait mal, employer les fers et stopper une hémorragie qui mettait en péril à la fois la vie de la mère et de l'enfant.

— Je n'ai rien pu faire, ma pauvre, avait entendu Marie en ouvrant les yeux. Quand je l'ai sorti, il était déjà mort.

Elle avait crié et, une fois retombée sur son oreiller, avait revu François, là-bas, dans la chambre du port, le visage stupéfié, méconnaissable. Mais ne le savait-elle pas, déjà, que son enfant ne vivrait pas, puisqu'elle avait décidé de l'appeler ainsi ? N'était-ce pas elle qui l'avait tué en lui donnant ce prénom après avoir cherché à le perdre dans le taudis de la rue du Mû ?

Pendant les jours qui avaient suivi, elle avait cru devenir folle. Chaque matin en se levant, elle avait dû batailler avec ce sentiment de culpabilité qui l'accablait et que Juliette et Mme Lassalle s'efforçaient de lui faire oublier. Or elles avaient beau multiplier les efforts, Marie n'oubliait rien, et cela faisait des mois qu'elle se torturait à l'idée d'avoir voulu la mort de son enfant...

Il allait être midi, ce matin d'été, quand Juliette lui annonça qu'un monsieur la demandait en bas. D'abord elle eut peur, car elle ne se sentait pas le courage de soutenir la moindre conversation, puis le besoin de savoir qui l'attendait fut le plus fort. Elle descendit l'escalier lentement, aperçut son frère.

— Vivien ! fit-elle en se précipitant vers lui.

Et tandis qu'elle l'embrassait, une vague tiède la submergea. Elle le serrait dans ses bras comme pour retenir à jamais cette bouée qui lui était jetée, cependant que Vivien, timide et emprunté, tenait sa casquette à la main en répétant :

— Marie ! Marie ! tu vas bien ? tu vas bien ?

Elle le lâcha enfin, retrouvant un passé merveilleux qui était sa vraie vie, son enfance, le bonheur.

— Ne pleure pas, Marie. Regarde ! je suis là !

Il était là, en effet, inchangé, toujours aussi beau, avec ses yeux lumineux, son sourire d'enfant qu'il était encore, qu'il serait toujours.

— Vivien ! fit-elle, mais comment as-tu fait ? Les eaux ne sont pas marchandes en cette saison !

— J'ai pris une voiture de roulier jusqu'à Bergerac et ensuite la diligence. Tu vois ? C'est pas compliqué.

Mme Lassalle, qui veillait sur les relations de ses employés, ne tarda pas à apparaître. Marie lui présenta son frère qui fut autorisé à déjeuner avec elle dans la cuisine. En outre, comme Mme Lassalle trouvait dans cette visite une opportunité pour Marie de sortir de la torpeur où elle avait sombré depuis de longs jours, elle lui donna congé pour l'après-midi. Une fois seuls sur les quais, Marie et Vivien purent donc parler à loisir de leur famille, de Souillac, de la rivière, d'Elina et de Victorien. A entendre Vivien, tout le monde se portait bien et les affaires de Victorien marchaient à merveille. Il attendait avec impatience le retour de Benjamin pour lui confier les bateaux et envisageait même d'en faire construire d'autres.

— Est-ce qu'il t'a écrit ? demanda Vivien qui avait senti chez Marie une sorte de rétraction à l'instant où il avait prononcé le nom de Benjamin.

— Elina m'a donné des nouvelles, dit-elle. Et toi ? As-tu reçu une lettre récemment ?

— Non. Mais peut-être veut-il nous faire une surprise. Je suis sûr que nous allons le voir arriver un de ces jours sans prévenir.

Elle eut une moue dubitative, prit le bras de Vivien. Ils marchaient sur le quai de la Bourse et Vivien s'étonnait au spectacle des grands mâts, des voiles, des drisses et des haubans, des innombrables charrettes affectées au transport des marchandises, de l'activité de ruche qui régnait partout. Au bout du quai, Marie fit passer Vivien près des colonnes rostrales pour gagner l'esplanade des Quinconces. Là, ils marchèrent un moment en silence et, une fois parvenus à proximité du bassin, ils s'assirent sur un banc.

— Tu ne m'as pas parlé de toi, fit Vivien. Es-tu contente ? Est-ce que tu te plais chez ces gens ?

Avait-il deviné quelque chose ? Elle le considéra sans sourire, un peu angoissée, soudain, mais l'expression paisible de son visage la rassura. Il y eut un silence durant lequel le besoin subit, impérieux, vital, de se confier s'imposa à Marie. Elle avait trop souffert seule. Elle n'en pouvait plus de tous ces remords qui l'assaillaient, de cette vie sans horizon. Elle s'entendit murmurer d'une voix désincarnée :

— J'ai eu un enfant, Vivien. Il est mort à la naissance.

Elle sentit nettement une crispation dans le bras de son frère. Pendant quelques secondes, il ne respira plus. Un éclair dur passa dans son regard, mais il s'éteignit aussitôt et Marie ne le vit pas.

— Si tu m'avais appelé, je serais venu, dit-il enfin sans le moindre reproche.

— Ce n'était pas possible, Vivien.

Elle eut la conviction qu'il lui en voulait sans le laisser paraître, et elle regretta d'avoir parlé si vite. Pourtant elle se sentait mieux maintenant, et comme réconciliée avec elle-même. Aussi ajouta-t-elle, afin de se délivrer une bonne fois pour toutes d'un fardeau trop lourd à porter :

— Ça s'est passé avant...

— Arrête ! dit Vivien, nous n'en parlerons plus jamais.

— Il faudra pourtant bien que j'en parle à Benjamin, fit-elle avec un soupir.

Et elle ajouta dans un souffle :

— Si j'en trouve la force.

Vivien passa son bras autour de ses épaules et ce fut comme si elle naviguait près de lui dans la barque où ils avaient été si heureux.

— Tu la trouveras, Marie, il le faudra.

Elle le reconnaissait bien là, franc comme l'or et toujours

complice malgré le temps passé, malgré l'aveu qu'elle venait de lui faire. Comme elle demeurait silencieuse, il lui parla des bateaux de Victorien, du trafic qui augmentait sans cesse sur la rivière, du gabarot qu'il conduisait depuis que Ghislain Claveille était parti pour Paris. Elle comprit qu'il voulait ainsi lui montrer qu'elle pouvait revenir sans crainte à Souillac, qu'il n'y avait plus de danger, et elle fut certaine qu'il savait parfaitement ce qui s'était passé, là-bas, une nuit de Saint-Jean.

— Merci, Vivien, murmura-t-elle.

— Ne me remercie pas, dit-il, j'aurais dû t'aider plus tôt.

Elle pensa qu'il voulait dire « avant cette nuit-là », mais elle n'en fut pas certaine et ne répondit rien. Pourtant elle se sentait proche de lui et retrouvait les mêmes sensations qu'au temps où ils restaient sans parler, enfants, et regardaient couler la Dordogne entre les galets de la plage. Aujourd'hui, c'étaient les gens de la ville qu'ils regardaient passer, Vivien avec une certaine curiosité, Marie avec l'impression d'avoir toujours vu ces hommes vêtus d'un costume noir et coiffés d'un chapeau mou, ces femmes dignes et élégantes dans leur robe longue bien coupée, rubans autour du cou et chapeau à fleurs sur la tête. Au point qu'elle se demanda si elle avait jamais habité ailleurs et que son petit port tapi dans les prairies lui parut terriblement lointain.

— Si on revenait vers les quais ? demanda Vivien.

— Tu as raison ; allons voir les grands voiliers !

— Tu sais, j'en ai vu de beaux, ce matin, en traversant sur la barque des passeurs.

— Tu n'as pas traversé sur le pont ? s'étonna-t-elle.

— Pour passer sur le pont, il faut payer un droit. Tu n'es donc jamais allée à la Bastide ?

— Non ! je me contente de marcher sur nos quais.

— Tu parles comme une vraie Bordelaise !

Elle rit, se rendit compte que cela ne lui était pas arrivé depuis longtemps et se sentit libérée du poids de remords qui l'avait oppressée chaque jour. Ils se dirigèrent vers le pont où l'on apercevait les verrues grises de l'octroi, heureux que l'on pût les prendre pour deux époux en promenade. Passé le pont, ils s'engagèrent sur le quai des Salinières, puis sur celui de la Grave. Vivien s'arrêtait devant les trois-mâts ancrés au milieu de la Garonne, mais aussi devant les morutiers et les bateaux de pêche de la mer bordelaise. Tout l'intéressait, tout l'étonnait, car il n'était jamais allé que jusqu'à Libourne et c'était ici autrement plus beau, autrement plus grand. On respirait un autre air, qui était sans doute celui de la haute mer, des pays lointains des îles du bout du monde.

— Quand Benjamin sera revenu, on viendra jusqu'ici, dit-il d'une voix enfiévrée.

Elle faillit dire « moi aussi », mais elle n'osa pas. Elle repoussa tout ce qui était étranger au moment présent et profita de chaque seconde, de chaque minute, comme si le départ de Vivien allait la renvoyer vers ses démons et lui cacher de nouveau la lueur du soleil.

A sept heures, il fallut revenir vers la rue Sainte-Catherine où on devait l'attendre. Au lieu de passer par les quais, elle l'entraîna par l'église Saint-Michel, le marché des Capucins et la rue des Augustins. Elle retarda le plus possible le moment de le quitter, mais il fallut bien y venir enfin.

— Je ne veux pas te voir partir, lui dit-elle alors. Je vais continuer à marcher et tu te retourneras : tu trouveras le port devant toi.

— Tu ne veux donc pas m'embrasser ?

— Bien sûr que si, dit-elle. Maintenant.

Elle eut beaucoup de peine à se détacher de lui, mais, dès qu'elle fut seule au bout de la rue Sainte-Catherine, il lui sembla qu'elle avait de nouveau le droit de penser aux siens.

Ce début d'après-midi était si chaud qu'Elina avait fermé la porte de la maison et rabattu les volets. Dans la fraîcheur relative de la pénombre, elle travaillait devant l'évier de pierre tandis que Victorien comptait ses écus et inscrivait les sommes sur un cahier. Il n'en avait jamais autant eu en sa possession. Il avait beau ne pas se l'avouer, il était fier d'avoir réussi dans son entreprise et regrettait seulement que Benjamin fût si loin et que ses filles eussent quitté la maison. Pourtant il eût volontiers pris leurs maris sur ses bateaux ou en eût fait des contremaîtres pour le sel et le merrain, mais ceux-ci avaient préféré devenir ouvriers. Il leur en voulait de n'avoir pas rejoint les rangs de ses matelots et ne les ménageait pas quand il les rencontrait. Aussi ne les voyait-il pas souvent, et ses filles pas davantage, ce dont il souffrait en le cachant soigneusement.

Sur la rivière, tout se passait d'autant mieux que, depuis l'ouverture du canal de Mauzac à La Tuilière, on n'avait plus à redouter les rapides de Lalinde ni les abus des pilotes. Bientôt, il n'aurait même plus à payer les pilotes de Castillon et il comptait bien acheter d'autres bateaux, envoyer une flotte à Bordeaux sous le commandement de Benjamin, confier la deuxième à Vincent et à ses fils, même si Vivien devait tirer au sort l'année prochaine. Et Benjamin se marierait. Et la maison retentirait du rire de ses enfants, alors que cet après-midi Victorien se trouvait seul avec Elina et songeait que le temps devait lui paraître bien long quand les eaux étaient marchandes. Surtout depuis qu'Amélie était morte et que Marie était partie pour Bordeaux. Qu'est-ce qui lui avait pris, à cette petite si sérieuse et si sage, de quitter ainsi sa maison ? Il n'avait pas compris pourquoi Vincent l'avait laissée partir de la sorte, et lui en avait fait de fréquents reproches. Il se demandait souvent si elle n'allait pas trop changer là-bas, et si elle accepterait de revenir à Souillac pour y vivre avec Benjamin.

Il soupira, grogna comme un vieil ours, repoussa le cahier à l'autre bout de la table. Cinq ans qu'il n'avait pas revu son fils ! Tonnerre ! Au nom de quelle loi pouvait-on retenir si longtemps des hommes loin de leur foyer ? Lui-même, à l'époque où il servait dans la marine, était revenu chez lui au bout de trois ans. Alors ? Pourquoi retenait-on ainsi Benjamin ? Et combien de temps devrait-il encore attendre ? Elina, elle, ne se plaignait jamais, mais il voyait bien à quel point l'absence de son fils lui pesait. Heureusement que le succès de leur entreprise — à laquelle Victorien l'associait de plus en plus — les aidait à patienter, à trouver le réconfort dont ils avaient tous les deux bien besoin.

— Je vais faire mettre en chantier deux bateaux, décida-t-il brusquement, avec une sorte de violence dans la voix.

Elina se retourna, répondit :

— C'est une bonne idée. Ainsi, ils seront achevés quand il reviendra.

Victorien approuva de la tête, reprit pensivement :

— A Bordeaux, le sel se vend moins cher qu'à Libourne.

Elina vint s'asseoir près de lui, demanda :

— Est-ce vrai qu'il y a beaucoup de naufrages sur les bancs de sable de Macau ?

Victorien ne répondit pas, se contenta de sourire en haussant les épaules.

— Et les tempêtes de la mer bordelaise, reprit Elina, ne sont-elles pas plus dangereuses que celles de notre Dordogne ?

Victorien posa sa main sur le bras de sa femme.

— Il a certainement affronté des tempêtes autrement plus périlleuses sur l'océan, dit-il.

Elina demeura songeuse, jouant avec la plume que Victorien avait posée sur la table.

— Grâce au permis qu'il a obtenu, reprit-il, nous allons devenir riches.

— Il me suffira simplement que nous soyons heureux, dit-elle. Je ne crois pas beaucoup aux vertus des louis d'or.

A cet instant, on frappa à la porte. Trois coups brefs qui les surprirent. Victorien interrogea sa femme des yeux, mais elle lui fit signe qu'elle n'attendait aucune visite.

— Entrez ! fit-il d'une voix forte.

La porte s'ouvrit, poussée par un homme qui devait avoir une trentaine d'années. Il était grand, brun, vêtu d'une redingote de ville, d'un pantalon noir et de chaussures à clous qui trahissaient une certaine aisance. Il s'inclina légèrement devant Victorien qui s'était levé, demanda :

— C'est bien ici, chez Donadieu ?

— C'est ici, répondit Victorien.

— Je suis un camarade de Benjamin. J'étais avec lui sur le *Duguay-Trouin.*

— Mon Dieu ! fit Elina en s'approchant du visiteur.

— Finissez d'entrer ! dit Victorien en serrant la main de l'homme qui, de nouveau, s'inclina en disant :

— Pierre Bourdelle. De Bergerac.

— C'est donc de vous qu'il parlait dans ses lettres, dit Victorien.

Puis, lui désignant une chaise :

— Asseyez-vous, monsieur Bourdelle ; vous boirez bien quelque chose.

— Mais peut-être n'avez-vous pas mangé ? demanda Elina.

— Merci, madame, mais j'ai mangé à Carlux.

Il ajouta, s'essuyant le front d'un revers de main :

— Je boirai volontiers quelque chose ; il fait chaud sur la route.

Elina se précipita, offrit du vin frais, posa deux verres sur la table, que Victorien remplit en disant :

— Si je comprends bien, il a eu moins de chance que vous.

Pierre Bourdelle hésita. Benjamin lui avait recommandé de prendre des précautions et de ne pas donner de précisions sur l'exacte gravité de ses blessures. « Ne t'inquiète pas ! avait répondu Pierre en le quittant, je ferai attention. » Et maintenant, face à ces yeux qui brillaient d'impatience, devant cet homme et cette femme qu'il lui semblait connaître depuis si longtemps, il hésitait, ne trouvait pas ses mots.

— Un peu moins, vous avez raison, dit-il, mais s'il n'avait pas déserté, vous l'auriez déjà revu au moins une fois.

Et, cherchant à retarder le plus possible le moment où il devrait parler de l'accident :

— A l'époque, j'ai tout fait pour le retenir. Mais vous savez, c'était comme une folie qui brûlait au fond de lui. Il ne savait parler que de vous, de la Dordogne, de vos bateaux. Il ne pouvait plus s'en passer.

— Il s'en est bien passé, pourtant, soupira Elina.

— Il a fini par s'habituer. Après, ma foi, nous sommes partis pour l'océan Indien pendant plus d'un an et le voyage l'a aidé à oublier.

— Ça n'empêche pas qu'ils auraient pu lui donner une permission, tout de même, dit Victorien. Il a payé assez cher ses bêtises.

— Est-ce qu'il va bien, au moins ? demanda Elina.

Pierre Bourdelle toussota et s'éclaircit la voix. Il savait qu'au point où il était arrivé, il ne pouvait plus reculer.

— Il ne va pas très bien, non, dit-il, après un soupir.

Et, comme Elina et Victorien le dévisageaient sans comprendre, tendus comme à l'annonce d'un malheur :

— Pour tout vous dire, il est à l'hôpital de Bordeaux.

Un lourd silence se fit, que Pierre s'empressa de rompre en ajoutant :

— Ne vous inquiétez pas ; il est hors de danger, maintenant.

Victorien et Elina le regardaient durement, comme s'il avait été coupable de ce qui était arrivé à leur fils.

— Il a donc été gravement malade ? demanda Elina.

— Non ! pas malade, murmura Pierre, mais blessé par l'explosion d'un canon.

Voilà ! C'était dit. Il fallait maintenant s'employer à rassurer ses hôtes, leur montrer qu'ils pouvaient avoir confiance. Victorien ne lui en laissa pas le temps et demanda :

— Qu'est-ce qu'il a, au juste ?

Pierre eut une seconde d'hésitation, chercha les mots les plus anodins possible, répondit :

— Il a été blessé au bras et à la jambe gauches.

— C'était grave ? demanda Victorien.

Il n'était pas possible de mentir devant ces yeux gris, ce visage tendu qui exprimaient toute l'honnêteté, toute la gravité d'un homme.

— Fracture du bras, du fémur et du tibia.

— Mon Dieu ! fit Elina en fermant les yeux.

Victorien lui, avait blêmi. Il serrait les poings et ses

mâchoires jouaient sous la peau de ses joues comme s'il était prêt à bondir sur un ennemi.

— Est-ce qu'il remarchera ? demanda-t-il d'une voix blanche.

— Tout danger d'amputation est écarté depuis longtemps, dit Pierre. A présent, c'est une question de temps. Mais il remarchera, je vous le promets : le chirurgien que j'ai vu a été formel.

Il y eut un long silence, durant lequel les mots firent lentement leur chemin chez Elina et Victorien, provoquant en eux une peur rétrospective peut-être plus terrible qu'une peur immédiate.

— C'est bien vrai ? demanda Elina.

Pierre Bourdelle sourit, répondit :

— C'est bien vrai. D'ailleurs, si ce n'était pas le cas, vous pensez bien que Benjamin ne m'aurait pas demandé de venir jusqu'ici.

Il ajouta, comprenant que ses hôtes n'étaient encore pas persuadés de sa sincérité :

— Il vous demande de ne pas le faire savoir à Marie ; il veut attendre d'être sur pied pour ça. Vous comprenez, n'est-ce pas ?

— Est-ce que ça sera long ? demanda Victorien.

— Je ne sais pas exactement... six mois... un an...

Victorien parut s'affaisser, mais il se reprit très vite et décida :

— Je vais aller le voir.

— Non ! dit Pierre ; il ne le veut pas.

Et, comme Victorien insistait :

— Il veut être debout pour vous accueillir, vous comprenez ?

Victorien acquiesça de la tête, mais il garda un air déterminé qui donna à penser à Pierre qu'il n'avait pas renoncé à son idée première.

— Au moins, ça lui évitera de finir ses sept ans, reprit le Bergeracois.

— Vous croyez ? fit Elina dont le regard s'était mis à briller de nouveau.

— J'en suis sûr. Il sera libéré dès qu'il sortira de l'hôpital ; un officier me l'a dit.

— C'est quand même cher payé ! grommela Victorien... Enfin ! qu'il revienne au moins sur ses jambes, on n'en demande pas plus.

Comprenant que le moment le plus pénible était passé, Pierre se mit à parler de leurs voyages, des îles lointaines, du sauvetage de l'officier qui avait valu à Benjamin une faveur et l'estime de tous. Il raconta par le détail leur vie à bord du *Duguay-Trouin,* les pays visités, les plantations de canne à sucre, les gens de couleur, les forêts, les montagnes, tout ce qu'ils n'auraient jamais connu sans la marine.

Quand il se tut, de longues minutes plus tard, il comprit que ses hôtes étaient rassurés. Victorien lui versa un autre verre de vin et Elina lui demanda :

— Vous resterez bien avec nous, ce soir ? La maison est assez grande, vous savez !

Il y avait une telle supplique dans sa voix que Pierre, malgré la pensée de ses parents qui l'attendaient à Bergerac, n'eut pas le cœur de refuser. Alors, Victorien, redevenu lui-même, commença à parler de ses projets, des bateaux qu'il allait mettre en chantier, des voyages qu'entreprendrait Benjamin dès son retour, des marchés qu'ils signeraient avec les Bordelais. Il s'arrêtait à chaque fin de phrase, ou presque, et demandait :

— Vous le lui direz, n'est-ce pas ? Vous le lui direz ; je compte sur vous.

Et Pierre hochait la tête, satisfait d'avoir mené à bien sa délicate mission.

Depuis qu'il était allongé dans la grande salle commune de l'hôpital, Benjamin avait l'impression que les jours duraient des siècles. Sa jambe et son bras immobilisés ne le faisaient pas vraiment souffrir, mais la vie qu'il menait dans cet univers clos où les gémissements et les râles des malades ne cessaient jamais lui était devenue insupportable. Heureusement, il avait reçu la visite de Pierre à son retour de permission, et d'entendre parler de son père et de sa mère lui avait fait beaucoup de bien. Il avait également reçu une lettre de Marie expédiée à Rochefort et qu'on avait fait suivre. Elle ne se plaignait pas, Marie, au contraire : ses maîtres étaient bons pour elle et son travail lui plaisait. Elle regrettait simplement de ne pas recevoir de ses nouvelles et demandait quelles en étaient les raisons. Benjamin lui avait répondu, mais ne lui avait parlé ni de l'accident ni de sa présence à Bordeaux. Certains jours, pourtant, quand le temps lui paraissait trop long, il regrettait de ne lui avoir pas tout avoué, comme il regrettait aussi, souvent, d'avoir interdit à ses parents de lui rendre visite. Mais ces instants de faiblesse ne duraient pas longtemps. A la seule idée de passer une heure avec eux dans cette salle où rôdaient la souffrance et la mort, il renonçait à leur écrire.

On était en octobre, un octobre doux et pluvieux qui traînait derrière lui des odeurs puissantes de moût et de chai. Benjamin, qui voyait depuis dix jours tomber la pluie derrière les carreaux, songeait que les eaux devaient être marchandes et que les bateaux, là-bas, à Souillac, avaient dû appareiller. Le chirurgien — un homme grand et svelte, aux cheveux blancs soigneusement coiffés, au profil d'aigle — lui avait promis qu'il pourrait poser les pieds par terre dans les huit prochains jours. Depuis, Benjamin ne pensait plus qu'à cela et ne doutait pas de redevenir aussi agile qu'avant.

Cet après-midi-là, il venait de prendre son repas et somnolait en rêvant à tout ce qu'il allait revoir bientôt dans les rues et sur la rivière. Autour de lui, les malades et les blessés cherchaient dans le sommeil de la mi-journée un répit à leur souffrance.

— Une visite pour vous, lui dit l'infirmière brune qui, parfois, lui tenait compagnie entre deux corvées.

Il ouvrit de grands yeux, se demanda si l'infirmière s'était bien adressée à lui, puis une onde de bonheur coula dans ses veines : son père s'approchait, les mains nouées sur une capuche qu'il triturait nerveusement, avec l'air un peu hagard de ceux qui, habitués au grand air, entrent dans une pièce close. Il s'arrêta derrière le lit, essayant de sourire.

Encombré de ses longs bras inutiles, s'efforçant de ne pas regarder à sa droite et à sa gauche où les malades l'observaient, il ne savait quelle contenance prendre. Benjamin fit un petit geste de la main, l'invitant à s'asseoir sur le lit. Alors Victorien combla les quelques mètres qui les séparaient et dit en lui tendant un paquet contenant deux oublies achetées en chemin :

— Bonjour, fils !

Benjamin, pétrifié, ne put même pas saisir le paquet que Victorien posa sur le lit, avant de se pencher pour l'embrasser. Le seul fait de sentir la rude barbe de son père sur sa peau fit resurgir toute une somme de sensations qu'il avait crues définitivement enfouies dans le passé. Il ferma les yeux, se laissa aller un instant. Benjamin se redressa, s'assit au bord du lit, croisant ses mains sur ses jambes, dans un geste maladroit qui trahissait son embarras.

— Pourquoi êtes-vous venu ? demanda doucement Benjamin. Vous savez bien que j'aurais voulu vous recevoir debout.

Victorien toussota, répondit humblement, d'une voix que Benjamin ne lui connaissait pas :

— C'est que, vois-tu, je n'ai pas pu attendre.

Il y avait dans ses yeux une lueur un peu semblable à celle que Benjamin avait vue briller le jour où Victorien l'avait frappé, après l'affaire des saumons. Il comprit que son père souffrait de le trouver ainsi meurtri et que c'était comme si lui-même était touché dans sa propre chair. Mais il n'eut pas le temps de le rassurer, car Victorien murmura en se penchant vers lui :

— Donne-moi ton mal, petit.

Il y eut un bref silence. Benjamin recevait ces mots avec d'autant plus d'émotion que son père ne s'était jamais livré de la sorte.

— Vous dites des bêtises, tenta-t-il de plaisanter.

Mais Victorien reprit avec gravité, son regard d'acier calmement posé sur son fils :

— Pour que tu puisses vivre debout, je te donnerais volontiers mes jambes et mes bras.

Benjamin l'attira contre lui et ils demeurèrent enlacés un long moment, s'efforçant l'un et l'autre de desserrer l'étau refermé sur leur poitrine.

Quand Victorien se redressa, son regard s'était voilé. Il s'empressa de déplier le papier du paquet qu'il avait apporté tandis que Benjamin murmurait :

— Vous n'aviez pas besoin de me dire tout ça, je le savais.

Victorien soupira :

— Si seulement c'était possible...

Ils parlaient à voix basse, gênés qu'ils étaient par l'attention indiscrète des hommes couchés dans les lits voisins, mais heureux, tous les deux, comme ils ne l'avaient pas été depuis longtemps.

— Et la mère ? demanda Benjamin.

— Elle se languit, mais elle va bien.

— Et Angéline ? Et Fantille ?

— On les voit pas assez souvent, mais que veux-tu ? elles ont leur maison, maintenant. Seulement, pour la mère, c'est pas toujours facile.

— Vous lui direz que je serai bientôt de retour, et pas tout seul, j'espère.

Benjamin baissa la voix pour demander :

— Vous avez des nouvelles de Marie ?

— Elle travaille à Bordeaux, pas très loin d'ici. Je vais peut-être passer la voir. Qu'est-ce que tu en penses ?

Benjamin se dressa à demi dans son lit :

— Surtout ne lui dites rien, s'il vous plaît.

Victorien l'apaisa de la main et dit :

— Ne t'inquiète pas, elle ne saura rien.

— Dès que je serai debout, j'irai la voir.

— Tu as raison, fit Victorien, c'est mieux comme ça

Un bref silence tomba, puis Benjamin demanda :

— Et Vincent ? comment va-t-il ?

— Toujours solide, Vincent. Et maintenant il y a Vivien sur le gabarot.

Benjamin hocha la tête pensivement, une profonde mélancolie dans le regard. Des cris retentirent à l'autre extrémité de la salle, provoquant l'arrivée de deux infirmières au gabarit impressionnant.

— Ça doit être dur, ici, petit, fit Victorien.

— Je me suis habitué, il le fallait bien. Mais parlez-moi plutôt des bateaux, j'en ai besoin.

Le visage de Victorien s'éclaira.

— Les affaires marchent fort, fils, dit-il. Et elles marcheront encore mieux quand tu seras revenu !

Il se tut un instant, parut hésiter, reprit :

— Je voulais t'en faire la surprise à ton retour, mais tant pis ! autant te le dire aujourd'hui...

Et, ménageant ses effets :

— J'ai fait mettre en chantier deux bateaux. C'est toi qui les conduiras à Bordeaux. Le sel y est moins cher qu'à Libourne. Qu'en dis-tu ?

— J'en dis qu'il me tarde de tenir le gouvernail.

— A la bonne heure ! Et tu sais, là-bas, on peut acheter en gros : il n'y a pas d'intermédiaire. On gagnera d'autant plus. Vincent mènera le convoi de Libourne, toi celui de Bordeaux et moi je compterai les écus.

Ils rirent de bon cœur, retrouvant leur complicité.

— Vous ne pourrez pas rester à Souillac, dit Benjamin ; le voyage vous manquerait trop.

— J'ai passé la cinquantaine, fit Victorien redevenu sérieux.

— Allons donc ! Je sais bien que vous ne pourrez pas abandonner les voyages.

— Tu sais, fils, il y a de plus en plus de travail sur le port. Il nous faudrait quelqu'un en permanence pour tenir les comptes et vérifier les lettres de voiture.

Victorien ajouta d'un air malicieux :

— J'en connais une qui doit s'y entendre en chiffres, maintenant. Si tu me la ramènes à la maison, nous ferons tous une fameuse équipe !

Benjamin, brusquement rêveur, murmura :

— Espérons qu'elle n'aura pas trop changé et qu'elle voudra toujours de moi.

— Espérons ! fit Victorien qui n'avait pas oublié ce qui s'était passé avant le départ de Benjamin et ne savait si Marie n'avait pas appris quelque chose à ce sujet.

Alors, changeant aussitôt de conversation, il parla d'Ambroise Debord qui était toujours aussi plein de vitalité malgré son âge, des gabariers du haut-pays qui se relayaient pour descendre le bois, des rouliers, des marchands du Massif central, des négociants de Libourne, tous ceux que Benjamin connaissait et qu'il avait hâte de retrouver. Victorien donna aussi des nouvelles des amis, des parents et même d'Arsène Lombard dont les affaires ne marchaient plus aussi bien, aujourd'hui. Quand il se tut, ce fut au tour de Benjamin de raconter ses voyages, les pays qu'il avait visités, les gens qu'il avait rencontrés, et il le fit si bien que Victorien et lui oublièrent pendant plus d'une heure où ils se trouvaient, firent des projets, évoquèrent des souvenirs, s'imaginèrent assis autour de la table de la grande maison proche de la rivière.

A la fin, une infirmière vint prévenir Victorien qu'il ne pouvait pas rester plus longtemps.

— Allons ! dit-il. La voiture part à cinq heures et les bateaux m'attendent à Libourne.

Pourtant il ne se levait toujours pas et l'infirmière s'impatientait dans l'allée. Il dévisageait Benjamin en silence, ne bougeait pas.

— Vous savez, dit Benjamin, je ne voulais pas que vous veniez, mais j'en avais besoin.

— J'en étais sûr, dit Victorien.

Il ajouta tout en posant sa main droite sur l'épaule de Benjamin :

— Le plus dur est passé.

— Oui, dit Benjamin ; avant deux mois, je remarcherai comme avant.

Victorien approuva d'un signe de tête, se pencha pour l'embrasser.

— A bientôt, dit-il, si tu as besoin de moi, fais-le-moi savoir.

— A bientôt, père, fit Benjamin, mais ne revenez plus. C'est moi qui viendrai, je vous le promets.

Et il ajouta, avec un sourire un peu contraint :

— A pied et au pas de course !

Enfin, comme Victorien s'en allait :

— Surtout, pas un mot à Marie !

Victorien hocha la tête, laissa son regard errer sur les jambes de son fils, se troubla, et, prenant sur lui, fit brusquement volte-face et partit dans l'allée centrale, silhouette droite et fière que Benjamin vit trembler à travers le brouillard qui venait de se poser sur ses yeux.

12

La pluie qui tombait depuis trois semaines s'était enfin arrêtée dans la nuit. Ç'avait été une pluie lourde et grasse qui avait martelé la terre ruinée par le froid, achevant avec opiniâtreté on ne savait quelle débâcle de l'hiver. Depuis huit jours déjà la Dordogne était sortie de son lit, roulant des eaux épaisses et noyant les prairies, malmenant le quai construit sur des pieux menaçant de céder, emportant le merrain entassé sur les rives. Les bateaux, amarrés avec une grande longueur de corde, souffraient énormément des chocs provoqués par les troncs à la dérive, de la violence de l'eau qui les projetait contre les pontons presque totalement submergés par les flots.

Victorien et ses hommes étaient obligés de veiller jour et nuit sur eux, repoussant au moyen de perches munies d'un crochet les arbres en dérive qui les menaçaient. Le rez-de-chaussée des maisons les plus proches du port était inutilisable. Les familles s'étaient réfugiées au premier étage avec la résignation de ceux qui sont habitués aux colères des rivières. Cela faisait pourtant plus de dix ans que les eaux n'avaient pas atteint un tel niveau.

Assis sur une caisse de bois à bord de la capitane, Victorien, qui venait de passer le relais à Vincent, était de fort mauvaise humeur. Songeur, il regardait bouillonner la Dordogne tourmentée de remous et de tourbillons, les îlots des étangs qui avaient envahi les prairies et, sur l'autre rive, la cime des arbres et les collines encoconnées dans la brume de mars. Il était d'autant plus furieux qu'il s'était laissé piéger par la crue. Ses trois bateaux : capitane, seconde et gabarot étaient chargés pour le départ depuis plusieurs jours, mais il hésitait à appareiller, espérant que la pluie cesserait et que la décrue s'amorcerait. Il savait qu'il devait prendre une décision, les bateaux risquant gros à supporter ainsi les chocs. Il eût sans doute mieux valu naviguer en bordure des courants, même si le danger d'être projeté sur les rochers était aussi à prendre en considération.

L'hiver qui venait de passer avait été l'un des pires que l'on ait connus. Basses eaux en novembre et décembre, glaces en janvier et février, et maintenant cette pluie folle dont on avait eu l'impression qu'elle ne s'arrêterait jamais. Il y avait eu aussi cette seconde visite qu'il avait faite à Benjamin à Bordeaux et dont il était revenu anéanti. Le sourire crispé de son fils appuyé sur des béquilles, tombant, se relevant couvert de sueur, et cette prière dans le regard qui disait « Va-t'en ! va-t'en ! » ne cessaient de le hanter jour et nuit. S'il n'oubliait pas, il n'en disait rien à Elina qui s'inquiétait de plus en plus et parlait de partir elle aussi pour Bordeaux. Heureusement, à la fin de février, le retour de Fantille et d'Angéline avait un peu éclairé tous ces jours sans lumière. Elles étaient venues avec leurs maris demander humblement si Victorien ne voulait pas les reprendre sur ses bateaux. Ils n'en pouvaient plus des interminables journées de travail pour gagner seulement quelques sous, sans jamais voir le soleil ni prendre de repos, excepté le dimanche. Or, ce jour-là, ils étaient tellement épuisés qu'ils dormaient tout l'après-midi, au grand désespoir de Fantille et d'Angéline qui regrettaient amèrement d'avoir quitté la rivière. Victorien, bon prince, avait promis de les accueillir dès que la construction de ses nouveaux bateaux serait achevée. Il avait été en outre convenu que les deux ménages loueraient une maisonnette à proximité du port, et que Victorien et Elina paieraient le loyer Celle-ci avait été comblée par ces retrouvailles, car ses filles lui manquaient. Depuis, elle paraissait s'inquiéter un peu moins de la santé de Benjamin...

Victorien soupira, se leva. Allons ! il fallait garder l'espoir ! Tout finirait bien par s'arranger pourvu qu'on sache se montrer patient. Il s'approcha de la rive, examina le niveau de l'eau qu'il contrôlait d'heure en heure, fit appeler Vincent.

— Qu'est-ce que tu en penses ? demanda-t-il quand son second l'eut rejoint.

— Elle a baissé de deux doigts au moins, et le vent a tourné au lever du jour, répondit Vincent.

— Tu es du même avis que moi ? Tu crois que c'est fini ?

— Je le crois.

Victorien réfléchit un instant, décida :

— Va faire prévenir les femmes. On part dans une heure.

Pas une voix ne s'éleva pour discuter cette décision, ni de la part des matelots ni de la part des femmes qui apportèrent les provisions nécessaires au voyage. Tous savaient que les bateaux couraient des risques à rester amarrés avec leur chargement et que le merrain était attendu impatiemment à Libourne. Pourtant, quand, repoussée par les bergades, la capitane eut pris du travers, Victorien, en sentant dans ses bras l'énorme pression de l'eau sur le gouvernail, eut la désagréable impression d'avoir mis ses hommes en danger. Ce n'était pas la première fois qu'il descendait sur des eaux fortes, mais il n'avait jamais affronté ce genre de crue.

Dès qu'il eut parcouru une centaine de mètres, il se retourna pour savoir si la seconde et le gabarot le suivaient. Satisfait de les apercevoir dans son sillage, il s'apprêta à franchir le pas du Raysse en prenant soin de maintenir la capitane vers le milieu du lit. Il lui sembla que c'était plus facile ainsi, le niveau de l'eau permettant de naviguer sur bâbord où, d'ordinaire, il aurait raclé les galets. Cet obstacle passé, pourtant, il comprit que son bateau prenait de plus en plus de vitesse et qu'il lui serait difficile de le freiner, les meilhes s'étant elles aussi transformées en courants.

Dans la plaine de Cazoulès, on ne distinguait plus les rives, et les eaux, par endroits, étaient rouges. C'est à peine si l'on s'entendait d'une extrémité du bateau à l'autre, tellement le tumulte des flots dominait tous les sons. Pour la première fois depuis qu'il naviguait, Victorien sentit qu'il ne maîtrisait pas complètement la situation. Il avait envie de retenir ses matelots qui se penchaient sur bâbord et tribord pour repousser les troncs et risquaient la chute au moindre incident. La Dordogne roulait furieusement toutes sortes de pièces de bois, d'arbres, de meubles, de branches, de pontons arrachés aux rives et creusait d'énormes remous que la capitane franchissait en craquant de toutes ses membrures. Il fallait s'arrêter coûte que coûte, mais où ? Victorien passa mentalement le rivage en revue, songea que l'obstacle le plus dangereux serait sans doute le cingle de Montfort. Il devait donc stopper le convoi à Mareuil ou à Groléjac.

Mais déjà le port de Mareuil apparaissait et il n'avait pu donner d'ordre. Il n'y avait pas de temps à perdre. Il se retourna et cria au prouvier de Vincent :

— L'eau est trop forte ! Arrêt à Groléjac !

Il entendit à peine le prouvier répercuter l'ordre vers l'arrière, revint à sa navigation pour s'apercevoir que les rives glissaient le long des bateaux à une allure folle. Le convoi ne tarda pas à dépasser les maisons de Saint-Julien-de-Lampon, puis les falaises d'Aillac sans que ni Victorien ni Vincent ne réussissent à ralentir la course de leur bateau. Victorien tentait de réfléchir, mais tout allait trop vite. Déjà on arrivait en vue de Groléjac et il fallait se préoccuper de la manœuvre qu'il faudrait effectuer pour accoster sans dommages. Victorien, debout, essayait de regarder loin en avant, mais il avait perdu tous ses repères et il ne reconnaissait plus les rives pourtant familières. Cependant, il s'aperçut au même instant que son prouvier que le quai de Groléjac avait disparu, arraché par les eaux.

— Plus de quai ! cria-t-il au prouvier de Vincent. On continue !

Il s'agissait maintenant de passer le cingle de Montfort et de tenter de ralentir dans les eaux traditionnellement plus calmes qui coulaient sous la barre de Domme, puis d'essayer d'accoster à La Roque-Gageac.

Sur les berges, des hommes et des femmes regardaient passer le convoi comme s'il s'agissait de bateaux fantômes. Devant leurs gesticulations épouvantées, Victorien cherchait à se rassurer en se disant que Vincent avait autant d'expérience que lui, et que son ancien prouvier, Fernand Maset, qui tenait le gouvernail du gabarot depuis le départ de Vivien, était un homme qui n'avait jamais montré le moindre signe de faiblesse. La capitane entra dans le cingle. Comme au passage du Raysse, Victorien la maintint le plus possible sur bâbord, et elle passa assez loin des rochers, bien que prise dans un remous qui la coucha dangereusement. Il se retourna pour voir Vincent éviter avec adresse le remous, en fut rassuré. La capitane reprit sa course folle jusqu'à la plaine de Domme dont on apercevait les remparts, là-bas, à plusieurs centaines de mètres sur bâbord. Là aussi la Dordogne était sortie de son lit, mais, en bordure du courant principal, les eaux paraissaient plus calmes au-dessus des anciennes meilhes. Victorien donna un vigoureux coup de gouvernail pour quitter le milieu du lit, dut s'y reprendre à trois fois tellement la pression de l'eau était forte sur le soc immergé, réussit enfin à se rapprocher de la rive où les flots tournaient sur eux-mêmes en lourds remous chargés de terre. La capitane se balança d'un bord sur l'autre, mais ralentit sa course. Victorien songea un instant à accoster puis se dit qu'il ne pourrait jamais s'amarrer aux arbres des rives dont on ne distinguait plus le moindre contour. C'était trop dangereux. Il fallait continuer, si possible en suivant les meilhes, afin de ne pas reprendre trop de vitesse avant La Roque-Gageac.

Il donna ses instructions à Vincent, repartit en longeant les berges au jugé. La brume se levait. Les eaux, terreuses, devenaient grises sous la lumière qui suintait des nuages. On entendait crier sur les collines. Victorien espérait que le quai de La Roque-Gageac n'avait pas été emporté par les eaux, et surtout qu'il n'y aurait pas trop de bateaux amarrés. Mais c'était peu probable : ils avaient dû être abrités dans les esteys creusés à l'arrière du port. Il poussa un soupir de soulagement quand la capitane déboucha du dernier méandre et qu'il aperçut l'appontement toujours solidement ancré sur ses pieux, à l'abri du courant principal. Il se rabattit au maximum sur tribord, se laissa glisser en faisant légèrement dériver son bateau pour le freiner davantage, toucha le quai par la proue sans encombre. Aussitôt, le prouvier sauta sur le quai avec une corde et l'attacha solidement au ponton. Victorien, qui avait pris la place située la plus en aval, put apprécier la manœuvre parfaite de Vincent qui accosta lui aussi en douceur. Le gabarot, lui, avait pris du retard. Il se trouvait à deux cents mètres du quai, et Fernand peinait pour se dégager du courant dans lequel il s'était enferré. Il finit par y parvenir, coupa droit vers le rivage, mais n'aperçut pas l'énorme tronc qui arrivait sur son travers. Victorien et ses matelots crièrent. Le mousse qui était de garde sur ce bord vit venir l'arbre sur la coque et, malgré son jeune âge, montra son courage : il se pencha vers l'obstacle, s'arc-bouta sur sa perche, réussit à dévier le tronc qui ne heurta pas le bateau de plein fouet. Tout de suite après, reprenant appui pour amortir le choc du mieux possible, il déplaça sa perche qui glissa sur l'écorce humide, perdit l'équilibre et bascula par-dessus bord en poussant un cri.

Aussitôt, les matelots de la capitane et de la seconde jetèrent des cordes, mais le courant les rabattit contre les bateaux. Les perches étaient inutiles car le mousse allait passer à dix mètres au moins du convoi. D'ailleurs, on l'apercevait à peine, malgré ses gestes désordonnés, tellement les eaux le faisaient rouler sous la surface et l'attiraient vers le fond. C'était un garçon de treize ans dont le père était venu trouver Victorien à l'automne dernier et l'avait supplié de le prendre avec lui. Il avait une frimousse parsemée de taches de rousseur, de grands yeux rieurs, et, déjà, une force de caractère peu commune.

Victorien comprit qu'il allait se noyer. Il enleva rapidement son manteau de pluie, ses bottes, et plongea un peu avant que le corps arrive à hauteur de la capitane. L'eau était froide, mais ce n'était pas une eau de neige. Il n'y avait donc pas une grosse différence entre la température de l'air et celle de la rivière.

Passé le choc du contact avec l'eau, il réussit à remonter assez vite et à reprendre son souffle tout en nageant dans la bonne direction. Il arriva droit sur le mousse qu'il agrippa par un bras, passa sous lui afin de lui permettre de respirer, donna de furieux coups de pied pour avancer vers les bateaux en disant :

— N'aie pas peur, laisse-toi faire.

Mais un remous les prit et les attira vers le fond en les faisant tournoyer comme des feuilles dans le vent d'automne. Victorien fut obligé de se servir de sa main droite et de ses jambes pour tenter de remonter et ne tint plus le mousse que de la main gauche. Il sentit que le remous les renvoyait vers le courant, lutta de toute son énergie, puis, comprenant qu'il ne parviendrait pas à résister, se laissa porter. Bien lui en prit. Ils émergèrent très vite à l'air libre, et non pas vers le courant comme il l'avait cru dans l'obscurité des eaux, mais simplement en aval, à la même distance du rivage qu'au moment où il avait rejoint le mousse.

Cependant, le danger demeurait et le froid gagnait rapidement ses membres. Il fallait faire vite. Rassemblant ses forces, il se mit à nager en encourageant le mousse de la voix, mais, de nouveau, un remous les happa. Aveuglé par la boue chaque fois qu'il ouvrait les yeux, Victorien ne lâchait pas son matelot qui pesait de plus en plus sur son bras. Cette fois, il en était certain, ils étaient entraînés vers le milieu de la rivière. Il sentit un choc contre sa hanche, y porta la main, rencontra une masse dure qui était sans doute un madrier. Il y prit appui, et ils remontèrent ainsi facilement à la surface. Ils n'étaient pas loin du courant, mais, heureusement, la berge, passé le port, était concave. Il aperçut des hommes sur la rive. Le danger, maintenant, était d'être projetés contre les rochers qui tapissaient la berge. Choisissant ce pari difficile, Victorien abandonna le madrier et nagea vers les hommes qui lui tendaient une perche. Il parvint à la saisir et, sans lâcher le mousse à bout de forces, se laissa hisser hors de l'eau par ses matelots accourus à son secours. Une fois sur les rochers, il ne vit même pas le respect et l'admiration qui brillaient dans les yeux de ses hommes. Il ne parvenait pas à desserrer l'étau de ses mains crispées sur le corps du mousse et répétait :

— Ça va, petit ? Ça va ?

Claquant des dents, les membres douloureux, il songeait à cette merveilleuse impression qu'il avait eue, au plus profond du remous, de serrer Benjamin contre lui, et, tout de suite après, de le guérir en l'arrachant à l'étreinte mortelle de la rivière.

Il en avait fait des pas pour réapprendre à marcher ! Et avec quels efforts ! Quels moments de détresse ! Lui qui avait cru retrouver toutes ses facultés en un mois ou deux s'était aperçu que sa jambe, devenue squelettique, ne pouvait même pas supporter son propre poids. Il s'était traîné comme il pouvait pendant des jours et des jours le long des couloirs où, souvent, dans les recoins, il s'arrêtait pour se cacher. Il avait pourtant lutté de toutes ses forces, s'était battu contre lui-même, poussé par la pensée de Marie qui vivait proche de lui, par la fierté qui l'empêchait de se montrer à elle dans l'état pitoyable où il se trouvait. Il savait aujourd'hui que sa jambe conserverait une raideur dont il ne se débarrasserait jamais, que sa démarche s'accompagnerait toujours d'une légère claudication, mais, à force de se corriger, de se maîtriser, il savait surtout qu'il avait gagné.

Le chirurgien et l'infirmière brune qui s'occupaient de lui ne cachaient pas leur stupéfaction. Ils n'auraient jamais pensé que Benjamin réaliserait de tels progrès. Il ignorait combien la vie qu'il avait menée avait forgé sa volonté en lui donnant le goût de l'effort. Son corps sculpté par la nage et les plongées dans les grands fonds avait répondu à son attente, même si ce n'avait pas été sans mal, même s'il avait plusieurs fois failli renoncer. Combien de fois, en effet, avait-il perdu connaissance sous l'effet de la douleur ! En novembre, tellement il était affaibli, on l'avait obligé à demeurer couché quinze jours. Deux semaines plus tard il recommençait comme s'il ne s'était rien passé, comme s'il devait rattraper au plus tôt le temps perdu.

Il avait écrit à ses parents à deux reprises, leur demandant de ne pas s'inquiéter, leur indiquant que ce serait un peu plus long que prévu, mais qu'il avait bon espoir. Victorien n'avait pu résister. Il était revenu une fois en janvier, avait compris la gravité des blessures de son fils, était reparti très vite, incapable de supporter le spectacle de cet homme appuyé sur des béquilles, couvert de sueur, à bout de souffle, et qu'il ne reconnaissait pas. « Plus jamais ça, s'était juré Benjamin, il ne me verra plus jamais comme ça. » Et le combat avait repris, semé d'embûches, toujours plus difficile, incertain. Des milliers d'heures passées à souffrir. Des nuits de veille avec le doute, le spectre de la défaite, la fin d'une vie à un peu plus de vingt ans. Heureusement, il pensait à Marie toute proche et il se disait qu'il ne dépendait que de lui, de ses efforts, d'aller la rejoindre, debout, pour toujours.

En ce début d'après-midi d'avril, on venait de lui remettre ses papiers de démobilisation. Il était vivant, il marchait, il était libre. Il attendait ce moment depuis si longtemps que la peur, soudain, une peur irraisonnée, inexplicable, l'étreignit. Il se voyait toujours boitant pitoyablement, ne parvenait pas à croire qu'il avait atteint le bout du tunnel. Il prit tout son temps pour rassembler ses affaires, remercier ceux qui s'étaient occupés de lui, se remémorer tout ce qu'il avait vécu depuis le jour où il avait posé le pied sur le *Duguay-Trouin*, et cet instant tellement espéré lui parut fade tout à coup, comme ces gâteaux que les enfants, pour les avoir trop rêvés, gardent dans la main sans les goûter.

Il n'eut pourtant aucune hésitation, en sortant de l'hôpital, sur la direction à prendre. Il se l'était fait suffisamment expliquer, et par plusieurs personnes, pour le seul plaisir de les entendre : il fallait suivre la rue de Cursol, descendre tout droit, et il arriverait ainsi dans la rue Sainte-Catherine. Le port était plus loin, au bout.

C'étaient les premières chaleurs. Les oiseaux pépiaient dans les arbres, et les passants, débarrassés de leur manteau d'hiver, marchaient d'un pas vif, une lueur gaie dans le regard. Benjamin ne put parcourir plus de trente mètres. Il dut s'arrêter, s'appuyer au mur, car sa tête tournait. Soûl de parfums et de lumière, il réapprenait le monde trop violemment, et c'était comme une ivresse qui l'entraînait dans une ronde folle. Il chancela, s'assit sur une murette, qui commandait l'entrée d'un jardin et, des larmes plein les yeux, s'ouvrit aux odeurs et aux bruits. Devant lui passaient des omnibus, des cabriolets, des hommes et des femmes surgis d'un univers qu'il avait désappris : celui de la vie. Il avait envie de crier, d'appeler, d'exprimer tout ce qui se réveillait en lui en le faisant haleter, comme après une course ou une plongée en eau profonde. Il demeura ainsi plus de dix minutes à écouter battre son cœur contre ses tempes, puis il repartit lentement, se demandant s'il serait capable de vivre comme ceux qui le croisaient, le dépassaient sans prêter aucune attention à lui.

Parvenu à l'angle de la rue Sainte-Catherine, il s'arrêta de nouveau, chercha à retenir le souffle qui le fuyait. Cela faisait six ans qu'il attendait ce moment, six ans, ou presque, qu'il pensait à Marie chaque jour, six ans qu'il l'avait quittée, un soir, là-bas, sous le grand chêne. Et tout à coup, quelque chose en lui se noua, l'empêcha de tourner à gauche vers la rue où habitait Marie. Il s'élança droit en direction du port, poussé par il ne savait quelle force, quel refus. L'odeur de la Garonne arrivait par bouffées et déposait sur ses lèvres une sorte de fin duvet. Il marcha vers elle, déboucha sur le quai des Salinières, et cette fois ce fut l'odeur du sel qui le prit violemment à la gorge. Mais c'était aussi l'odeur des bateaux de son père lors de la remonte, celle de l'entrepôt de Souillac, celle de sa jeunesse.

Tremblant sur ses jambes, il s'approcha des bateaux, passa entre les dockers et les sacquiers, marcha jusqu'à la Garonne dont les eaux d'un gris verdâtre clapotaient doucement. De grands oiseaux blancs frôlaient les mâtures qui vibraient dans le vent. Benjamin s'assit sur les brancards d'une charrette, regarda passer un trois-mâts qui jeta l'ancre un peu plus loin au milieu du fleuve, puis, fermant les yeux et levant la tête vers le ciel, il but une grande goulée d'air marin. La chaleur et le vent le pénétraient, ses poumons s'ouvraient enfin à un autre air que celui de l'hôpital, il revivait vraiment. Des matelots le dévisagèrent bizarrement en le croisant. Il marcha vers le pont dont la longueur majestueuse avait attiré son regard, arriva sur les quais de la douane qui étaient envahis par les morutiers et les bateaux de la mer bordelaise dont les mâts filiformes se détachaient sur le ciel comme des crayonnages à l'encre de Chine. Une sourde rumeur s'élevait de ce monde coloré. Des hommes criaient, appelaient, lançaient des ordres, d'autres répondaient, s'invectivaient, actionnaient des grues à main et des cabestans avec une adresse et une célérité impressionnantes. Des dockers peinaient sur des passerelles branlantes, des matelots conduisaient des péniches de déchargement en direction des grands bateaux ancrés au milieu du fleuve, et Benjamin s'étonnait de ce fourmillement incessant d'hommes au travail, de cette activité heureuse, semblait-il, malgré le poids des fardeaux et les cris des contremaîtres. Toute la ville paraissait se déverser sur le port par les grandes avenues d'où débouchaient des charrettes surchargées, des omnibus, des breaks attelés à des chevaux au harnais poinçonné de cuivre. En descendaient des marchands, des courtiers, des hommes de peine, toute une population qui vivait du port et pour le port. Benjamin observa un moment le déchargement d'un bateau de pêche, puis, là-bas, de l'autre côté du fleuve, les rives de la Bastide où, il le savait, on stockait le bois venu du haut-pays. Il eut envie de traverser, mais la pensée de Marie l'arrêta. Allons ! Il était temps de revenir vers la rue Sainte-Catherine. Il s'élança, se sentit mieux maintenant que son corps s'était réhabitué à l'air de la rue, aux gestes des vivants.

Il ne mit pas longtemps pour y parvenir, tourna à droite, se dirigea vers l'immeuble du notaire qui se trouvait au milieu de la rue. Il passa une première fois sans s'arrêter, puis il revint sur ses pas, cherchant à deviner une éventuelle curiosité qu'eût provoquée sa façon de marcher dans le regard des passants. Mais non : personne ne semblait s'intéresser à lui, et cela le rassura. Il s'appuya au mur d'une boulangerie le temps de savourer ce moment, bien décidé à présent à briser la distance qui le séparait de Marie. A l'instant même où il fit le premier pas, la porte de l'immeuble s'ouvrit. Trois filles en robe bleue et col blanc en sortirent, bientôt suivies par une femme vêtue d'une longue robe marine, coiffée d'un chapeau à fleurs et chaussée de souliers vernis. Toutes les quatre prirent la direction opposée à lui, et, vingt mètres plus loin, traversèrent. Ce fut seulement lorsque Marie tourna la tête pour vérifier qu'aucune voiture n'arrivait qu'il la reconnut. Il lui sembla alors que le monde chavirait sous ses pieds. Etait-il possible qu'elle eût changé à ce point ? Etait-ce vraiment elle qui s'éloignait là-bas, d'une démarche si semblable à celle des femmes fières des villes ? La brusque envie de s'enfuir le traversa. Soudain, tout son combat lui paraissait inutile. Marie n'était plus pour lui. Il l'avait perdue. Plus que le désir de la rejoindre, la curiosité, surtout, le poussa en avant. Il s'élança derrière les quatre femmes tout en demeurant à bonne distance. Comme il courait pour ne pas les perdre de vue, il s'aperçut qu'il boitait. Il ralentit, convaincu doublement d'être indigne d'elle et prêt à se cacher pour qu'elle ne l'aperçoive pas.

Après avoir suivi des allées escortées de grands arbres en bourgeons, les quatre femmes entrèrent dans le jardin public par la porte centrale. Benjamin, lui, ne sachant s'il avait le droit d'y pénétrer aussi, s'arrêta un instant. Comme personne ne semblait s'intéresser à lui, il entra à son tour, longea une verte pelouse plantée de magnolias, remarqua un kiosque à musique, des paons et, plus loin, le campanile des serres monumentales qu'il prit pour un clocher d'église. Là-bas, les quatre femmes s'étaient assises sur un banc. Il s'appuya au tronc d'un gros sapin, observa la foule dans l'allée. Des mères de famille secondées par des servantes en tablier et coiffe blancs s'occupaient d'enfants habillés comme des petits princes, employaient pour leur parler une langue inconnue à Benjamin [1]. Vêtu de ses vieux habits de Souillac, il se sentait déplacé dans ce monde qu'il redécouvrait en se demandant si le temps ne s'était pas accéléré pendant les six ans durant lesquels il avait vécu en caserne ou sur le *Duguay-Trouin.* Car même dans les grandes villes d'Australie ou dans les îles, il n'avait jamais rencontré une telle élégance, une telle grâce dans les gestes, une telle hauteur. Certains hommes le toisaient au passage avec un étonnement glacé qui lui donnait, en même temps que de la colère, le brusque désir de s'enfuir de ces lieux où il n'avait manifestement pas sa place. Cette colère, pourtant, se mua en révolte et suscita en lui un sursaut de lucidité. Même pauvrement vêtu, il n'était pas un criminel. Et avoir attendu si longtemps pour rester stupidement immobile à cinquante mètres de Marie ne lui ressemblait guère. Il n'était pas habitué à une telle passivité mais, au contraire, avait appris à se battre.

Il fit un pas vers Marie, son regard se posa sur elle, et aussitôt, il s'arrêta. Debout devant le banc, une serviette de cuir à la main, un homme en costume et chapeau noir lui parlait avec des gestes amples de la main, tandis qu'elle souriait.

Marie n'aimait pas ces promenades quotidiennes au jardin où elle ne connaissait que trop ces allées encombrées de femmes et d'enfants enrubannés, ces gardes aux aguets qui s'époumonnaient dans leurs sifflets quand un imprudent s'aventurait sur les pelouses, ces arbres au nom imprononçable, ces chaisières toutes de noir vêtues, ces deux ânes franciscains, qui, pour quelques sous, transportaient les enfants. Les filles, elles, profitaient de ces moments de liberté pour disputer avec leurs amies des parties de diabolo ou de cache-cache. Cela permettait à Marie de se promener seule ou de s'asseoir pour lire.

1. A l'époque, les grandes familles bordelaises utilisaient les services de nurses anglaises.

Aujourd'hui, elle en avait été empêchée par un jeune clerc qui, au retour d'une étude voisine, la sachant là, était passé par le jardin public pour lui faire un brin de conversation. Ce n'était d'ailleurs pas la première fois. Elle ne s'en offusquait pas, sachant que ce bon monsieur Lescure était d'une parfaite éducation et donc, pour elle, sans danger. Après son départ, comme elle n'apercevait plus les filles, elle se leva pour les chercher, se dirigea vers le pont des Nymphes en longeant le ruisseau de la Serpentine, songeant en même temps à cette soirée au théâtre où elle devait se rendre en compagnie de M. et Mme Lassalle. Un vent tiède jouait dans les branches des arbres, caressait ses cheveux. Il faisait si bon qu'elle en soupira d'aise et leva la tête vers le soleil. Fermant les yeux, elle demeura ainsi immobile un instant, heureuse de sentir la chaleur glisser sur sa peau comme à Souillac, là-bas, sur la plage de galets.

Quand elle rouvrit les yeux, son regard enregistra la présence d'une silhouette appuyée contre le tronc d'un arbre, près d'un bouquet de saules. Son souffle s'accéléra brusquement et ses jambes fléchirent sous elle. Pendant trente secondes, elle n'osa revenir du regard vers l'endroit où il lui avait semblé — mais elle devenait peut-être folle — apercevoir Benjamin. Quand son léger vertige fut dissipé, elle tourna lentement la tête dans la direction des saules et ce fut comme si elle heurtait le soleil. Elle voulut crier, mais aucun son ne sortit de sa bouche. Un voile se posa devant ses yeux et elle ne vit plus rien. Elle devait avoir rêvé. Comment Benjamin eût-il pu se trouver ici, dans ce jardin, alors qu'elle le croyait à des milliers de kilomètres de Bordeaux ? Elle fit pourtant un signe du bras et, dès qu'il sortit de derrière l'arbre, le reconnut vraiment. D'ailleurs, ne l'aurait-elle pas reconnu entre mille tant elle connaissait de lui chaque geste, chaque trait ? Là-bas, la silhouette familière hésitait. Elle leva de nouveau la main et cria, affolée à l'idée qu'il ne l'aperçoive pas :

— Benjamin !

Puis elle se mit à courir en s'efforçant de ne pas le perdre des yeux, se demanda pourquoi il n'en faisait pas autant, bouscula des femmes au passage, s'arrêta enfin face à lui, hésitant à combler les derniers mètres qui les séparaient maintenant. Il portait ses vieux vêtements de Souillac, souriait de la même manière et pourtant, semblait-il à Marie, quelque chose avait changé en lui, peut-être dans sa manière de se tenir debout. Incapable de prononcer le moindre mot, elle respirait très vite une main levée vers lui, comme pour toucher son visage. Lui ne bougeait pas, paraissait être dans l'impossibilité de marcher, et son sourire s'était effacé.

— Benjamin, dit-elle, est-ce que c'est bien toi ?

Il répondit dans un souffle :

— Oui, Marie, c'est moi.

Les passants regardaient ces deux êtres immobiles, si différents et si graves, et les considéraient avec une sorte de surprise mêlée d'hostilité.

— Oh ! Benjamin, fit-elle, il y a tellement longtemps !

Il sourit, demanda :

— J'ai donc changé à ce point ?

Elle fit un signe négatif de la tête, murmura :

— Que tu es bête...

— Toi aussi, tu as changé, Marie, dit-il avec une sorte d'amertume qu'elle ne comprit pas.

A la voir, comme cela, si belle et si bien apprêtée, sa conviction de ne pas la mériter augmenta. Elle remarqua les regards réprobateurs que leur lançaient les passants, comprit qu'il était trop mal vêtu pour fréquenter ces lieux. Alors, sans le savoir, elle lui fit le magnifique cadeau de franchir les quelques mètres qui les séparaient et, les bras repliés sur sa poitrine, se laissa aller contre lui. Comme s'il avait peur de la salir, il hésita trois ou quatre secondes à l'enlacer, puis ses bras se refermèrent enfin sur elle et ils oublièrent tout ce qui était étranger à eux, les cris, les passants et l'endroit où ils se trouvaient.

— Viens ! lui dit-elle à la fin, en se dégageant doucement.

Elle l'entraîna dans une petite allée bordée d'acacias au bout de laquelle étaient entreposés des outils d'entretien. Il y avait là un banc qui servait aux gardiens, mais à cette heure-ci ils surveillaient les pelouses. Benjamin et Marie s'assirent côte à côte. C'était comme une première rencontre. Ils n'osaient pas parler, ou plutôt avaient tellement de choses à se dire qu'ils ne savaient par où commencer.

— Comment est-il possible que tu sois là aujourd'hui? demanda-t-elle enfin. Et pourquoi ne m'as-tu pas écrit?

— Je voulais te faire une surprise, dit-il.

Puis il sortit une feuille de papier de sa poche et la lui tendit en disant :

— Tiens! Lis!

Elle parcourut hâtivement les quelques lignes, la lui rendit sans comprendre.

— Oui, dit-il, c'est fini, je ne repars pas.

— Je t'en prie, fit-elle, explique-moi.

— Quelle importance? C'est fini, tu comprends? C'est fini. Nous allons pouvoir retourner là-bas tous les deux, si tu veux bien.

Comme elle ne répondait pas, il demanda :

— Et toi. Raconte-moi!

N'étant pas préparée à ces retrouvailles, elle se ferma brusquement, se refusant à l'aveu qu'elle lui devait. L'idée de s'enfuir la traversa, mais elle n'eut pas la force de se lever. Elle se dit que, si elle ne lui parlait pas tout de suite, elle ne le ferait jamais, songea en même temps qu'elle ne pourrait pas vivre avec lui dans le mensonge. Il s'était rendu compte de son changement d'attitude et se demandait ce qui se passait.

— Tu ne veux rien me dire?

Elle se sentit écrasée par le poids du fardeau qu'elle portait, essaya de se lever mais ne le put. Alors elle murmura, fermant les yeux, avec l'impression de se jeter dans un gouffre :

— Je ne peux pas me marier avec toi, Benjamin.

Et, comme il demeurait stupéfait, la dévisageant avec incrédulité :

— J'ai eu un enfant. Il est mort à la naissance.

Il sursauta, se leva, la dévisagea bizarrement, s'éloigna de quelques pas. Elle demeura immobile sur son banc, vaguement satisfaite, tout de même, d'avoir été capable d'un tel aveu. Il lui tournait le dos, cherchait à rassembler ses idées, ne comprenait pas pourquoi il avait tout à coup l'impression de parler à une étrangère. C'était comme s'il était sorti sous une pluie glaciale et en avait été transpercé. Il marcha sur une dizaine de mètres droit devant lui, puis revint vers elle qui n'avait pas bougé.

— Qui était le père ? demanda-t-il d'une voix hésitante.

— Tu ne le connais pas, souffla-t-elle sans le regarder. Il est parti pour Paris. Ça s'est passé une nuit de Saint-Jean ; j'étais très malheureuse.

Elle se tut, consciente de ne pouvoir expliquer l'inexplicable, mais elle ajouta aussitôt, comme si elle avait peur de le perdre quelques minutes après l'avoir retrouvé :

— Personne n'en a rien su là-bas, je suis partie pour Bordeaux deux mois plus tard.

Comme elle mentait, elle ajouta, un ton plus bas :

— A part Vivien.

Elle n'osait toujours pas lever la tête vers lui qui ne disait rien, demeurait devant elle les bras ballants, les yeux clos ; et ce silence lui paraissait plus terrible encore que la colère attendue.

— J'avais besoin de toi, reprit-elle. C'était après ta lettre qui m'annonçait que tu avais déserté et que tu ne reviendrais pas avant sept ans.

Enfin, ayant tout avoué, elle ajouta d'une voix froide, comme désincarnée :

— Tu peux partir, si tu veux ; je comprendrais que tu ne veuilles plus de moi.

Il s'assit de nouveau sur le banc, laissant entre eux une distance qu'elle ne chercha pas à combler. Après le choc, la douleur refluait lentement. Les derniers mots prononcés par Marie réveillaient un écho qui lui était familier. L'image de la fille du charbonnier, dans le haut-pays, et celle d'Emeline dans le cabanon s'imposa à lui. Il se souvint de sa propre trahison, de sa responsabilité dans son départ pour sept ans, de sa faute qu'il n'avait pas, lui, avouée. C'était elle, au contraire, qui, en cet instant, à cause de sa franchise, de sa loyauté, était contrainte de s'humilier. Il ne pouvait pas demeurer silencieux plus longtemps. S'approchant d'elle, il lui prit le bras.

— Moi aussi, murmura-t-il. Mais tout ça est du passé, Marie. Nous avons suffisamment attendu, suffisamment souffert. Si tu veux bien, nous n'en parlerons plus jamais.

Elle se tourna lentement vers lui, murmura :

— Ne te crois pas obligé, Benjamin. Ici, j'ai une bonne place, je ne risque rien. Il vaudrait mieux que nous attendions quelques jours, le temps de réfléchir avant de décider quoi que ce soit.

Frappé par cette humilité qu'il retrouvait intacte, il l'attira contre lui en disant :

— Je n'ai pas besoin de réfléchir pour savoir que je veux vivre avec toi.

Il ajouta, retrouvant son sourire :

— Après avoir tant attendu, c'est la seule chose qui m'importe. Dis-moi seulement : quand partons-nous ? Demain ? Après-demain ?

Elle sourit, elle aussi, mais elle ne croyait pas vraiment aux mots qu'il prononçait.

— Nous risquons de vivre dans la rancœur et les reproches, dit-elle.

Il lui serra les bras, planta son regard dans le sien.

— J'en ai trop vu, dit-il, trop enduré ; j'ai compté tous les jours, tous les mois qui passaient. Maintenant, je veux vivre, et avec toi ! Tout de suite ! Le passé ne m'intéresse pas. Ce qui compte, ce sont les jours qui me restent à vivre avec toi.

Et, la secouant un peu, une lueur ardente dans ses yeux :

— Tu comprends ça, Marie, tu comprends ? Alors, dis-moi qu'on va rentrer chez nous, tous les deux, dès demain !

Elle réalisa vraiment à ce moment-là que le passé n'existait plus, que sa vie allait reprendre son cours familier.

— Je ne pourrai pas m'en aller avant une semaine, dit-elle. M. et Mme Lassalle ont été si bons avec moi.

— Une semaine, si tu veux, mais à condition que je ne te quitte plus.

Et, comme s'il avait senti le besoin de la convaincre de son désir de vivre avec elle, il lui raconta tout ce qu'il avait subi, tout ce qu'il avait accepté pour pouvoir la retrouver un jour, lui parla enfin de sa blessure et de l'hôpital où il se trouvait depuis de longs mois.

Plus tard, quand il lui demanda si elle connaissait un endroit où il pourrait dormir en attendant de partir, elle répondit :

— Je vais demander à Mme Lassalle si tu peux aller avec Fernand, le cocher.

Et de penser à ses maîtres lui fit se souvenir des filles qu'elle avait abandonnées.

— Mon Dieu ! fit-elle, viens vite !

Ils regagnèrent l'allée centrale où Marie courut à droite et à gauche, avant de trouver ses élèves à proximité du kiosque à musique.

— On vous cherchait, dit l'aînée avec un ton de reproche.

— J'ai retrouvé un ami, dit Marie en revenant vers Benjamin. Marchez devant.

Les trois filles jetèrent à Benjamin un regard de désapprobation, mais obéirent. Marie et Benjamin les suivirent quelques pas en arrière, indifférents maintenant aux gens qui les croisaient, jetant de temps en temps un regard l'un vers l'autre, heureux d'y retrouver cette lumière qui, elle, ils en étaient sûrs à présent, n'avait pas changé.

Mme Lassalle s'était montrée compréhensive et avait libéré Marie au bout de trois jours. En l'attendant, Benjamin s'était promené dans Bordeaux, sur les quais, avait même traversé la Garonne jusqu'à la Bastide, afin d'y nouer des contacts avec des tonneliers. Il avait dormi dans la chambre du cocher la première nuit, puis dans une auberge du quai des Salinières les deux suivantes. Enfin, un lundi matin, ils avaient pris la diligence en partance pour Libourne, par la grand-route de Bordeaux à Lyon. Une fois sur le port, ils avaient été déçus de ne pas trouver les bateaux de Victorien. Mais il y avait là ceux d'Angibeau, qui leur avait proposé de les prendre à son bord. Ils avaient bien évidemment accepté, et la remonte avait commencé avec la marée, le long de la vallée qui reverdissait dans les premières langueurs du printemps. Le temps était clair et fruité. L'air portait des parfums de bourgeons et de sève.

— C'est notre voyage de noces, disait Benjamin. Où donc aurions-nous été mieux que sur notre Dordogne ?

Il aidait l'équipage, mais revenait souvent vers Marie assise sur des sacs de sel à l'arrière du bateau.

— Alors, les amoureux ! lançait Angibeau, un colosse trapu et noir qui aimait plaisanter.

Au fur et à mesure que le convoi remontait vers Limeuil, ils retrouvaient des couleurs, des parfums oubliés. Les chênes verts répandaient dans l'air limpide leur odeur sèche et poivrée ; les peupliers, les saules et les frênes se multipliaient sur les rives et dans les prés où s'allumaient çà et là des tapis de boutons d'or. La Dordogne roulait des eaux hautes mais claires qui resplendissaient dans la lumière.

— Regarde ! disait Benjamin : l'église de Saint-Aulaye-de-Breuilh. Il faut réciter un Ave ; tous les bateliers le font.

Ou alors il nommait les villages étalés sur la petite route qui épousait étroitement la courbe de la rivière :

— Marie ! voici Pessac, Saint-Avit-de-Soulège, Eynesse...

Elle riait, comprenait l'attachement des équipages pour la vallée, observait Benjamin qui redécouvrait avec ravissement tout ce qu'il avait perdu.

Depuis une semaine qu'ils s'étaient retrouvés, elle avait pu se rendre compte que, contrairement à ce qu'il prétendait, il était resté le même. Il avait gardé les mêmes expressions dans le bonheur, les mêmes élans, la même passion pour la Dordogne. Et, comme il lui avait raconté ses voyages, le sauvetage de l'officier, l'explosion du canon, elle s'étonnait de le voir si débordant de vie, se demandait comment il était possible qu'il fût aujourd'hui près d'elle, à l'abri des dangers. A certains moments, elle le voyait boiter, mais elle feignait de ne pas le remarquer et se réjouissait, au contraire, de l'énergie qu'il montrait, de son enthousiasme après tant de mois d'inactivité.

Après Bergerac, le convoi emprunta pour la première fois le canal de La Tuilière à Mauzac Benjamin eut une pensée pour les pilotes dont certains, maintenant, manœuvraient les écluses. Certes, on mettait du temps pour franchir celles-ci et pour reprendre les attelages à la sortie, mais comme auparavant on attendait les pilotes, le retard n'était pas très important et on évitait au moins les terribles rapides de Lalinde.

A l'approche de Limeuil, le vert sombre des collines annonça le Périgord. Benjamin, debout près de Marie, sentit une étrange euphorie l'envahir. Tous deux n'avaient pas assez de leurs yeux, de leur odorat, pour accueillir la somme folle de sensations qui les assaillaient parfois avec violence, allant fouiller dans leur mémoire pour réveiller des souvenirs oubliés, les renvoyer des années en arrière, combler le temps vécu loin des seuls lieux où ils pouvaient être heureux. Le vent tiède du sud-ouest portait des haleines d'étables ouvertes et de terre chaude. Des pêcheurs et des lavandières avaient profité du beau temps pour venir au bord de l'eau, et les matelots les apostrophaient avec de grands éclats de voix et des rires sonores. Tous ces bruits répandaient sur la rivière des échos qu'elle répercutait d'une rive à l'autre en les accompagnant de ses jeux de miroir.

— Regarde ! disait Benjamin, on est presque chez nous.

Marie lui prenait le bras, riait, s'interdisait de penser aux heures noires de Bordeaux, songeait à son père, à ses frères, à Elina, à tous ceux qu'elle allait retrouver. Par moments, elle avait l'impression que les années passées loin de chez elle n'avaient jamais existé, qu'elle rentrait d'un voyage en compagnie de Benjamin.

A Limeuil, ils louèrent deux chambres à l'auberge et, comme les nuits précédentes, il la rejoignit vers minuit sans qu'elle songeât un instant à le lui interdire. Le lendemain, ce fut la magnifique remontée vers le Périgord noir, et Benjamin vit défiler avec la même violente émotion le confluent de la Nauze,

Allas-les-Mines, Beynac et ses falaises, Castelnaud et le confluent avec le Céou, La Roque-Gageac et ses belles demeures encastrées dans le rocher, et puis l'immensité des champs et des prés qui rapiéçaient la vallée de couleurs chaque fois différentes.

Benjamin détaillait chaque parcelle de terre, chaque teinte de feuillage, chaque recoin de rive, chaque épaule de colline comme si une parcelle de sa vie était inscrite là et lui était rendue. Il espérait voir surgir les bateaux de son père dans chaque cingle qui s'annonçait, imaginait déjà Victorien debout à la barre de la capitane et Vincent, derrière, sur la seconde. Mais Angibeau lui avait dit que Donadieu était parti à la remonte quatre jours avant lui, et il était donc peu probable de le retrouver si vite à la descente.

Le lendemain, dans la matinée, les remparts de Domme apparurent dans le lointain, enchâssés dans le bleu du ciel. Puis, au fur et à mesure que les heures coulèrent, ce furent le cingle de Montfort, Groléjac, Sainte-Mondane, Rouffillac, Saint-Julien-de-Lampon, la plaine de Cazoulès et, enfin, vers sept heures du soir, une colline crayeuse piquetée de chênes nains sous laquelle le rocher du Raysse se dressait fièrement. L'air fraîchissait. Des troupeaux rentraient vers les étables, le long des chemins escortés de haies vives. Sur les collines, les caries blanches du causse trouaient la pelisse verte des chênes et le brun cendré des vignes hautes. Les bateaux avançaient lentement dans des eaux couleur de verre pilé.

Benjamin et Marie, côte à côte, retenaient leur souffle. Par endroits, derrière les arbres des rives, ils apercevaient des fumées, des cheminées, des pans de mur qui réveillaient en eux des souvenirs engloutis. Un cercle de fer se refermait sur leur poitrine. Et, tout à coup, passé le pas du Raysse, les grands peupliers de la rive droite, le port et le village apparurent là-bas, à cinq cents mètres, dans une clarté bleutée que soulignait le vert des prairies. Marie eut comme un sanglot. Benjamin la serra contre lui, murmura :

— Comment avons-nous pu vivre loin d'ici ?

Elle ne répondit pas, envahie qu'elle était par une vague de bonheur indicible. Lui fermait par instants les yeux, les rouvrait, comme pour vérifier qu'il ne rêvait pas. Sa vallée lui paraissait minuscule, soudain, en comparaison des étendues océanes ou du port de Bordeaux. Il reconnaissait le chuchotement souple de l'eau contre les berges, cette chanson familière et pourtant oubliée qui avait bercé toute son enfance. Un souffle de brise apporta l'odeur du sel et du bois, puis, derrière elle, délicieuse et fragile, celle des prairies. Là-bas, sur le port, des hommes s'activaient sur les bateaux. Plus loin, des pêcheurs jetaient l'épervier face au petit confluent de la Borrèze. Des lavandières chantaient sur la plage de galets. Devant la gabare d'Angibeau, des éclairs vifs zébrèrent l'eau verte.

— Les saumons ! murmura Benjamin.

Marie sourit, mais ne dit rien. Ils avaient tous les deux les yeux mouillés d'une ineffable tendresse pour ce coin de vallée qui les avait vus naître et, la gorge nouée, ils devinaient entre les feuilles des arbres le toit de la maison qui les attendait.

Quand la gabare eut été amarrée, Benjamin prit Marie dans ses bras et la fit sauter sur le quai, comme c'était la coutume pour un homme qui ramenait au port une fiancée. Aussitôt, ce fut autour d'eux la bousculade, car il y avait du monde sur le port où les bateaux d'Angibeau étaient attendus. Vincent apparut, puis les garçons qui embrassèrent Marie et serrèrent la main de Benjamin en le dévisageant comme s'il revenait de la lune.

— Vive les mariés ! lança une voix qui provoqua des applaudissements et des cris de joie.

Chacun embrassait, questionnait, voulait savoir quelle avait été leur vie pendant tout le temps où ils avaient été absents. De partout accouraient des femmes, des enfants, des hommes qui, alertés par les cris, se précipitaient pour savoir ce qui se passait.

Il fallut un long moment à Benjamin et Marie pour arriver à s'échapper, mais ils y réussirent enfin, aidés en cela par Vincent et ses fils.

A peine se furent-ils éloignés du quai qu'ils se trouvèrent face à Victorien et Elina qui venaient eux aussi aux nouvelles. Ils s'arrêtèrent à quelques pas d'eux, aussi émus les uns que les autres de ces retrouvailles soudaines.

— Mon Dieu ! murmura Elina, est-ce possible ?

— Mais oui, mère ! dit Benjamin en s'approchant pour la serrer dans ses bras.

Puis ce fut le tour de Victorien, qui l'étreignit en disant :

— Fils ! Alors, fils, te voilà enfin !

Ensuite, ils embrassèrent Marie et, pour ne pas se laisser aller à trop d'émotion devant ceux qui les avaient rejoints, Victorien lança :

— Tout le monde à la maison ! Voilà des retrouvailles qui vont se fêter dignement et qu'on n'oubliera pas !

Les hommes, les femmes et les enfants présents emboîtèrent le pas aux familles Donadieu et Paradou, poussant des cris et des exclamations comme dans un cortège de noces. Tant de personnes eurent bien du mal à trouver de la place dans la maison des Donadieu, et Elina eut fort à faire pour servir tout le monde. Marie l'aida à faire des crêpes, des beignets, que de nombreuses bouteilles de vin firent descendre dans des estomacs prêts à tout accueillir à cette heure du jour. Les questions fusaient, surtout de la part des hommes qui voulaient savoir ce que Benjamin avait vu dans les îles, tandis que les femmes interrogeaient Marie sur la vie qu'on menait à Bordeaux dans les riches familles. L'un et l'autre racontaient de bonne grâce, non sans jeter des coups d'œil furtifs sur Victorien, Vincent et Elina avec qui ils avaient hâte de se retrouver seuls. Les enfants entraient et sortaient, bousculant les grandes personnes au passage, les joues rebondies par les beignets d'Elina. Benjamin se souvenait de la soirée heureuse qui avait suivi la collecte nécessaire au paiement de l'amende après l'épisode des saumons, et la même impression de solidarité, de fraternité heureuse accentuait le plaisir qu'il ressentait à se retrouver chez lui.

Non sans quelques scrupules, il raconta comment il avait sauvé un officier dans l'océan Indien et aussi l'explosion du canon sur le *Duguay-Trouin*. Mais il ne parla pas de sa désertion, ni de son long séjour à l'hôpital et du calvaire qu'il avait subi à ce moment-là. Marie, elle, parlait du théâtre, du jardin public, du cirque de Bordeaux où elle emmenait souvent les filles, du port, aussi, où elle aimait tant se promener le dimanche. Elle observait ses frères, Joseph qui allait avoir seize ans, et Jean, bientôt quinze. Elle avait quitté des enfants et retrouvait des hommes, s'en voulait, soudain, d'être partie au moment où ils avaient sans doute le plus besoin d'elle. Elle trouvait Vincent vieilli, se demandait quel âge il avait aujourd'hui, calculait mentalement mais ne trouvait pas. Sans doute approchait-il de la cinquantaine. Il avait perdu cet air espiègle d'éternel enfant, qui l'avait longtemps fait considérer par elle comme un grand frère plutôt que comme un père. Elle s'avisa qu'il avait sans doute beaucoup souffert de son départ. Elle eut aussi une pensée pour Vivien qui était parti après avoir tiré un mauvais numéro et qui n'était pas là, ce soir, pour partager leur joie. Mais elle ne s'attarda pas sur cette pensée car les questions affluaient et elle se faisait un devoir de répondre à toutes.

Quand tous les invités eurent bien bu et bien mangé, ils regagnèrent leur maison à la lueur de la lune qui était apparue depuis longtemps au-dessus des collines. Victorien, Elina, Marie et Vincent se retrouvèrent enfin seuls, Joseph et Jean étant allés se coucher sur ordre de leur père. On s'attabla pour boire un dernier verre et Victorien, alors, se tourna vers Benjamin en disant :

— Je suppose, fils, que tu as quelque chose à demander à Vincent.

Benjamin sourit mais se sentit gêné, tout à coup, comme s'il avait dû effectuer sa demande en mariage en uniforme et gants blancs. Il s'éclaircit la gorge, déclara :

— Il y a longtemps que je veux faire de Marie ma femme. Est-ce que tu veux bien me la donner, Vincent ?

— Je m'en doutais un peu, fit Vincent, en riant ; mais si je te la donne, c'est uniquement parce que tu sais pêcher les saumons !

Ce fut un éclat de rire général, et Victorien versa un peu plus d'eau-de-vie dans les verres, y compris dans celui de Marie qui tentait de refuser. Puis il dit, d'une voix qui laissa à penser qu'il y songeait depuis longtemps :

— Bon ! Eh bien, je crois que le mieux est de les marier le plus vite possible, c'est-à-dire dès que les eaux ne seront plus marchandes... disons... fin juin.

— C'est peut-être un peu tôt, dit Elina, pour tout ce que nous avons à préparer.

Victorien interrogea Benjamin et Marie du regard, puis Vincent, et constata qu'ils partageaient tous l'avis d'Elina.

— Bon ! fit-il alors. Eh bien, disons fin juillet, mais pas plus tard, parce que je vais vous dire une chose : on n'aura jamais vu une telle noce dans toute la vallée !

Il paraissait très gai, et Benjamin pensa qu'il avait peut-être un peu abusé de l'eau-de-vie.

— Un mariage dont on se souviendra, croyez-moi ! reprit-il en tapant sur la table, les yeux illuminés.

— Est-ce bien nécessaire ? demanda Benjamin doucement. Marie et moi voulons être mariés comme vos autres enfants.

— Mes autres enfants auront leur part. D'ailleurs ils ont demandé à revenir et je leur ai dit que j'étais prêt à les accueillir. Demande donc à ta mère.

— C'est vrai, dit Elina. Nous allons nous retrouver tous comme avant.

— Vous habiterez à l'étage, reprit Victorien ; nous allons faire arranger deux pièces. Qu'en penses-tu, fils ?

— Peut-être que Marie préférerait..

— Habiter chez Vincent ?

— Oui, fit Benjamin, mal à l'aise de contrarier son père.

Victorien regarda Marie, puis Vincent, qui déclara en posant sa main sur celle de sa fille :

— Elle nous a beaucoup donné, à moi et à ses frères. Il est juste qu'elle aille habiter aujourd'hui où elle voudra.

— Si tu veux, petite, fit Victorien, tu pourras t'occuper des comptes et des commandes.

Tous les regards convergèrent vers Marie, mais elle ne s'en émut pas, sachant aujourd'hui soutenir une conversation sans se troubler.

— C'est un peu tôt pour décider, dit-elle d'une voix ferme qui les surprit, il faut que nous en parlions avec Benjamin. Mais pour le logement, je veux bien.

— A la bonne heure ! s'exclama Victorien, tu ne le regretteras pas, ma fille.

Puis il s'adressa à Benjamin avec une grande excitation dans la voix :

— Les bateaux sont presque prêts, fils ! Si tu étais passé aux chantiers de Sainte-Capraise, tu aurais pu les voir. Je t'ai attendu pour savoir ce que tu voulais comme voiles ; il faudra que tu les choisisses au plus vite !

— Il vient juste d'arriver, enfin ! s'écria Elina. Laissez-le donc poser son sac !

— Suis-je bête, murmura Victorien, je l'ai attendu des années et je voudrais déjà le faire repartir.

— Parle-nous un peu de ta santé, mon garçon, demanda Elina ; c'est ce qui compte le plus.

— Je me porte à merveille ! fit Benjamin, et je ne souffre de rien.

— C'est bien vrai ?

— Demandez donc à Marie, elle vous le dira aussi bien que moi.

Marie hocha la tête, assura :

— Ne vous inquiétez pas, Elina, tout va bien maintenant.

Et elle ajouta, insistant du regard auprès de Benjamin :

— Il faudrait peut-être aller dormir à présent ; nous sommes debout depuis six heures.

— Tu as raison, dit Vincent, il est temps.

— Je vais vous raccompagner, fit Benjamin qui avait deviné le désir de Marie d'être seule avec lui.

Tout le monde se leva et se souhaita bonne nuit.

— Je laisse la clé sous la porte, dit Elina en embrassant Benjamin.

Il sortit en compagnie de Vincent et de Marie, et tous trois s'éloignèrent en direction de la maison Paradou. A mi-chemin, Vincent, qui marchait devant, se retourna pour leur dire :

— Allez donc ! mais ne rentrez pas trop tard ; il fait encore frais en cette saison.

Benjamin et Marie le remercièrent et tournèrent à droite pour retrouver le sentier qu'ils connaissaient si bien. Cette nuit était belle comme l'avaient été celles de leur jeunesse, chaque printemps. Des étoiles jaillissait une lumière qui semblait retomber en pluie sur la terre. Aucun bruit ne troublait la nuit bleutée sinon le murmure des feuillages qui répondait au chuchotement de l'eau. Ils avaient retrouvé leur royaume et le sentaient palpiter autour d'eux tandis qu'ils avançaient en longeant la berge pailletée de rosée.

Un peu plus loin ils s'arrêtèrent, comme ils en avaient l'habitude, sur le rivage où si souvent ils avaient, ensemble, été heureux. Ils s'assirent sur le tronc renversé en bordure de la plage de galets, surpris qu'il fût encore là pour les accueillir. Benjamin passa son bras autour des épaules de Marie, murmura :

— Même quand je me trouvais au bout du monde, je nous revoyais tous les deux à cet endroit.

La lune émergea d'un nuage, répandit sur la vallée une lave cendrée qui fit se lever le parfum des prairies en vagues lourdes et suffocantes. Une risée plissa la rivière et caressa les frênes sur la rive opposée.

— Elle m'a aidé à garder l'espoir, reprit Benjamin. Dans le fond, j'ai toujours su qu'elle nous réunirait un jour de nouveau.

Marie frissonna, murmura :

— Elina, elle, dit que notre rivière c'est l'espérance. Même pour ceux qui n'habitent pas sur ses rives.

— Elle a raison, dit Benjamin. Sans elle, que serions-nous devenus ?

Ils se turent, écoutèrent respirer la nuit, scellant leur alliance avec la beauté du monde. Les mots étaient devenus dérisoires. Leur vie avait pris les couleurs de l'éternité.

Brive, mai 1988 - janvier 1990.

Achevé d'imprimer en mai 1995
sur presse CAMERON
dans les ateliers de B.C.I.
à Saint-Amand-Montrond (Cher)
pour le compte des éditions Robert Laffont
24, avenue Marceau, 75008 Paris

N° d'édition : 36255. N° d'impression : 1/1196.
Dépôt légal : avril 1990.
Imprimé en France